INVISIBLE

Né à New York en 1947, James Patterson publie son premier roman en 1977. La même année, il obtient l'Edgar Award du roman policier. Il est aujourd'hui l'auteur le plus lu au monde. Plusieurs de ses thrillers ont été adaptés à l'écran.

Paru au Livre de Poche :

JAMES PATTERSON
ET DAVID ELLIS

Invisible

TRADUIT DE L'ANGLAIS (ÉTATS-UNIS) PAR SEBASTIAN DANCHIN

L'ARCHIPEL

Titre original :

INVISIBLE
Publié par Little, Brown and Company, New York, 2014.

À la famille Kasper,
Mike, Laura, et leur petit ange,
Sophie Mei-Xiang.

1

Cette fois, je le sais. J'en ai si bien la conviction que ma gorge se noue sous l'effet de la peur, que mon cœur se tord dans tous les sens avant de rompre ses amarres. Cette fois, il est trop tard.

La chaleur est insoutenable, la lumière aveuglante, la fumée étouffante.

L'alarme à incendie hurle à la mort. Pas de ces bips timides qui vous alertent face au danger, mais un mugissement qui vous dit clairement que vous êtes foutu à moins de fuir au plus vite. Je ne sais pas quand elle s'est déclenchée, je sais juste qu'il est trop tard pour échapper à la fournaise qu'est devenu le cube fermé de ma chambre. À la fumée noire et putride qui me carbonise les poils du nez et me ronge les poumons. Aux flammes orangées qui lèchent le plafond au-dessus de ma tête, dansent autour de mon lit dans une chorégraphie si bien étudiée qu'on pourrait la croire consciencieusement répétée. Les flammes se liguent contre moi, elles me crachent au visage leur ardeur sinistre en progressant inexorablement. Leur message est clair : *Cette fois, il est trop tard, Emmy.*

La fenêtre. Peut-être ai-je encore le temps de bondir de mon lit et de courir à la fenêtre en traversant la maigre partie de la chambre encore épargnée par l'incendie. Je me trouve acculée par l'ennemi qui me défie : *Vas-y, Emmy. La fenêtre, Emmy…*

J'ai bien conscience qu'il s'agit de ma dernière chance. Je refuse de réfléchir à ce qui m'attend si j'échoue, aux souffrances que je vais devoir endurer. Le feu m'agrippera dans ses serres en quelques minutes, une douleur insoutenable me tordra les entrailles, et puis les flammes réduiront en cendres mes terminaisons nerveuses et je ne sentirai plus rien. À moins de perdre connaissance avant, empoisonnée par la fumée.

Je n'ai plus rien à perdre, chaque seconde compte.

Les flammes partent à l'assaut de mon couvre-lit en flanelle à l'instant où mes pieds touchent le sol et je franchis en quatre enjambées la distance qui me sépare de la fenêtre. Un cri de panique monte de ma gorge, le même qu'à l'époque où je jouais à chat avec papa, derrière la maison, où je sentais son souffle sur ma nuque. L'épaule en avant, je me jette contre la vitre. Une vitre antichoc, sur laquelle se répercute l'écho du hurlement animal qui s'échappe de ma poitrine lorsque je rebondis sur le carreau et tombe en arrière dans le brasier. *Respire, Emmy. Ne t'inquiète pas des gaz toxiques, ne te laisse pas dévorer par les flammes. RESPIRE…*

Respirer. J'emplis longuement mes poumons.

— Putain…

Le mot, sorti tout seul, ne s'adresse à personne dans l'obscurité de ma chambre que ne traverse aucune lueur d'incendie. Un épais voile de transpiration me picote les yeux, que j'essuie à l'aide de mon T-shirt. Je ne commets pas l'erreur de bouger trop vite. Je commence par attendre que mon cœur retrouve un rythme à peu près normal, que ma respiration s'apaise. Je pose mon regard sur le radio-réveil dont les diodes rouges en bâtonnets m'indiquent qu'il est 2 h 30 du matin.

Vacherie de cauchemars. On croit avoir remporté une victoire à force de les combattre, de se convaincre que tout va mieux, de s'en féliciter. Et puis, on ferme les yeux dans le noir, on glisse dans le sommeil, et voilà que votre cerveau vous tape gentiment sur l'épaule en vous glissant à l'oreille : *Tu sais quoi? Tu ne vas pas mieux DU TOUT.*

Je lâche un ultime soupir avant de chercher des doigts l'interrupteur. La lumière enflamme la pièce et le feu est partout. Il tapisse les murs de ma chambre sous forme de photos, de coupures de presse, de rapports de police. Des incendies meurtriers qui ont semé la mort aux quatre coins des États-Unis : Hawthorne en Floride, Skokie dans l'Illinois et Cedar Rapids dans l'Iowa, Plano au Texas, Piedmont en Californie.

Sans oublier Peoria, en Arizona. Le pire de tous.

Cinquante-trois en tout.

Je rase les murs en les passant rapidement en revue, puis je m'assois devant mon ordinateur et j'ouvre mes e-mails.

J'ai pu répertorier cinquante-trois incendies, mais sans doute y en a-t-il eu d'autres.

Le tueur n'est pas près de s'arrêter.

2

Je viens voir ce connard de Dick. Ce ne sont pas mes paroles exactes, mais le cœur y est.

— Emmy Dockery, je souhaiterais voir M. Dickinson, s'il vous plaît.

Je n'ai jamais vu la femme coincée derrière son bureau dans l'antichambre de Dickinson. Le petit écriteau posé devant elle précise qu'elle se prénomme Lydia. Un prénom qui lui va bien, elle a tout d'une Lydia : cheveux bruns coupés court, lunettes à monture épaisse de couleur noire, chemisier en soie vieillot. Je l'imagine volontiers occupant ses loisirs à l'écriture de sonnets. Le genre à vivre entourée de trois chats, à parler de gastronomie quand elle achète un plat à emporter chez l'Indien du coin. Je sais, je ne devrais pas me montrer aussi méchante, mais ça m'énerve de découvrir un visage inconnu, de me sentir étrangère dans un lieu où j'ai sué sang et eau pendant près de neuf ans.

— Vous aviez rendez-vous avec le directeur, madame… Dockery ?

Cette pomme de Lydia m'adresse un sourire narquois. Elle sait pertinemment que je n'ai pas de rendez-vous puisque les gens de l'accueil lui ont passé un coup de fil avant de m'autoriser à monter. Elle se contente de me rappeler aimablement que je suis là parce qu'elle l'a bien voulu.

Je feins l'étonnement.

— Le *directeur* ? Vous voulez dire le sous-directeur adjoint du Service de lutte contre la cybercriminalité et les crimes violents ?

Il ne fallait pas me chercher.

J'attends que Lydia reprenne des couleurs. Dick ne m'aurait jamais autorisée à monter s'il n'avait pas eu l'intention de me recevoir.

Il me fait poireauter vingt bonnes minutes de façon caractéristique, mais je finis par être introduite dans le saint des saints. Des lambris sombres, des photos et des diplômes accrochés aux murs, la panoplie traditionnelle de la prétention décomplexée. Ce connard de Dick est particulièrement imbu de sa très petite personne.

Julius Dickinson, avec son bronzage à l'année et ses cheveux ramenés en arrière, ses cinq kilos de trop et son sourire cajoleur, me fait signe de m'asseoir.

— Emmy, m'accueille-t-il en affichant dans sa voix une pitié feinte que contredit le pétillement de ses yeux.

Je le connais suffisamment pour savoir qu'il a décidé de me provoquer.

Je m'installe tranquillement en face de lui.

— Vous n'avez pas répondu à mes e-mails.

— En effet, rétorque-t-il sans même tenter de se justifier.

Pourquoi se justifierait-il ? C'est lui le patron, et moi je ne suis qu'une modeste employée. Plus vraiment, d'ailleurs. Une modeste employée en disponibilité dont la carrière ne tient plus qu'à un fil, dont l'avenir dépend de l'homme que j'ai sous les yeux.

J'ai néanmoins envie de savoir.

— Avez-vous pris le temps de les lire, au moins ?

Il sort de son tiroir un carré de soie avec lequel il essuie ses verres de lunettes.

— J'ai cru comprendre que vous évoquiez une série d'incendies dont vous *croyez* deviner qu'ils sont l'œuvre d'un criminel de génie bien décidé à camoufler ses méfaits en drames accidentels.

C'est à peu près ça.

— En revanche, j'avoue avoir lu *en détail* l'article paru récemment dans les colonnes du *Peoria Times,* le quotidien d'une bourgade d'Arizona, ajoute-t-il sur un ton nettement moins amène.

Il s'empare d'une coupure de presse dont il entame la lecture.

— «Huit mois après la mort de sa sœur dans un incendie, Emmy Dockery s'efforce toujours de convaincre la police locale que le décès de Marta Dockery n'est pas accidentel, mais criminel.» Ah, j'oubliais cet intéressant passage : «Le Dr Martin Lazerby, médecin légiste adjoint du service médico-légal du comté de Maricopa, insiste sur le fait que tout permet de conclure à un incendie accidentel.» Et laissez-moi vous lire ma phrase préférée. Il s'agit d'une citation du chef de la police locale : «Elle travaille pour le FBI. Si elle est aussi certaine qu'il s'agit d'un meurtre, pourquoi ne demande-t-elle pas au Bureau d'ouvrir une enquête ?»

Je choisis de ne pas répondre. Un article de merde, rédigé par un journaliste qui a pris le parti de la police sans jamais évoquer les preuves dont je dispose.

— J'en arrive à me poser des questions à votre sujet, Emmy.

Dickinson joint les mains et cherche ses mots, comme s'il s'apprêtait à chapitrer un gamin turbulent.

— Puis-je savoir si vous suivez une psychothérapie, Emmy ? Vous avez besoin d'aide. Nous serions ravis de vous voir revenir parmi nous, croyez-le bien, mais à la condition que vous alliez mieux.

Il a du mal à réprimer un sourire. Notre inimitié n'est pas récente. C'est ce connard de Dick qui m'a traînée en conseil de discipline pour *conduite inappropriée,* avec mise à pied à la clé. *Congé administratif sans solde,* pour user du jargon exact. Il me reste sept semaines à tirer avant de récupérer mon boulot. Et encore, avec une période probatoire de deux mois. Si je n'avais pas récemment perdu ma sœur, on m'aurait probablement virée comme une malpropre.

Il connaît aussi bien que moi les véritables raisons de ma disgrâce. Il se contente de me narguer, rien de plus. Je dois conserver mon sang-froid, il serait trop content que je pète les plombs. Il n'attend que ça, de façon à expliquer à sa hiérarchie que je ne suis pas en état de reprendre mon poste.

Je n'en réagis pas moins.

— Que je me fasse soigner ou non, je pensais que ça vous intéresserait de savoir qu'un tueur en série sème la mort à travers le pays.

Il plisse les paupières et me laisse venir. Je ne serais pas là si je n'avais pas besoin de lui. Le meilleur moyen de me torturer est encore de garder un silence buté.

— Concentrez-vous sur votre guérison, Emmy, finit-il par déclarer. En attendant, laissez-nous faire notre travail.

Il répète mon prénom à tout bout de champ. Je préférerais encore qu'il me crache à la figure et me traite de tous les noms. Il le sait très bien. Ce type-là est un as de la torture à petit feu. En venant, je n'étais même pas certaine qu'il accepterait de me recevoir sans rendez-vous. Je m'aperçois que je lui manquais, il est trop heureux de me rembarrer et de me rire au nez. Je le répète, notre inimitié n'est pas nouvelle. Pour résumer la situation, ce type-là est un porc.

Je tente une dernière fois ma chance.

— Il ne s'agit pas de moi, mais d'un individu capable…

— Éprouvez-vous parfois de la colère, Emmy ? Êtes-vous en mesure de maîtriser vos émotions ?

Il me regarde d'un air faussement inquiet.

— Vous êtes toute rouge, vous serrez les poings. J'ai bien peur que vous ne soyez toujours pas maîtresse de vous-même. Si jamais vous éprouvez le besoin de parler, sachez que nous avons d'excellents psychologues dans la maison, Emmy.

On dirait l'une de ces pubs télé diffusées de nuit à l'intention des personnes dépendantes aux médicaments.

Nos psychologues sont là pour vous aider. Appelez dès à présent !

Insister ne servirait à rien. Je n'aurais jamais dû venir. C'était idiot de ma part de croire qu'il m'écouterait. C'était perdu d'avance. Je me lève, prête à m'en aller, quand sa voix résonne dans mon dos.

— Bonne chance avec votre thérapie. Nous sommes de tout cœur avec vous.

Je me retourne, la main sur la poignée de porte.

— Ce type assassine des gens dans tout le pays. Ce n'est pas comme si nous n'arrivions pas à le coincer. Nous ne savons même pas qui il est. Il n'apparaît sur aucun de nos radars.

Ce connard de Dick se contente de m'adresser un petit signe de la main en guise d'au revoir. Je claque la porte de son bureau derrière moi.

3

J'attends de retrouver la rue pour laisser éclater ma colère. Je ne laisserai pas à Dickinson le plaisir de me voir exploser. Pas question de lui fournir des munitions quand je voudrai retrouver mon boulot, dans sept semaines.

Il n'en manquera d'ailleurs pas. Il lui suffira de produire mes e-mails et d'évoquer la conversation que nous venons d'avoir pour apporter la preuve que je suis « obsessionnelle », et coupable du crime le plus impardonnable pour une analyste : me prendre pour un agent du Bureau en oubliant mon rôle de simple rouage à l'intérieur du système.

Je frappe violemment le volant du plat de la main à plusieurs reprises en regagnant l'Interstate 95. Non seulement ça ne sert à rien, mais je pourrais me casser un doigt.

— Trou du cul !

L'insulter à tue-tête me fait du bien. Le pire qui puisse m'arriver est de m'user les cordes vocales.

— Trou du cul ! Trou du cul !

Dickinson me tient à sa merci depuis mon passage en commission disciplinaire. Même en retrouvant mon poste, il me faudra franchir l'obstacle de cette foutue période probatoire. Au moindre faux pas, je suis fichue. Il suffit que Dickinson *m'accuse* d'un faux pas pour que je sois dans le pétrin. Quand je repense au rictus narquois qu'il arborait en me conseillant de suivre une psychothérapie. Il sait très bien que mon *problème disciplinaire* est d'avoir osé repousser sa main chaque fois qu'il m'effleurait le genou, d'avoir refusé de dîner en ville avec lui, de lui avoir ri au nez lorsqu'il m'a proposé de m'emmener en week-end. Je n'aurais pas dû rire ce jour-là. Le lendemain matin, il mettait au point sa petite histoire et m'accusait auprès de sa hiérarchie de m'être montrée de plus en plus pressante avec lui. Un baratin bien ficelé, truffé d'adjectifs tels que *versatile* et *erratique,* et je passais en commission disciplinaire.

Trou du cul.

Reprends-toi, Emmy. Il ne me reste plus qu'à poursuivre l'enquête seule. Je ne peux tout de même pas rester les bras ballants. Je refuse de renoncer. Je suis certaine que tous ces incendies sont liés. D'un autre côté, je suis coincée. Je n'ai pas les moyens d'enquêter par moi-même et ce connard de Dick me barre la route du Bureau. Pas parce que j'ai tort, mais parce qu'il me déteste. Quelle solution me reste-t-il, sinon attendre ?

Je lève le pied de l'accélérateur, sans raison, sinon emmerder le crétin qui me colle au train avec son 4 × 4. Je tourne et retourne le problème dans tous les sens.

Il y aurait bien une solution, mais… Non, pas question, je ne peux pas.

Tant pis pour mon amour-propre, je dois tout tenter. Si mon instinct ne me trahit pas, l'incendiaire assassine avec toujours plus de maestria. Et, à part moi, personne ne soupçonne son existence.

4

« Les confessions de Graham »
Enregistrement n° 1
Mardi 21 août 2012

Bienvenue dans mon univers. Mais pas de manières, appelez-moi Graham, je serai votre guide.

Vous ne me connaissez pas. Cet anonymat est la meilleure preuve de ma réussite. À l'instant où je m'adresse à vous, personne n'a jamais entendu parler de moi. Il n'en sera plus de même lorsque ces enregistrements seront rendus publics, le jour venu. Ce jour-là, le nom de Graham s'étalera à la une des journaux et des magazines du monde entier. On me consacrera des livres, des sites Internet, je ferai l'objet de films, on étudiera mon cas à Quantico.

Personne ne connaîtra jamais ma véritable identité. On ne saura jamais si je m'appelle vraiment « Graham ». On ne saura rien de moi, en dehors du contenu de ces enregistrements. Je vous dirai uniquement ce que je veux bien vous révéler. Vous ne saurez jamais si je vous ai tout dit, ou bien si j'ai choisi de laisser certains détails dans l'ombre. Si je vous ai raconté la vérité, ou bien si j'ai accumulé les mensonges.

Quelques détails, pour commencer. En dépit des qualités sportives dont j'ai pu faire preuve au lycée, je ne suis pas allé très loin dans mes études. J'étais bon élève, mais pas assez pour intégrer les établissements prestigieux de l'Ivy League, ce qui m'a contraint à m'inscrire dans une université d'État. Sinon, je déteste l'oignon sous toutes ses formes, cuit ou cru. Je parle trois langues, tout en reconnaissant que mon français n'est guère glorieux. Je suis néanmoins capable de dire «Sans oignons, s'il vous plaît» dans pas moins de onze idiomes différents, le grec et l'albanais étant récemment venus enrichir ce trésor de guerre. Je préfère la variété à la musique classique ou au heavy metal, sans l'avoir jamais avoué à mes amis. J'ai couru un jour le marathon en une heure trente-sept minutes, mais je ne pratique plus de sport régulièrement. Enfin, je ne bois jamais de bière légère.

À propos : deux des informations que je viens de vous donner sont fausses.

Ce n'est pas le cas de celle-ci : j'ai tué énormément de gens. Beaucoup plus que vous ne pouvez l'imaginer.

Et vous? Je ne sais d'ailleurs pas à qui s'adresse ce récit. Il peut aussi bien s'agir d'un être vivant que de l'esprit de l'une de mes victimes. D'un petit démon qui me glisse ses pensées les plus sombres à l'oreille, perché sur mon épaule. D'un profileur du FBI. D'un journaliste d'investigation plus doué que ses confrères. D'un citoyen lambda qui écoutera un jour ces enregistrements sur Internet, les yeux rivés sur l'écran de son ordinateur, avide de comprendre le fonctionnement d'un tueur fou! C'est inévitablement ce qui arrivera. Vous aurez envie de décrypter mes actes, d'établir un diagnostic, de me cataloguer dans une niche proprette et rassurante. On dira que je suis devenu un monstre parce que ma mère ne m'aimait pas, ou bien à la suite d'un traumatisme majeur, ou encore à cause d'une maladie mentale soigneusement cataloguée par la psychiatrie.

Vous allez pourtant vous apercevoir que vous pourriez me croiser dans le bar du coin de la rue, me voir tailler la haie mitoyenne de la vôtre, effectuer un vol New York-Los Angeles sur le siège voisin du mien, sans même remarquer ma présence. Avec le recul, vous vous souviendrez peut-être d'un détail bizarre. En attendant, vous ne remarqueriez rien d'anormal si je me tenais devant vous. Vous m'oublieriez aussitôt. En un mot, vous me trouveriez normal. Et savez-vous pourquoi ?

Je vous vois perplexes. C'est pourtant simple : j'excelle dans tout ce que j'entreprends. Pour cette raison, personne ne m'attrapera jamais.

[FIN]

Deux ans après son ouverture, la librairie du centre-ville d'Alexandria est toujours aussi pimpante, avec sa façade de brique et ses boiseries bleu pastel. Son nom, THE BOOK MAN, s'étale en lettres peintes sur la vitrine dans laquelle sont alignées les dernières nouveautés. Des livres pour enfants se mêlent aux romans du moment.

Je prends mon courage à deux mains à l'instant de pousser la porte de la librairie, pas certaine d'agir sagement. À ma décharge, j'ai peu dormi au cours des deux nuits précédentes. Une sonnette tinte joyeusement et je l'aperçois avant qu'il ne me voie. Chaussé d'une paire de mocassins, il porte une chemise à carreaux à manches courtes dont les pans flottent au-dessus d'un jean. J'ai un mouvement de recul en constatant qu'il n'est pas en costume-cravate. Une odeur de livre neuf et de café flotte à l'intérieur de la boutique. Le lieu respire la paix et la sérénité. Debout derrière son comptoir, il encaisse la vente d'une cliente lorsqu'il m'aperçoit. Il sursaute, s'empresse de sourire à la cliente en glissant un marque-page dans son sachet en plastique. L'acheteuse quitte la librairie et il s'approche. Il se plante devant moi en s'essuyant les mains sur son jean.

Autant me jeter à l'eau la première.

— Salut, Books.

— Emmy.

Sa voix, grave et ferme tout en restant douce, fait surgir une mine de souvenirs qui s'échappent du barrage mental que je m'étais construit. La douceur est plus présente qu'avant. Sans doute parce que j'enterrais ma sœur la dernière fois que nous nous sommes vus, huit mois plus tôt. Il est venu me consoler le jour où était exposé le corps. Je ne sais même pas comment il était au courant, peut-être par ma mère. Je ne lui ai pas posé la question, mais il était là, discret, fondu dans le décor, prêt à m'aider. Books a toujours eu le don de me surprendre.

— Merci d'accepter de me voir.

— Je n'ai rien accepté du tout, tu débarques sans prévenir.

— Dans ce cas, merci de ne pas m'avoir mise dehors.

— Je n'en ai pas eu l'occasion, mais il n'est jamais trop tard.

C'est la première fois que je souris depuis des semaines. Books a l'air en pleine forme. Détendu et heureux. Salopard. Je l'aurais imaginé détruit par notre séparation.

— Tu es toujours aussi snob avec le café ?

Ma question le fait sourire à son tour. D'autres souvenirs remontent à la surface. Même à l'époque où il touchait un petit salaire de fonctionnaire, il commandait sur Internet le meilleur café italien en grains.

25

— Bien sûr. Et toi, toujours une emmerdeuse névrosée de première avec un cœur gros comme ça ?

La description me va comme un gant. Books me connaît mieux que personne. On sent pourtant que la conversation est forcée. Assez tourné autour du pot.

— J'ai besoin de ton aide.

— Non, répond Books en secouant la tête avec détermination. Pas question, Em.

— Je voudrais que tu écoutes ce que j'ai à te dire, Books.

— Non merci.

— C'est une affaire unique.

— Je viens de te le dire, ou alors je n'ai pas parlé assez fort : non merci…

— Ce type est le pire salopard que la terre ait jamais porté. Il ne s'agit pas d'une simple formule, Books.

— Je ne veux rien savoir. Sérieusement, insiste-t-il comme pour mieux se convaincre lui-même.

Nous avons rejoint la réserve de sa librairie. Son stock de livres s'empile sur des étagères. Je me suis installée à un coin de table, après avoir posé à côté de moi les cinquante-trois dossiers relatifs aux incendies, afin qu'il puisse les regarder.

— Tout est là. Jette au moins un coup d'œil.

Books passe une main dans ses cheveux blonds qu'il porte plus longs qu'auparavant. Des mèches lui couvrent le front, des boucles épaississent sa nuque. Il tourne en rond en rassemblant ses pensées.

— Je ne travaille plus pour le Bureau.

— Une affaire telle que celle-ci pourrait bien t'inciter à changer d'avis. Ils ne t'ont jamais poussé à la démission.

— De toute façon, ça concerne surtout l'ATF[1].

— On peut très bien monter une opération conjointe avec le FBI…

— Ce n'est pas mon problème, Em !

Il envoie rouler par terre les dossiers empilés sur la table.

— Tu sais à quel point c'est difficile pour moi de te voir arriver comme ça en me demandant de t'aider ? C'est dégueulasse.

Je ne peux pas lui donner tort, mais il ne s'agit pas de ça.

Il secoue la tête pendant deux bonnes minutes, les mains sur les hanches. Il relève enfin la tête.

— Dickinson t'a envoyée bouler ?

— Oui, mais bêtement, sans lire ces dossiers. Tu connais ce connard de Dick.

Books ne peut pas me donner tort sur ce point.

— Lui as-tu expliqué au moins pourquoi tu t'intéressais à cette histoire ?

— C'est évident, non ? Un inconnu s'applique à tuer…

— Ce n'est pas ce que je veux dire, Em, et tu le sais très bien.

Il s'approche à me toucher.

---

1. L'ATF (Bureau of Alcohol, Tobacco, Firearms and Explosives) est le service chargé de lutter contre le trafic d'alcool, de tabac, d'armes à feu et d'explosifs. *(Toutes les notes sont du traducteur.)*

— Dickinson est au courant que ta sœur est morte dans un incendie il y a huit mois à Peoria ?

— Je ne vois pas le rapport.

Il éclate d'un rire moqueur en levant les bras au ciel.

— Tu ne vois pas le rapport !

— Que ma sœur ait été tuée ou non par ce type ne retire rien au fait qu'un tueur en série…

Books balaie l'argument d'un geste en refusant d'écouter la suite.

— Je suis désolé pour Marta, Emmy. Tu le sais. Mais…

— Si tu es vraiment désolé, accepte de m'aider. Pour elle.

J'ai conscience d'avoir franchi la ligne rouge avant même d'achever ma phrase. Books a changé de vie. Il ne travaille plus pour le Bureau. Il gagne sa vie comme libraire.

Je cherche à l'apaiser en levant les mains.

— Oublie ce que je viens de dire. Je n'aurais jamais dû venir te trouver. Je… je te demande pardon.

L'instant d'après, je quitte la boutique de mon ex-fiancé sans un mot.

7

« Les confessions de Graham »
Enregistrement n° 2
Mercredi 22 août 2012

J'aime l'odeur des fleurs à la nuit tombée. Une odeur d'été très particulière. Une odeur qui donne à cette chambre un goût de… je cherche le terme exact… un goût de *renouveau*. De renouveau et de fraîcheur. Les murs ont été repeints en rose, avec une pointe de jaune citron. Le lit est neuf, lui aussi. Un grand lit à baldaquin. Celui que tu avais quand tu étais petite, Joëlle ? Un cadeau de maman et papa quand tu as emménagé en ville dans ta nouvelle maison ? Aucune importance, après tout. Je doute que Joëlle soit en mesure de répondre.

Le reste est kitsch. Tous ces meubles anciens prétentieux, soigneusement époussetés et tirés de la cave des parents. Un joli fauteuil, dans lequel il fait bon lire. Et cette table de nuit de fortune, tout droit sortie d'une chambre d'étudiant : deux caisses de lait posées l'une au-dessus de l'autre, avec un petit réveille-matin et un vase de lis fraîchement coupés.

Une jeune fille aux ressources limitées, avec du goût sans les moyens de l'exprimer. L'intérieur discret d'une jeune femme qui vient d'obtenir son premier emploi.

J'aurais aimé pouvoir prendre une photo de cette chambre et vous la montrer. Vous y auriez reconnu l'essence même de l'Amérique, cet idéal d'espoir, de débuts modestes portés par de grands rêves. Joëlle Swanson entretenait de grandes ambitions. Elle rêvait de poursuivre des études de droit criminel et de jouer les redresseuses de torts, comme flic dans un premier temps, un jour au FBI, voire dans l'univers feutré et discret de la CIA. De belles et nobles ambitions !

Bref, j'aurais aimé pouvoir prendre cette photo à votre intention, mais elle risquerait de vous détourner de mon récit. Un psychiatre prétendrait sans doute que je limite ces confessions aux mots à seule fin de maîtriser mon témoignage. De toute façon, je ne vous révélerai que le strict nécessaire. Vous verrez uniquement ce que j'entends vous laisser voir.

Je reconnais volontiers les limites d'un tel exercice. Vous n'êtes pas en mesure de sentir les mêmes odeurs que moi, ce parfum si particulier qu'exhale leur peau brillante de sueur. Vous n'êtes pas en mesure de lire dans leurs yeux cette terreur teintée de désespoir, de voir leurs pupilles dilatées, leurs lèvres qui tremblent, leur visage blême lorsqu'ils découvrent le cauchemar qui les attend. Vous n'êtes pas en mesure d'entendre leurs supplications, ces cris de panique larmoyants qui peinent à traverser leurs gorges nouées. Vous ne serez jamais en mesure de ressentir ce que je ressens.

Alors je m'efforcerai de vous aider. De vous montrer.

[Une femme tousse en arrière-plan.]

Tiens donc. Qui est en train de se réveiller ? Je vais devoir vous laisser.

Euh… je me demande si je ne vais pas trop vite en besogne. Peut-être faudrait-il que vous me connaissiez mieux avant d'assister à la scène. Peut-être devrions-nous danser joue contre joue, dîner aux chandelles ensemble, entre deux anecdotes. Histoire de vous avouer mes goûts et mes dégoûts.

Peut-être devrais-je vous expliquer les raisons qui me poussent à agir de la sorte.

Celles qui me poussent à choisir mes victimes.

Celles qui font de moi un génie.

Il me reste tant de détails à vous fournir ! Mais procédons par ordre. Chaque chose en son temps. Quand j'en aurai terminé, vous me comprendrez. Vous nous trouverez des points communs.

Qui sait si vous ne m'apprécierez pas ?

Certains d'entre vous souhaiteront même être à ma place.

[FIN]

8

Je me réveille en sursaut, le souffle court, tandis que les flammes qui dansaient au plafond s'effacent lentement dans le noir. J'essuie mes yeux noyés de sueur à l'aide du couvre-lit en chassant de ma tête les dernières images de mon cauchemar récurrent. Le scénario a changé cette fois, ce n'était pas moi qui étais allongée dans le lit. Son occupante était plus jolie, plus intelligente, plus courageuse. Cette fois, il s'agissait de Marta.

Ma sœur a déjà fait de brèves apparitions dans mon rêve. À ceci près qu'elle ne se rue pas vers la fenêtre comme moi. Elle retient son souffle et attend que les flammes viennent lécher le couvre-lit et l'avalent tout entière.

Je sais déjà que je ne parviendrai pas à me rendormir. Je n'y arrive jamais.

J'ai pris l'habitude me coucher tôt. Tôt pour moi, en tous les cas, aux alentours de 22 heures, sachant d'avance que je me retrouverai la proie des flammes entre 2 et 4 heures du matin et que ma journée débutera là.

Je mets le café en route et allume mon ordinateur. Les nouvelles de la nuit m'arrivent à toute heure, j'aurai de quoi m'occuper.

Je commets l'erreur de passer devant un miroir et de me regarder dans la glace. Le tableau est épique. Les premières mèches grises ont fait leur apparition et je suis trop têtue pour me teindre les cheveux, trop fière pour succomber aux moyens que nous offre la modernité lorsqu'il s'agit de lutter contre le vieillissement féminin, trop fière pour me métamorphoser en masquant mes défauts. Je me maquille très peu, me contentant de me doucher presque tous les jours et de me brosser les cheveux, persuadée que c'est suffisant. Je renonce aux crèmes antirides, aux colorations, aux soutiens-gorge pigeonnants. Et il faudrait en plus que je sois séduisante ?

En attendant, les gens ne font pas la queue pour me congratuler.

Tu es ta pire ennemie, me répétait inlassablement Marta. *Tu n'auras jamais besoin qu'on vienne te torturer l'âme, tu t'en charges toi-même.*

À bien des égards, Marta était l'opposé de moi. Autant je broie facilement du noir, autant elle était joyeuse. Toujours chic quand je suis choc. Pom-pom girl dans l'équipe de football américain du lycée quand je passais mon temps à manifester devant les abattoirs de la ville pour défendre la cause animale. Toujours prête à s'amuser le vendredi soir alors que je préférais m'enfermer avec un roman ou un traité de statistiques.

Elle mesurait cinq centimètres de moins que moi, avait des cheveux plus foncés et plus fins, et une poitrine plus marquée que la mienne. Ne me demandez pas comment deux filles nées à huit minutes d'intervalle pouvaient être aussi différentes.

— Putain, ce que tu me manques.

Seule dans la cuisine, je ne m'adresse à personne. Je n'ai même pas le privilège de cette phrase qu'elle prononçait systématiquement à la fin de chacun de nos coups de téléphone. Son rituel à l'heure de raccrocher, à l'époque où nous faisions nos études à des milliers de kilomètres de distance. Plus tard lorsqu'elle est partie travailler sur sa thèse en Arizona tandis que j'entrais au FBI pour des raisons qui échappaient à la terre entière.

Je n'oublierai jamais sa réaction quand elle a appris que je rejoignais le Bureau. Ses traits se sont brouillés, elle ne comprenait plus rien d'un seul coup, comme si elle avait mal entendu. Quoi? Une gauchiste prête à retourner sa veste? Elle ne l'a pas exprimé en ces termes. *Si tu es heureuse comme ça, je le suis pour toi.* Le bonheur était une autre obsession chez elle. *Sois heureuse, Em. Es-tu heureuse? Il n'y a aucun mal à vouloir être heureux dans la vie.*

Le café est prêt. J'emporte mon mug dans la chambre qui me sert de bureau et passe en revue les sites habituels après avoir relevé mes e-mails. Un pavillon familial réduit en cendres à Palo Alto, pas de victimes. Un incendie dans une cité de Detroit, plusieurs morts. Une usine de produits chimiques partie en fumée à Dallas.

Rien de rien.

Le drame suivant semble nettement plus prometteur. Un incendie s'est déclaré quelques heures plus tôt à Lisle, dans l'Illinois. Une maison de ville avec une seule victime.

Une jeune femme nommée Joëlle Swanson.

9

Le lendemain. C'est un peu comme la gueule de bois, une redescente brutale après une nuit trop arrosée. Couché dans mon lit, je m'adresse à vous par l'intermédiaire d'un petit enregistreur numérique, les yeux rivés sur la photo de Joëlle Swanson, prise hier soir une fois que tout était consommé, tirée par la suite sur mon imprimante couleur. Il faut bien le reconnaître, Joëlle était pugnace. Tout ce sang, toute cette souffrance ne l'ont pas empêchée de se battre jusqu'à la dernière extrémité. J'ai parfois du mal à comprendre les gens.

Je sais, je sais, je vous ai dit que je ne prenais pas de photos. À l'exception du portrait que je réalise de chacune de mes victimes à la fin de notre rencontre. Vous n'auriez tout de même pas le cœur de me priver d'un petit souvenir?

J'en oubliais de vous dire bonjour. Je m'efforce de commencer ma journée à 5 heures du matin. L'heure idéale pour passer en revue les accidents de la route, les meurtres et autres incidents regrettables. Un jour comme aujourd'hui, il n'est pas question de rater les infos. Tenez, le journal télévisé l'annonce à l'instant où je vous parle. Écoutez :

Une femme a péri dans l'incendie de sa maison de Lisle la nuit dernière. Joëlle Swanson, vingt-trois ans, fraîchement diplômée de l'université Benedictine, a trouvé la mort dans les flammes qui ont ravagé sa chambre tôt ce mercredi matin. Les autorités accusent une bougie posée sur sa table de nuit de s'être renversée. L'hypothèse d'un incendie criminel semble écartée.

Sport à présent, avec la reprise prochaine du championnat de la NFL, qu'une grève des arbitres menacerait...

Assez. Je lui coupe la chique. J'aurais aimé que vous puissiez voir les nuages de fumée noire qui s'échappaient en tournoyant du toit de la maison de Joëlle. J'adore cette expression. *S'échapper en tournoyant.* Le genre d'expression que l'on utilise uniquement dans un contexte bien précis. Quel nuage aurait l'idée de s'échapper en tournoyant, sinon lors d'un incendie ? Quant à la photo de Joëlle, ils l'ont probablement trouvée dans l'annuaire des élèves de sa dernière année au lycée, à voir la façon dont elle était retouchée.

Je préfère personnellement le portrait que j'ai fait d'elle. Je le trouve plus parlant, plus vivant, plus réaliste.

À vrai dire, j'ai bien conscience qu'il est dangereux de conserver des photos de mes victimes. Je sais, je sais. Si je me faisais épingler, mon album vaudrait toutes les confessions du monde. Que dire pour ma défense ? J'ai besoin de ces portraits, au point de prendre des risques si besoin est. Si ça peut vous rassurer, j'ai dissimulé mon collage entre les pages 232 et 233 du vieux livre de cuisine de ma mère, à l'emplacement précis de la recette des lasagnes à la viande hachée. (Je l'avoue, c'est voulu, même si ça peut choquer.)

Je vous entends déjà. *Sa mère ? Il nous parle de sa mère dès le troisième enregistrement, au bout de trois minutes et dix-sept secondes. L'indication de temps serait-elle significative ? Aurait-il grandi au n° 317 d'une rue quelconque ? Ou bien alors sa mère est-elle née un 17 mars ? A-t-elle abusé de lui à trois reprises avant de recommencer dix-sept fois ?*

C'est bon, autant vous avouer tout de suite que ma mère m'obligeait à me déguiser en fée Clochette quand j'étais enfant, et que je ne m'en suis jamais remis. Après l'avoir assassinée à coups de machette, j'ai juré de mutiler toutes les jolies blondes dont je croiserais la route, histoire d'oublier ce traumatisme. SAUF QUE MES CAUCHEMARS REFUSENT DE S'EN ALLER !

Je plaisante. Je sais, je n'étais pas très crédible, mais je n'y croyais pas vraiment. Je vous parlerai peut-être de ma mère un jour. On verra.

Je vous laisse, le travail m'attend. La journée sera chargée, il me reste une dernière aventure à organiser avant le premier week-end de septembre.

[FIN]

10

Ma matinée se déroule comme toutes les précédentes depuis des mois. Installée dans la chambre d'amis de la maison de ma mère, transformée en bureau, je passe tous les dossiers au peigne fin. Depuis qu'on m'a suspendue de mes fonctions, je n'ai plus accès au NIBRS, la base de données nationale des drames récents. De toute façon, celle-ci ne me servirait à rien, puisque n'y figurent que les incendies criminels. Les accidents, même ceux d'origine «douteuse», ne sont pas répertoriés dans le NIBRS.

Le tueur s'arrange systématiquement pour camoufler ses meurtres en drames accidentels. Il échappe de ce fait à tous les systèmes de surveillance, les autorités locales ne signalant jamais ses méfaits aux instances fédérales.

Cette situation me contraint à travailler de façon bien peu scientifique. Je me contente de placer des alertes sur Google et YouTube, de surveiller les sites et les blogs spécialisés, d'écumer le fil d'actualité d'une infinité de journaux. On dénombre des victimes d'incendies tous les jours dans ce pays. Que ces drames soient accidentels ou criminels, qu'ils fassent ou non l'objet d'une enquête fédérale, ils sont systématiquement mentionnés dans les médias locaux. Je suis donc inondée d'alertes, et même si les incendies ne me concernent pas dans quatre-vingt-dix-neuf pour cent des cas, je suis bien obligée d'en examiner les circonstances une à une, à la recherche de l'aiguille dans la botte de foin.

L'après-midi touche à sa fin. J'ai passé des heures devant l'écran de mon ordinateur portable, à la recherche de nouvelles pistes. J'ai tenté d'obtenir des informations sur ce feu à Lisle, dans l'Illinois, mais le flic que j'ai contacté ne m'a pas encore rappelée.

Mon téléphone portable se met à vibrer. Quand on parle du loup. Il s'agit certainement du flic en question, mais après une journée à tourner en cage, je serais capable de raconter ma vie à un vendeur d'assurances.

Je règle mon portable sur haut-parleur avant de décrocher.

— Madame Dockery ? Lieutenant Adam Ressler, de la police de Lisle.

— Bonjour, lieutenant, et merci de me rappeler.

— Madame Dockery, pourriez-vous me préciser à quel titre vous me contactez ? Vous appartenez au FBI ?

Il a mis le doigt sur une question épineuse. Outre le fait que je suis analyste et non enquêtrice, je suis actuellement en détachement forcé. Il suffit aux enquêteurs locaux de vérifier mon code pour s'assurer que j'appartiens bien au Bureau, mais ils constateront par la même occasion que je ne suis pas autorisée à leur poser des questions.

— Je suis actuellement en détachement du Bureau, dans le cadre d'une mission spéciale.

Un avocat dirait dans son jargon que cette affirmation est *techniquement correcte*. Il s'avère simplement que le FBI n'a rien à voir avec la mission spéciale en question. Je me contente de présenter la situation sous un jour trompeur sans recourir à un mensonge.

Mon stratagème fonctionne à peu près correctement la plupart du temps. Je m'arrange pour contacter des gens qui vont du citoyen lambda et du journaliste un peu curieux au fonctionnaire de police. Je trouve généralement le moyen d'obtenir des réponses aux questions inoffensives que je pose. Je finis par en apprendre assez pour avoir une idée des circonstances de l'incendie concerné, même si j'arrive rarement à recueillir tous les détails dont j'aimerais disposer.

— Bon, d'accord. Dites-moi ce que vous voulez savoir, réagit mon interlocuteur en me faisant comprendre qu'il satisfera ma curiosité jusqu'à un certain stade seulement. Vous souhaitiez me parler de Joëlle Swanson ?

— Oui, lieutenant. Il semblerait que l'incendie s'est déclaré il y a trois jours.

Je ne sais quasiment rien de ce drame, sinon que Joëlle Swanson, vingt-trois ans, habitait une petite maison située au 2141 Carthage Court à Lisle dans l'Illinois, une banlieue de Chicago.

Elle vivait seule. Fraîchement diplômée de l'université Benedictine, elle y avait trouvé un emploi au sein de l'administration. Célibataire, sans enfant, pas de petit ami officiel. L'incendie s'est déclaré en pleine nuit, pendant les premières heures du 22 août. À en croire le chef des pompiers locaux, il ne s'agit pas d'un acte criminel. Reste à connaître la cause du drame.

— Sait-on comment l'incendie s'est déclaré?

— Une bougie allumée, me répond mon interlocuteur. Elle était apparemment sur un bureau, il semble qu'elle soit tombée sur la moquette. Entre la moquette en question, les journaux qui se trouvaient là et le matelas en mousse, la chambre a pris feu très rapidement. La victime n'a pas eu le temps de sortir de son lit.

Je ne dis rien, dans l'espoir qu'il poursuive.

— Le chef des pompiers n'a repéré aucune trace d'accélérant. Il pense que… En fait, il m'a dit : «Les gens sont idiots de s'endormir en laissant une bougie allumée. »

Surtout avec des journaux éparpillés tout autour de façon très commode.

— Est-on certain que le feu est parti de la chambre?

— Oui, le chef des pompiers affirme qu'il n'y a aucun doute. Le feu a pris dans la chambre à cause de cette bougie.

— La bougie, justement.

— Eh bien?

— Sait-on comment elle a pu tomber?

Mon interlocuteur garde le silence. La question doit lui paraître de peu d'intérêt. Mais pour quelle raison une bougie posée sur un bureau tomberait-elle? Surtout à l'intérieur d'une maison. Ce n'est pas comme si le vent l'avait renversée.

— Excusez-moi de vous demander ça, finit par réagir le lieutenant, mais pourquoi le FBI s'intéresse-t-il à cette histoire?

— Si seulement je le savais, lieutenant. Vous savez ce que c'est.

— Euh… bon, d'accord.

— Une autopsie doit-elle être pratiquée ?

— Pas à ma connaissance.

— Pour quelle raison ?

— Déjà, je ne suis pas certain que le corps soit en état d'être autopsié. Ensuite, à quoi bon puisque le chef des pompiers ne soupçonne pas d'acte criminel ? Nous n'avons aucun motif de croire que quelqu'un en voulait à la victime, et aucune preuve de maltraitance.

— C'est justement à quoi servent les autopsies, lieutenant. À découvrir des preuves.

Le haut-parleur reste muet, comme si mon interlocuteur avait raccroché. Peut-être est-ce le cas. Les flics n'aiment guère qu'on leur apprenne leur métier, encore moins lorsque les conseils émanent d'un agent fédéral.

— Je sais très bien à quoi servent les autopsies, madame Dockery, mais on n'en pratique pas systématiquement. Cet incendie n'est nullement suspect, d'après les experts…

Je le coupe.

— J'imagine que vous devez avoir une brigade d'investigation des incendies criminels dans la région. Vous ne pourriez pas vous adresser à eux ?

— Il y en a une dans le comté, madame, mais si on devait les appeler à chaque départ de feu, ils n'auraient plus le temps de respirer. Maintenant, j'aimerais savoir si vous disposez d'informations susceptibles de nous laisser penser qu'il s'agit d'un incendie criminel.

— Je n'ai aucune information relative à Joëlle Swanson.

— Dans ce cas, je crois que nous avons fait le tour de la question, madame. J'ai du pain sur la planche.

— Je n'en doute pas, lieutenant. Je vous suis très reconnaissante de m'avoir accordé un peu de votre temps. Puis-je vous demander un dernier service ?

Il soupire suffisamment fort pour que je l'entende.

— Lequel ?

— La chambre. Pourriez-vous me la décrire ?

11

Le lieutenant promet de m'envoyer le plus rapidement possible tous les éléments dont il dispose sur la
chambre de Joëlle Swanson. Avec un peu de chance,
je recevrai les informations dans dix minutes, ou
bien jamais. J'aurais été mieux inspirée de le flatter
un peu. Ce genre de stratagème se révèle souvent
efficace. À ma décharge, j'en ai assez des pompiers
qui sont tout juste bons à éteindre les incendies
sans jamais chercher à savoir comment le feu s'est
déclaré, au point de refermer le dossier sans mener la
moindre enquête. S'il s'agissait d'un entrepôt contenant plusieurs millions de dollars de matériel, ils
passeraient les cendres au peigne fin. En revanche,
un banal incendie aux causes évidentes ne les intéresse guère et ils bouclent l'enquête avant même de
l'avoir entamée.

J'ai besoin d'un break après avoir passé des
heures devant mon écran. Faute d'avoir envie d'un
cheeseburger réchauffé au micro-ondes, je nettoie le
sol de la cuisine à grande eau. Je suis la première à
reconnaître que je suis maniaque, et puis ça arrange
l'agent immobilier. Il a été ravi d'apprendre que je
reprenais la maison de ma mère quand elle est partie

s'installer en Floride. Il est toujours plus facile de vendre une maison habitée. Et ça tombait bien pour moi, au moment de ma mise à pied. Jamais je n'aurais pu garder mon appartement de Georgetown sans un salaire régulier.

Pour l'heure, ma vie se résume à squatter la maison de ma mère à Urbanna, en Virginie, pendant qu'elle profite du soleil de la Floride. Je suis une célibataire de trente-cinq ans vivant chez sa mère, sans emploi et sans petit ami. Bravo, Emmy.

Le sol de la cuisine récuré, je m'accroupis en m'étirant. Je me sens usée, physiquement et moralement.

J'ai eu tort de penser que Books pourrait m'aider. Il a l'oreille du directeur du FBI et si quelqu'un était capable de me croire, c'était bien Books. Comment lui en vouloir ? Je comprends sa réaction, c'est sans doute ce qui me dérange le plus.

À quoi pouvais-je m'attendre ? Sachant que j'ai rompu avec lui trois mois avant notre mariage. J'ai perdu les pédales, et brisé le cœur d'un type super. Et voilà que je débarque à l'improviste dans sa vie deux ans plus tard, persuadée qu'il fera le beau à la première injonction.

Me voici revenue à mon point de départ, à diriger l'unité spéciale Emily Jean Dockery dont je suis la seule et unique membre. À éplucher le peu d'éléments dont je dispose en tout amateurisme, à m'adresser à des flics disséminés dans tous les coins qui me prennent la plupart du temps pour une cinglée.

Si ça se trouve, ils ont raison.

Je me pétrifie en entendant toquer à la porte. Je ne connais quasiment personne dans le coin, je n'ai pas d'amis, et il est 20 heures bien sonnées.

Je ne possède même pas d'arme, je dispose tout juste d'un seau et d'une serpillière pour me défendre. Il ne me reste plus qu'à nettoyer mon agresseur à mort.

— Qui est-ce?

Une voix familière me répond.

J'ouvre la porte en lâchant un grand soupir.

Harrison Bookman a changé de chemise, mais il porte le même jean que la veille. Il a coincé sous un bras la pile de dossiers que je lui ai laissés. On dirait un prof avec ses copies.

— Il ne tue pas le dimanche, déclare-t-il.

— Non, jamais.

Nous restons figés là, sans un mot, pendant une éternité.

— J'espère au moins que tu as du bon café chez toi, reprend Books.

— Oui.

— C'est le jour de notre mariage que tu aurais dû dire *oui*.

C'est la deuxième fois cette semaine que j'esquisse un sourire.

12

En remontant Pennsylvania Avenue en compagnie de Books, nous passons devant l'ancien emplacement de D'Acqua. Notre lieu de prédilection, si tant est que nous en ayons eu un. On sélectionnait notre poisson, pêché du jour, sur un étal recouvert de glace pilée dans la salle même du restaurant avant de le déguster avec du vin blanc. Ou bien alors attablés sur la terrasse, à regarder les fontaines du Navy Memorial. L'endroit était un peu trop chichiteux à notre goût, ce qui ne nous empêchait pas de nous accorder ce petit plaisir tous les vendredis soir. Et puis tout a basculé. Le restaurant a progressivement perdu de sa magie, et nous aussi.

Je me tourne vers Books.

— Tu sais très bien que c'est uniquement parce que tu es un homme.

Il donne l'impression de réfléchir longuement à la question avant d'approuver mollement.

— C'est une possibilité, concède-t-il, le front barré d'un pli. Ou alors…

Il se caresse le menton à la façon de Sherlock Holmes face à une énigme.

Il claque des doigts, sûr d'avoir trouvé la clé du mystère.

— C'est peut-être tout simplement parce que certaines personnes au sein du service me croient sain d'esprit, contrairement à toi.

— Pas du tout. C'est du sexisme pur. Je suis une femme, c'est tout.

— Une femme malade mentale.

— Books…

Il s'arrête net, face à l'entrée du FBI.

— C'est toi qui l'as voulu, pas moi, me rappelle-t-il sèchement. Je m'efforce d'obtenir ce que tu voulais. Pourquoi faut-il que tu analyses toujours tout ?

Aïe. Je ne m'attendais pas à autant d'hostilité de sa part.

Il pénètre dans le bâtiment sans attendre ma réaction. Nous donnons nos noms à l'accueil.

Il n'y a pas si longtemps, nous serions passés directement en montrant notre badge. Aujourd'hui, nous sommes de simples visiteurs. Books de son plein gré, à l'inverse de moi.

— Un instant, nous répond l'hôtesse.

Books croise les mains derrière le dos. Le genre de détail de rien du tout qui fait ressurgir une mine de souvenirs. Je l'ai toujours vu adopter cette posture guindée au boulot. En privé, c'était le type le plus drôle de la terre, mais pas dans son travail. L'agent du FBI type. *Nous nous contenterons des faits, madame.* Je me fichais régulièrement de lui à ce propos, à l'époque où nous étions heureux. Je tournais en rond avec une démarche de robot, les mains derrière le dos, en marmonnant : *Oui, madame. Non, monsieur.*

— Emmy, je te rappelle que c'est moi qui ai obtenu ce rendez-vous, murmure Books en se tournant vers moi.

— Je me tiendrai à carreau. Promesse de fille.

— Je ne suis pas une fille, je ne sais pas ce que ça vaut.

— Tu as pourtant déjà vu des filles, non?

Il pousse un soupir.

— En tout cas, laisse-moi parler.

— Juré craché, Books.

Il laisse échapper un grognement excédé qui me signale ses doutes. Il connaît ma propension à ouvrir ma grande bouche.

— C'est toi le chef, je suis juste la petite fille qui porte ton attaché-case.

— Sauf que tu ne portes rien du tout.

— Je peux, si tu veux.

La femme de l'accueil nous tend des badges visiteurs, les agents de sécurité fouillent longuement nos sacs, et nous nous dirigeons vers les ascenseurs.

— Tu es bien acide, aujourd'hui, remarque Books.

Il a raison. L'anxiété me troue l'estomac. Je vais assister à la réunion la plus importante de toute ma carrière, mon avenir va s'y jouer, et je passe mon temps à chambrer Books.

— Tu auras compris que j'ai fait agir mes relations pour obtenir ce rendez-vous.

— Oui.

Books me lance un regard en coin au moment de monter dans l'ascenseur.

Il ne prononce pas un mot de tout le trajet, conformément à sa mentalité d'agent secret. On ne parle jamais boulot en présence d'étrangers.

50

Mais je sais ce qui le travaille. Ce *oui* qui vient une nouvelle fois de m'échapper. Un *oui* que j'aurais dû prononcer le jour de notre mariage.

À ma décharge, j'ai rompu nos fiançailles trois bons mois avant la date fatidique. La salle de réception nous a rendu l'avance que nous avions versée, et les invitations n'étaient pas encore parties. Je me demande si Books y aura trouvé une maigre consolation. Sans doute pas.

Nous déclinons nos identités respectives à une employée qui nous conduit jusqu'à l'une des grandes salles de réunion réservées à l'usage du directeur du Bureau, William Moriarty.

Je sens Books tendu. C'est la première fois qu'il remet les pieds ici depuis sa démission, donnée contre l'avis de ce même directeur. La première fois qu'il arpente ces couloirs recouverts de mauvaise moquette, aux murs ornés de gravures bon marché, dont l'atmosphère rappelle combien le FBI prend au sérieux sa mission de veiller à la sécurité de la nation. J'imagine son trouble. J'ai conscience de lui avoir demandé beaucoup, alors qu'il ne me doit rien. Dieu sait. Je prends note mentalement : Books est un type bien.

Il aurait pu se contenter de nous obtenir un rendez-vous avec une huile quelconque. Pas du tout. On est attendus par le patron en personne. Books a réussi à passer par-dessus mon chef, ce connard de Dick, qui aurait mis son veto s'il l'avait pu. Il ne sera donc pas à la réunion, le ciel en soit loué.

La porte s'ouvre. Assis à l'extrémité d'une longue table se tient Moriarty, le directeur, flanqué à sa gauche de son chef de cabinet, Nancy Parmaggiore.

À sa droite, le sous-directeur adjoint du Service de lutte contre la cybercriminalité et les crimes violents Julius Dickinson, alias ce connard de Dick.

— Merde…

Books fait taire mon murmure d'un coup de coude compréhensif.

13

Avant de prendre la direction du FBI il y a trois ans, William Moriarty a lui-même été agent au sein du Bureau avant d'occuper un poste de procureur fédéral, d'être élu au Congrès dans l'une des circonscriptions de l'État de New York, et d'obtenir une charge de juge fédéral à Washington. Une lumière s'allume dans ses yeux lorsqu'il aperçoit Books. Mon ex-futur mari a travaillé sous ses ordres, et Moriarty n'est pas du style à oublier les gens dont il a croisé la route.

— On m'a félicité à de nombreuses reprises pour l'excellent boulot accompli par cet homme, explique-t-il à ses deux voisins.

La chef de cabinet et ce connard de Dick approuvent avec un sourire, en bons petits soldats.

— J'ai tout fait pour le retenir, ajoute Moriarty. Figurez-vous qu'il est devenu libraire!

Le directeur se rassoit et nous invite à l'imiter, puis il regarde ostensiblement sa montre.

— J'ai rendez-vous avec le président à 15 heures, j'ai donc à peine dix minutes à vous consacrer, précise-t-il.

Dix minutes?!! Pour parler du pire tueur en série qu'ait connu le pays?

— M. Dickinson m'a fait part des détails, enchaîne le directeur. S'il s'agit effectivement d'un seul et même homme, c'est l'histoire la plus incroyable qui soit.

Ce connard de Dick hoche la tête en signe d'assentiment. Il finit par croiser mon regard. Quel salopard. J'ai promis à Books de me tenir tranquille. Mon but est de convaincre le Bureau d'ouvrir une enquête, je me fiche de savoir qui tirera les marrons du feu. N'empêche que je l'emmerde.

Le directeur lève une main.

— Je ne connais pas les détails aussi bien que Julius, mais j'aurais tendance à le suivre dans son évaluation.

Ce connard de Dick aurait-il reconnu ouvertement être un traître, un intrigant et un manipulateur de première?

— Il me semble tout à fait prématuré de croire que nous sommes en présence d'un tueur en série. Il reste à prouver que ces incendies sont criminels.

Moriarty se tourne vers Dickinson.

— Julius est d'avis que nous avancions prudemment sur ce dossier afin de ne pas distraire de nos effectifs des enquêteurs dont nous avons le plus grand besoin par ailleurs. Il préconise l'ouverture d'une enquête préliminaire.

Voilà donc ce que préconise ce cher Julius après avoir longuement étudié le dossier? Quel honneur de sa part!

— Books, accepteriez-vous d'intégrer l'équipe du Bureau affectée à l'enquête?

— Oui, monsieur le directeur.

— Monsieur le directeur, s'interpose ce connard de Dick en se redressant. Dans la mesure où l'agent

Bookman a présenté sa démission, nous serions contraints de procéder à certains ajustements administratifs avant de pouvoir…

— Je vous laisse tout le loisir de vous en occuper, l'interrompt Moriarty.

Il se tourne vers son voisin.

— Je peux compter sur vous, Julius ?

— Bien sûr, monsieur le directeur.

Moriarty désigne Books d'un mouvement de tête.

— Avec un peu de chance, il y prendra goût et finira par nous revenir.

Books s'éclaircit la gorge.

— Monsieur le directeur, est-ce à moi que vous confiez la direction de l'enquête ?

Moriarty tend un index vers son voisin.

— M. Dickinson s'en chargera et me rendra compte personnellement.

— C'est une plaisanterie ?

La phrase est sortie toute seule. Tous les regards se tournent vers moi. J'ai bien conscience d'avoir violé la règle cardinale que m'avait fixée Books avant la réunion, mais de là à entendre que ce connard de Dick va diriger l'enquête ? Il ne faut pas déconner.

Books me fait taire en posant une main sur mon bras.

— Parfait, monsieur le directeur. En revanche, j'aimerais avoir mon mot à dire dans le recrutement des personnes affectées à l'enquête.

Moriarty lui lance un regard étonné, surpris qu'on puisse solliciter son avis au sujet d'un détail aussi trivial.

— Je ne doute pas que vous trouviez un terrain d'entente avec Julius.

— Très bien, monsieur le directeur, mais je voudrais associer Emmy Dockery, ici présente. Il s'agit de l'une des analystes du Bureau, et c'est grâce à elle que…

Books se tait en constatant que Moriarty ne l'écoute plus. La bouche collée à l'oreille du directeur, ce connard de Dick lui chuchote quelques paroles. La chef de cabinet ne tarde pas à se joindre à leur conciliabule. Tout en écoutant ses sous-fifres, le directeur pose les yeux sur moi. Je m'efforce de paraître calme et sereine, en parfaite analyste, afin de ne pas lui donner l'impression d'être une pétroleuse.

Moriarty fait taire ses deux voisins d'un geste.

— Madame Dock… Dockery?

— Oui, monsieur le directeur.

— Je vous prie de bien vouloir nous laisser seuls.

Les laisser seuls? Et pourquoi donc? Je sonde Books du regard.

— Il te demande de sortir pour qu'on puisse discuter de ton cas, m'explique-t-il.

— Ah!

Je me dirige vers la porte sans un regard pour les huiles du Bureau, de peur de les canarder avec les mitraillettes que j'ai dans les yeux.

— Je vous remercie.

Je ne sais pas pourquoi j'ai dit ça.

Je tire la porte derrière moi, laissant le soin à l'élite de la nation de décider de mon sort.

14

Une hôtesse d'accueil m'attend à la sortie de la salle de réunion. Personne ne se balade sans cornac dans ces bureaux. Elle me conduit jusqu'à une petite salle d'attente et je me plonge dans la lecture d'un article du magazine *Time* consacré à l'obésité dans ce pays. Je suis ravie de constater qu'ils viennent de se rendre compte du problème. Le temps d'apprendre, à ma grande surprise, que le surpoids chez les gamins est lié à leur propension à rester vautrés devant des consoles de jeux tout en se gavant de malbouffe grasse et sucrée, de sodas et d'en-cas bourrés de produits chimiques, Books me rejoint et s'assied en face de moi. Je l'interroge d'un haussement de sourcils.

Il sourit, secoue la tête, et croise les doigts.

— Demain à 17 heures tapantes, nous avons rendez-vous dans le bureau de Dickinson afin de prendre nos instructions. Et pas question de passer outre, Emmy.

— Tu veux dire que je suis intégrée à l'équipe ?

— Exactement. Le directeur a compris que ton aide pouvait se révéler utile à l'enquête. Contre l'avis de Dickinson, tu t'en doutes. Sous ma responsabilité.

— Tout ça ne me dit rien qui vaille.

— Ce n'est pas moi qui pourrais te contredire, Emmy. J'en arrive à me demander ce que je fais dans cette galère.

Son expression me confirme qu'il est sincère. Il s'est très certainement battu pour imposer ma présence, je devrais lui en être reconnaissante. C'est le cas, bien sûr, même si je déteste l'idée d'être placée sous la responsabilité d'un baby-sitter. Le Bureau est bien une structure de mecs…

— Allez, Emmy. Un sourire. Si ça ne te convient pas, je retourne tout de suite dans ma librairie. Sans moi, tu es à nouveau en congé forcé.

— Personne ne m'obligera à sourire, Books. Pas même toi.

Il éclate de rire. Pas parce que ma remarque l'amuse ou qu'il est d'humeur enjouée. Je le connais trop bien. Sa colère épuisée, son rire traduit son exaspération.

— Tu as un intérêt personnel dans cette enquête, précise-t-il. C'est contre toutes les règles de la profession. Jamais un agent n'est autorisé à enquêter sur la mort de sa propre sœur. Jamais.

Je bats des cils d'un air innocent.

— Mais je ne suis pas un agent. Je ne suis qu'une petite analyste de base.

— C'est tant mieux pour toi. D'un point de vue purement technique, tu te retrouves intégrée à l'enquête en qualité de conseil.

Il a raison, je le sais. Je devrais être contente. Je rejette la tête en arrière et je ravale mes frustrations en soupirant.

— C'est grâce à toi que nous avons obtenu cette réunion avec Moriarty, et tu t'es battu pour que je puisse participer à l'enquête. Je t'en suis très reconnaissante, Harrison. Oui, vraiment.

Merde, voilà que je recommence avec mes oui.

Son index dessine un ballet d'essuie-glace.

— Ne m'appelle pas Harrison. Je suis revenu parce qu'il est possible, je dis bien *possible*, que nous soyons sur la piste d'un tueur en série. Une race que je n'aime pas du tout. C'est grâce à toi que nous avons découvert son existence. Si ce type existe bel et bien, il est différent de tous les autres.

— Et nous allons le coincer.

— S'il existe réellement, nous le coincerons et Julius Dickinson en aura tout le mérite. Que ça te plaise ou non.

Je lève les mains en signe de reddition.

— L'important est de le coincer.

Books m'observe un long moment, puis il se lève de sa chaise.

— S'il existe, laisse-t-il tomber.

15

« Les confessions de Graham »
Enregistrement n° 4
Mercredi 29 août 2012

Salut, les enfants. Ça vous ennuie que je vous appelle comme ça ? J'imagine que vous m'écoutez parce que vous êtes avides d'apprendre comme de bons élèves. Et quand j'utilise le mot *apprendre,* je ne parle pas uniquement de ce que vous pourrez apprendre sur moi, mais aussi apprendre *de* moi. Au-delà de mon passé, de mes motivations et tout le reste. Certains d'entre vous éprouvent sans doute une forme de curiosité morbide, nourrie de voyeurisme. C'est un peu comme si vous ralentissiez au volant de votre voiture en arrivant à hauteur d'un accident, dans l'espoir d'entrevoir un crâne sanguinolent ou un corps inerte sur une civière, la main pendante.

En attendant, je suis convaincu que les autres ne s'intéressent pas uniquement à ma méthode ou à mes raisons. Ils aimeraient savoir s'ils seraient capables d'agir comme moi.

Je vous rassure tout de suite : c'est le cas ! Et j'entends vous le prouver.

Commençons par nous mettre à l'abri, on dirait qu'il va pleuvoir. Je serai obligé de parler un peu plus fort, j'espère que vous m'entendrez malgré le bruit, l'endroit se remplit à vue d'œil.

Pour votre information, si vous voulez savoir comment je peux continuer à vous parler avec du monde autour de moi, je préciserai que mon enregistreur ressemble à un téléphone portable et que je donnerai l'impression d'être en pleine conversation. À condition de rester naturel, de laisser s'écouler des blancs pour laisser s'exprimer mon interlocuteur imaginaire entre deux «Quoi?» ou «Tu m'entends, maintenant?», une main sur l'oreille et les sourcils froncés, personne n'ira voir midi à 14 heures.

Tenez, par exemple. Je suis en train de me frayer un chemin en direction du bar, je me trouve à moins d'un mètre d'un type tout en muscles, cheveux ras, un T-shirt bien trop petit pour lui. Je peux dire n'importe quoi à son sujet sans qu'il y prête attention, tout simplement parce que j'ai ce qui ressemble à un téléphone collé à l'oreille.

Je vais vous montrer.

J'adorerais me retrouver en tête à tête avec ce charmant personnage, le temps de lui enfoncer un pic à glace dans l'oreille avant de mettre le feu à son corps avec un chalumeau. Tu ne te doutes pas un instant que c'est de toi que je parle, vieux. Pas vrai?

Comment? Tu… tu m'entends mieux à présent? Ça va mieux? Tu m'entends?

Je vous l'avais bien dit, un vrai jeu d'enfant. C'est précisément l'un des points sur lesquels je souhaite insister. J'y reviendrai souvent lors de ces confessions : quel que soit votre but, ayez l'air crédible.

Du début à la fin, mettez-y toute votre énergie. Qu'il s'agisse d'un truc essentiel ou d'un détail. À vrai dire, ce sont généralement les petits détails qui viennent gripper la machine. Il ne faut jamais négliger les détails.

Prenons la situation dans laquelle je me trouve actuellement. Mon monologue terminé, je pourrais me contenter de fourrer mon faux téléphone dans ma poche en oubliant de dire au revoir et d'appuyer sur une touche. Mais si quelqu'un m'observe, pour une raison ou une autre? Et si un agent de sécurité regarde les enregistrements des caméras de surveillance par la suite, à la recherche d'un indice quelconque? C'est peu probable, je vous l'accorde, mais si c'était le cas? On me verra me diriger vers le bar en donnant l'impression de téléphoner avant de glisser mon faux portable dans ma poche sans raccrocher. On devinera tout de suite que je bidonnais. Il n'en faut pas davantage pour se faire remarquer. Et vous ne voulez surtout pas vous faire remarquer. C'est même tout le contraire, j'insiste sur ce point. Alors, chaque fois que je vous parlerai en public, je veillerai soigneusement à dire : «Allô? Comment vas-tu?» ou une autre formule du même genre. De même, je conclurai l'enregistrement en disant : «À bientôt» et j'enfoncerai une touche pour donner l'impression de raccrocher. Je vous le précise pour que vous ne soyez pas surpris en m'entendant vous saluer tout à l'heure.

C'est important, parce que je ne serais pas surpris que la police demande à visionner les vidéos de surveillance de ce bar en apprenant que c'est ici que Curtis Valentine a été aperçu vivant pour la dernière fois. Curtis, c'est le type qui se tient là-bas dans un coin, avec sa queue-de-cheval et son gros ventre, en jean et chemise noire. Le nez plongé dans sa chope de bière, il se dandine lourdement d'un air mal à l'aise. Il gère de chez lui un site d'infographie baptisé Picture Perfect Designs. Je l'ai appris en consultant son compte Facebook. Un type plutôt sympa, d'après ce que j'ai pu en juger quand je l'ai eu au téléphone hier pour l'inviter à boire une bière dans ce pub.

Ça y est, il m'a vu. On ne s'est jamais rencontrés, mais il a deviné que j'étais son rencard en me voyant chercher un visage dans la foule.

Curtis ? Comment ça va ? Je termine juste mon coup de téléphone.

Bon, les enfants, je vais devoir vous laisser. À bientôt !

Désolé, Curtis. Ravi de vous rencontrer…

[FIN]

16

Books est venu chez moi. Plus exactement, chez ma mère. On a décidé de travailler ensemble ce soir-là et je l'ai invité à passer la nuit ici.

C'est la première fois qu'on va dormir sous le même toit depuis que j'ai mis fin à notre histoire. Ça me fait très bizarre. J'ai l'impression d'une scène décalée, comme dans *Alice au pays des merveilles*. Mais il habite loin et ce serait ridicule qu'il reprenne la route.

N'empêche, c'est bizarre.

On s'est installés dans la cuisine. Mon ordinateur portable posé sur la table, je consulte mes e-mails et les sites habituels pendant que Books prépare des pâtes. Il est meilleur cuisinier que moi, ce qui n'est pas difficile. On faisait tout le temps la cuisine ensemble, avant. On ouvrait une bouteille de vin et on se mordillait le cou en épluchant des légumes et en remuant la sauce. J'en ai gardé de bons souvenirs. J'ai plein d'excellents souvenirs avec Books. En dehors de Marta, c'était la seule personne au monde qui me comprenait vraiment. C'est sans doute à cause de ça que ça n'a pas marché entre nous.

— Tu aurais des poivrons séchés, par hasard? me demande Books.

— Aucune idée. Tu n'as qu'à fouiller dans les placards.

J'ai répondu distraitement, prise par mes recherches. J'élimine les incendies sans intérêt et mets de côté ceux qui me font tilter.

— Fouiller dans les placards? Je te remercie de la suggestion. Moi qui croyais qu'il me suffirait de fermer les yeux et de tendre la main.

Mon portable se met à vibrer. Le prénom *Dorian* s'affiche sur l'écran. J'ai tenté de la joindre un peu plus tôt.

— Salut, maman.

— Tu dis dans ton message que tu as une bonne nouvelle à m'annoncer.

Sa voix est légèrement pâteuse. C'est récurrent depuis la mort de mon père, il y a cinq ans. Elle n'est jamais soûle à tomber par terre, mais elle a tendance à arrondir les angles à coups de gin tonic avant le dîner. La situation a empiré brièvement après la mort de Marta. J'ai toujours pensé que Marta était sa préférée. Elles partageaient le même enthousiasme. Quand j'étais jeune, Dorian me disait souvent : *Je ne te comprends pas, Emmy.* C'était sa façon de me signifier que nous étions très différentes, de regretter que je ne ressemble pas davantage à Marta.

— Une très bonne nouvelle, même. J'ai repris le boulot.

— Pour qui?

— Comment ça, «pour qui»? Pour le Bureau, maman. On m'a redonné mon ancien boulot.

— Ah, c'est formidable. Ils ont devancé l'appel?

— Quand je leur ai fait part de mes recherches sur tous ces incendies, ils ont accepté d'ouvrir une enquête. Et ils m'ont intégrée à l'équipe.

Un silence. Maman s'est toujours montrée dubitative sur ces histoires d'incendies. Elle est persuadée que j'ai besoin de positiver la mort de Marta, que je donnerais un sens à sa disparition si je trouvais le moyen de relier sa mort à une enquête. *La mort de Marta aura servi à coincer cet assassin,* ou un truc du genre. Elle n'a jamais cru que Marta avait été assassinée.

— C'est à ce moment-là que tu es censée me féliciter en trouvant ça super, maman.

— Si je trouvais ça super, Emily Jean, je te le dirais.

— Books fait également partie de l'équipe.

J'ai pensé que ça la réjouirait. Elle a toujours eu un faible pour Books. Comme tout le monde.

Je lance un coup d'œil en coin à mon ex, occupé à remuer des *penne* dans la casserole au milieu d'un nuage de buée.

— Harrison ? Je croyais qu'il avait démissionné du FBI quand tu l'as quitté ?

Quelle délicatesse !

— Oui, maman. Il a démissionné du Bureau, mais pas parce que je l'avais quitté. Il a démissionné parce qu'il avait d'autres projets à réaliser.

— Tu ne me feras pas croire ça, réplique ma mère. Il a démissionné parce qu'il ne supportait plus l'idée de travailler dans les mêmes locaux que toi.

J'ai du mal à dissimuler mon agacement.

— Le plus simple est encore de lui poser la question, il est à côté de moi. Books, je te laisse le soin d'expliquer à ma mère pourquoi tu as quitté le FBI.

Books repose la cuillère en bois avec laquelle il goûtait la sauce, s'essuie les mains sur un torchon et s'empare de mon portable.

— Bonsoir, Dorian. Comment allez-vous ? Je vais très bien, merci. Vendre des livres n'est pas toujours facile par les temps qui courent, mais je me débrouille. Comment vous plaisez-vous en Floride ? Je suis ravi de l'entendre… Pour répondre à la question, j'ai quitté le FBI parce que Emmy avait rompu avec moi.

Il me tend le téléphone. Je ne lui ai jamais vu un sourire aussi radieux.

Je n'ai plus qu'à me défendre auprès de ma mère.

— C'est entièrement faux. Il dit ça uniquement pour m'embêter.

— Pas du tout, se défend-il depuis la gazinière, les mains en porte-voix.

— Pas du tout, approuve ma mère.

— Je vais devoir te laisser, maman. Surtout après une conversation aussi agréable.

Je raccroche d'un doigt vengeur.

— Merci, Books. C'était super.

— Les pâtes sont bientôt prêtes. Tu as terminé tes recherches ?

— Presque. Je n'ai pas trouvé de nouvelles victimes potentielles la nuit dernière.

— Dommage. Enfin, je veux dire, tant mieux.

Books remplit les assiettes de *penne* et sauce tomate, il y ajoute des brocolis à la vapeur avec de l'ail, le tout accompagné d'une petite salade. Je remarque pour la première fois des touches grises au niveau de ses tempes, que la longueur de ses cheveux met en relief. Il surprend mon regard et je détourne les yeux. Si l'évitement des instants d'intimité était une discipline olympique, je serais médaille d'or. Le temps qu'il débouche la bouteille de vin, j'ai terminé de consulter mes e-mails d'alerte. Pour le moment. Ils arrivent par wagons entiers à toute heure de la journée.

Je fais la grimace.

Le vin, qu'il s'est procuré en ville, a un goût métallique, trop acide à mon goût.

— C'est un truc dont j'ai pris conscience en quittant le Bureau, reprend-il. Il n'y a pas que le boulot dans la vie.

— Ah bon ? Tu as décidé de te lancer dans l'alpinisme, d'un seul coup ? Tu joues au Parcheesi ?

— Arrête de dénigrer ce que je te dis.

Books goûte longuement son verre de vin, le garde longtemps en bouche, avale en poussant un soupir d'aise.

— J'ai mal vécu le fait que tu m'abandonnes au pied de l'autel.

— Je ne t'ai pas abandonné.

— Vraiment ? Tu croyais me faire un compliment ?

J'aime bien voir Books comme ça. Moins guindé, plus sarcastique et détendu.

— C'était… un choix de vie.

— Ah, voilà qui me rassure.

Il ponctue sa réponse d'un clin d'œil.

— Oublie ça, ma belle. J'ai franchi le cap. Tu ferais mieux de manger. Je voudrais que tu fasses des étincelles demain.

« Les confessions de Graham »
Enregistrement n° 5
Mercredi 29 août 2012

Allô ? Salut, mon amour. Tout va bien. Qu'est-ce que… vraiment ? Génial. Comment ? La réception est mauvaise ici. Figure-toi que je suis à Champaign, dans l'Illinois. Tu te souviens du créateur de site dont je t'ai parlé, Picture Perfect Designs ? Curtis Valentine ? Eh bien, nous sommes dans son bureau, au sous-sol de sa maison. Un endroit à couper le souffle ! Encore mieux que ce qu'on croyait !

Désolé, Curtis. J'espère que vous ne m'en voulez pas d'avoir pris ce coup de téléphone. On parle de ce rendez-vous depuis une semaine.

[Une voix masculine répond de façon inaudible.]

Très bien, je m'éloigne de Curtis quelques instants pour partager les événements avec vous, cher public. Je vous avais prévenu que je n'étais pas disposé à tout vous montrer tout de suite, je ne vais donc pas m'étendre. Je vais bientôt couper l'enregistrement, mais je tenais à vous prendre à témoin de mon talent. Il me fait totalement confiance, je vais m'approcher de lui par-derrière et lui ravir sa vie. Rien de plus facile à condition de faire preuve de rigueur et de concentration. C'est vrai, je l'avoue, j'ai envie de vous montrer combien la situation m'excite. Je ne m'en lasse jamais. J'aimerais partager avec vous ce sentiment d'euphorie qui fait battre mon cœur, l'énergie qui circule dans mes veines. Mais je suis sûr que vous comprenez.

Je n'éprouve aucune haine. C'est même tout le contraire.

Allez, on y va. Je retourne voir Curtis, 3… 2… 1…

Mon amour, tu n'imagines pas de quoi Curtis est capable avec ses ordinateurs. Je suis persuadé qu'on peut réaliser un site génial grâce à lui. Si tu voyais tous ces ordinateurs. Il y en a… Combien en avez-vous, Curtis ? Quatre, c'est ça ? Il fait fonctionner en même temps quatre ordinateurs différents. On voit bien qu'il est passionné par ce qu'il fait. Sans se douter…

Sans se douter de ce qui l'attend.

[FIN]

18

Je me présente avec Books dans le bureau de ce connard de Dick à 17 heures, comme prévu. On nous redirige aussitôt vers une salle de réunion, à l'autre bout du couloir. L'horaire même de la réunion n'a rien d'anodin, Dickinson n'a pas l'intention de nous consacrer beaucoup de temps. Pour ne rien arranger, il nous fait poireauter plus de deux heures. Il est 19 h 15 lorsqu'il surgit enfin tout guilleret, la bouche pleine. Ce salaud a probablement pris le temps de dîner pendant qu'on l'attendait. Il se laisse tomber dans un fauteuil sans même nous saluer, puis passe dix minutes à essuyer ses lunettes avec son éternel chiffon en soie, histoire de nous montrer l'ordre de ses priorités. Ses lunettes passent avant l'enquête.

Il est arrivé en compagnie de deux personnes : un ancien agent nommé Dennis Sasser et une analyste, Sophie Talamas. L'équipe est apparemment au complet. Sasser a des taches de vieillesse sur un front couronné de rares mèches blanches, des yeux enfoncés dans les orbites et des épaules étroites tout de travers. Il était censé prendre sa retraite à cinquante-sept ans, mais le directeur l'a fait bénéficier d'un sursis avant de le renvoyer dans ses foyers. Il travaille depuis comme consultant extérieur, notamment dans le domaine des confiscations de biens. Le genre de mission que n'importe qui échangerait contre la peste. En règle générale, c'est une façon de dire à quelqu'un qu'on le met au placard. Il n'est donc pas en pleine ascension de son échelle de carrière, ce qui est aussi bien car je le vois mal escalader la moindre échelle. On n'avait pas encore inventé l'électricité quand il a intégré le Bureau. Ce connard de Dick nous explique que Denny a travaillé sur plusieurs affaires d'incendies criminels, mais je parierais une fortune qu'on frottait encore des silex l'un contre l'autre pour cuire les stégosaures à l'époque des enquêtes en question.

Quant à Sophie Talamas, je ne la connais pas. Sans doute une nouvelle recrue. Elle est plus jeune que moi (ce qui ne signifie rien) et beaucoup plus jolie (même commentaire). Je n'ai aucune idée de ses compétences, mais il est probable qu'il faudra tout lui apprendre, et je n'ai pas le temps de m'amuser à ça.

Voilà à quoi se résume notre équipe d'as du volant. Ce connard de Dick n'y est pas allé avec le dos de la cuillère.

Il a tout prévu pour qu'on échoue.

— Eh bien…, commence Dickinson en soufflant sur le dernier grain de poussière qui maculait ses lunettes. Je n'ai pas l'intention de perdre un temps précieux à courir après une chimère.

Il remet ses lunettes et nous gratifie d'un regard méprisant.

— J'ai regardé les prétendues *recherches* effectuées par Emmy et j'en conclus qu'il n'y a rien de probant. Nous sommes en présence d'un certain nombre d'incendies, bien évidemment, comme il s'en déclare tous les jours dans le pays. Le feu fait quotidiennement des victimes. Je constate que notre Emmy a dressé une liste d'incendies dont les pompiers ont conclu qu'ils étaient tous accidentels.

Il secoue la tête.

— Je ne vois pas un seul cas qui permettrait à un juge fédéral d'obtenir une condamnation.

Je décide d'intervenir.

— C'est exact. Notre homme est un petit génie dans son genre.

— Un petit génie, répète ce connard de Dick. Ou bien il n'existe pas, si ces incendies accidentels sont tous *accidentels,* justement.

— Si je puis me permettre, s'interpose Denny Sasser en levant la main, preuve qu'il est capable de se mouvoir. Madame Dockery, je ne relève dans ces affaires aucun caractère récurrent. Les villes concernées sont toutes différentes, de même que les victimes : des hommes, des femmes, des Noirs, des Blancs, des Latinos, des Asiatiques, des jeunes, des vieux, des riches, des individus issus des classes moyennes, des pauvres. Quel peut être leur point commun ?

— Ces incendies se sont déroulés tous les jours de la semaine, à l'exception du dimanche, remarque Books. L'angle religieux peut avoir son importance. Nous pouvons nous trouver en présence d'un fanatique désireux de vouer des païens aux flammes de l'enfer. Ou bien, au contraire, d'un adepte d'un culte sataniste.

J'avais noté l'absence d'incendies le dimanche, mais j'avoue n'y avoir guère accordé d'importance.

Ce n'est pas le cas de Books, qui l'a immédiatement remarqué. C'est bien pour cette raison que j'ai besoin de lui.

— Un culte sataniste, réplique Sasser. À cause du feu?

Books hausse les épaules.

— Pourquoi pas? Il faudrait procéder à une analyse numérologique à partir des dates, des adresses des victimes, de leur âge. Un rapport avec le nombre 666, qui est le chiffre de la Bête. Ce serait une piste intéressante pour vous, Sophie.

Cette dernière, avec ses grands yeux marron, ses longs cheveux dorés et sa jolie petite silhouette, redresse la tête.

— Très bien, monsieur Bookman.

Il la corrige :

— Tout le monde m'appelle Books.

— OK, Books.

Ils échangent un sourire.

Dickinson sourit aussi. À moi. Un sourire carnassier qui traduit toute sa malveillance.

Tu es un fin renard, mon petit Dickinson. C'est donc pour cette raison que tu es allé chercher Sophie. Tu te doutais qu'elle plairait à Books.

Reprends-toi, Em. Ne laisse pas passer ta chance. À ton tour d'entrer en scène.

Il est temps de fournir deux ou trois détails à ces braves gens.

19

— Ces incendies n'ont jamais fait l'objet d'une enquête digne de ce nom. Les autorités locales ont systématiquement cherché la facilité, et notre homme y veille en leur fournissant systématiquement une explication accidentelle. Les incendies volontaires sont aisés à camoufler, tout simplement parce que les preuves partent en fumée. Les pyromanes facilitent parfois le travail des enquêteurs en utilisant de l'accélérant, sous forme d'essence ou de kérosène, que l'on détecte après coup.

« En dehors de ce cas, ils révèlent leur présence de façon très basique, en laissant sur place un cocktail Molotov ou un aérosol, un couteau ayant servi à couper un tuyau d'arrivée de gaz, ou alors un témoin rapporte avoir vu une silhouette s'enfuir en pleine nuit, quand des motivations financières ou personnelles n'éveillent pas les soupçons des enquêteurs. Quoi qu'il en soit, les pyromanes parviennent souvent à dissimuler les preuves de leurs crimes s'ils font preuve de prudence et de minutie.

« Dans le cas actuel, nous avons affaire à quelqu'un de très prudent. Il ne laisse dans son sillage aucun élément susceptible d'attirer l'attention sur lui. Il choisit des victimes qu'il ne connaît pas et veille systématiquement à livrer sur un plateau une explication plausible aux enquêteurs. Comment croyez-vous que réagissent ces derniers ? Ils choisissent la solution de facilité, évidemment.

Denny écoute mon monologue d'une oreille attentive en hochant régulièrement la tête, mais j'ai bien conscience de ne pas l'avoir convaincu.

— Madame Dockery, commence-t-il avant que je l'interrompe.

— Appelez-moi Emmy, ce sera plus simple.

Si Sophie a le droit de s'adresser à Books de façon informelle, je n'ai aucune raison de ne pas agir de même avec Denny. J'ai néanmoins la nette impression d'y perdre au change, puisqu'il récupère Barbie et que je dois me contenter de Papy Mougeot.

— Emmy, nous ne pouvons négliger la possibilité que la solution de facilité soit la bonne, poursuit Denny. Les trente années que j'ai passées dans ce métier m'ont appris que la réponse la plus simple est le plus souvent la bonne. Vous nous demandez de croire que nous sommes en présence d'un pyromane de génie, tout simplement parce que nous n'avons aucune preuve que ces incendies sont criminels.

Sa réaction est compréhensible. C'est bien ce qui rend notre homme aussi dangereux. La preuve de son génie tient précisément au manque de preuves.

— J'avoue ne pas détenir toutes les réponses. Nous aurions besoin d'examiner les rapports d'autopsie, les conclusions de l'identité judiciaire, les procès-verbaux des témoins, et tout le reste.

— Nous ne sommes pas assez nombreux pour ça, rétorque ce connard de Dick.

76

— Dans ce cas, il nous faut convaincre les autorités locales de les examiner à notre place.

— Sur quelle base ? demande Sasser. Je ne vois pas l'ombre d'une preuve.

— Moi non plus, approuve ce connard de Dick.

Je me tourne vers Books. Il me répond par un mouvement du menton.

— Montre-leur, dit-il.

Je fixe une carte des États-Unis format poster sur le tableau installé à l'extrémité de la table de réunion. De petites étoiles figurent les lieux où ont éclaté les incendies. Il y en a 54 en tout : 32 rouges et 22 bleues.

— Vous découvrirez ici les cinquante-quatre incendies concernés. Un total de cinquante-quatre en l'espace de quasiment un an. Ainsi que vous pouvez le constater, ils ont eu lieu un peu partout dans le pays, de New York à la Californie, du Texas au Minnesota, de l'État de Washington à la Floride. Cinquante-quatre incendies d'origine «accidentelle». Cinquante-quatre victimes.

Personne ne pipe mot. L'évocation de la mort fait toujours autant d'effet aux enquêteurs. Quand bien même je me tromperais sur toute la ligne et ma petite théorie aurait du plomb dans l'aile, on ne plaisante pas avec cinquante-quatre morts.

— Je suis convaincue que ces cinquante-quatre incendies sont liés. Vous allez me demander : en quoi sont-ils différents des centaines, voire des milliers, d'incendies que l'on dénombre chaque année dans le pays ? Eh bien, ils possèdent quatre éléments en commun. Premièrement, ils ont tous été considérés comme accidentels. Deuxièmement, ils ont tous fait une victime, et *une seule*. Troisièmement, chacune de ces victimes a été découverte à l'endroit où s'est déclaré le feu, c'est-à-dire dans la pièce où a démarré l'incendie. Et quatrièmement, la pièce en question était systématiquement la chambre de la victime.

— Est-ce inhabituel? demande Sasser.

— Très inhabituel. Il est très rare que le feu se déclare dans une chambre à coucher. La majorité des incendies éclatent dans la cuisine, parfois dans la cave en cas de fuite de gaz, ou dans la buanderie. Certains incendies sont causés par un arc électrique, généralement près d'une source de chaleur. Derrière une chaîne hi-fi, par exemple. En revanche, la chambre est rarement concernée.

— Je n'ai pas examiné récemment les statistiques, reconnaît Denny.

Je lui souris.

— Moi, si. En dehors de la nature du point de départ du feu, les victimes meurent rarement à l'endroit où se sont déclarées les flammes. Elles ont tendance à fuir l'incendie, au lieu de s'en rapprocher. Les incendies qui se déclarent pendant le sommeil de la victime éclatent ailleurs dans la maison, la cuisine, la buanderie, avant de se répandre. La plupart des victimes meurent asphyxiées en voulant fuir, coincées par les flammes. Il est très rare qu'on retrouve leurs restes calcinés dans le lit. Dans chacun des cinquante-quatre cas dont nous parlons, la victime est morte dans la pièce où s'est déclaré l'incendie, la plupart du temps dans son lit, ou à côté.

— On ne peut écarter la possibilité d'un hasard malencontreux, réagit Sasser.

— Bien sûr, Denny. À vrai dire, vous venez d'exprimer l'opinion des enquêteurs affectés à ces cinquante-quatre affaires. Tous ont jugé que l'incendie qui les concernait était le fruit d'un hasard malencontreux. Aux yeux de quelqu'un qui se trouve confronté à un incident isolé, c'est bien sûr possible, surtout lorsque la cause prétendument accidentelle du drame leur est complaisamment fournie par notre homme. Ils n'ont aucune raison de croire à un complot, ce qui n'est pas notre cas, puisque nous sommes en face de cinquante-quatre drames survenus en l'espace d'un an. À l'inverse des enquêteurs individuels, nous sommes en présence d'un schéma récurrent.

Mon auditoire est suspendu à mes lèvres. Je ne suis pas très douée pour déchiffrer les expressions de mes semblables, mais j'ai conscience d'avoir franchi une première étape. Tout le monde n'est pas convaincu, mais presque.

Le moment est venu d'enfoncer le clou.

— Poursuivons la démonstration. Commençons par les quatre derniers mois de l'année dernière, du premier week-end de septembre au 2 janvier, pour me montrer plus précise. Je vous invite à regarder les étoiles rouges qui s'affichent sur la carte. Elles figurent les trente-deux incendies qui ont éclaté au cours de cette période de quatre mois. Vous constaterez que les drames ont eu lieu aux quatre coins du pays, à l'exception du Midwest.

Le dernier de ces incendies, celui du 2 janvier, est celui de Peoria, en Arizona. Je n'oublierai jamais le coup de fil de maman, sa voix paniquée, son incapacité à prononcer des paroles qui restaient bloquées dans sa gorge. *Marta… Marta est… ta sœur est…* Il m'a fallu cinq bonnes minutes pour arriver à la convaincre d'achever sa phrase. Rapidement gagnée à mon tour par la panique, j'avais déjà compris qu'il me fallait m'attendre au pire. *Marta est quoi, maman?* Je pleurais, je craquais, mes jambes se dérobaient sous moi. *Qu'est-il arrivé à Marta?*

Books prend le relais, conscient que je suis submergée par mes souvenirs.

— Nous sommes donc en présence de trente-deux incendies en l'espace de quatre mois.

Je lui manifeste ma gratitude par un hochement de tête, le temps de me ressaisir.

— Exactement. Soit une moyenne de deux incendies par semaine. Et vous le voyez sur la carte, les incendies éclatent souvent par groupes de deux. Deux en Californie, à Piedmont et Novato, la même semaine de septembre. Deux dans le Minnesota, à Edina et Saint Cloud, la même semaine d'octobre. Notre homme parcourt de grandes distances, il n'a cessé de se déplacer du premier week-end de septembre jusqu'au Nouvel An. Pourquoi? Je ne connais pas la réponse.

Tout le monde écoute avec attention. La charmante Sophie prend même des notes, signe qu'elle est capable d'écrire. Au moins de dessiner.

— Passons ensuite à la seconde période, celle qui court du début de l'année à aujourd'hui. Elle nous fournit de précieuses indications sur notre homme.

21

— La seconde phase de cette longue virée criminelle à travers le pays s'étend sur une période de huit mois, de début janvier à cette fin de mois d'août. Elle figure sur la carte sous forme d'étoiles bleues. Au cours de ces huit mois, nous sommes en présence de vingt-deux incendies, avec à nouveau une victime chaque fois. Quand je vous disais que notre homme était minutieux.

Denny Sasser et Sophie Talamas approuvent d'un petit mouvement de tête. Books manifeste son approbation de façon plus visible encore, mais il est vrai qu'il a déjà entendu mon petit laïus. Seul ce connard de Dick ne laisse rien paraître.

Je dessine un cercle autour des étoiles bleues à l'aide de mon pointeur laser.

— Nous constatons brusquement que notre homme voyage nettement moins au cours de cette nouvelle phase.

Books secoue la tête.

— Ces vingt-deux incendies se sont tous déroulés sans exception dans le Midwest.

— Exactement. Dans l'Illinois, le Wisconsin, l'Iowa, l'Indiana, le Missouri et le Kansas. Tout ça entre la mi-janvier et le drame survenu la semaine dernière à Lisle, dans l'Illinois. C'est-à-dire près de huit mois, et seulement vingt-deux incendies criminels. On passe brusquement de deux par semaine à une moyenne de l'ordre de trois par mois. Pourquoi?

Je dévisage les autres membres de l'équipe à la façon d'un enseignant interrogeant ses élèves. Faute de réponse, je poursuis :

— Il met plus de temps à choisir ses victimes.

Une fois de plus, mon affirmation ne suscite pas de réaction. J'en arrive à me demander si je ne les ennuie pas avec mon petit numéro de questions-réponses, avant de m'apercevoir que je dispose d'un auditoire captivé. Tous ceux qui sont réunis dans cette pièce ont intégré la police parce qu'ils ont le goût des énigmes.

— Pour quelle raison agirait-il de la sorte? s'enquiert ce connard de Dick, qui ouvre la bouche pour la première fois depuis le début de la réunion.

Reste à déterminer si c'est bon ou mauvais signe.

Ma réponse est toute prête.

— Tout simplement parce qu'il vit dans le Midwest, à mon avis. Son quotidien l'empêche de se déplacer autant qu'il le voudrait. Son travail, ses proches et le reste. Il lui est facile de commettre ses crimes en toute discrétion lorsqu'il voyage. Ce n'est pas le cas lorsqu'il vit chez lui. Il a un boulot, des amis, de la famille.

— Il lui faut également se montrer plus prudent, suggère Books. Plus il tue près de chez lui, plus il court le risque d'être pris. Ce surplus de prudence le contraint à espacer les meurtres.

— Précisément. Vous verrez que chacun de ceux qu'il a commis dans le Midwest dépend d'une juridiction différente. Il veille soigneusement à ne jamais tuer deux fois de suite dans la même ville ou le même comté, de façon à éviter que les autorités puissent y voir un schéma récurrent.

— Vous nous expliquiez tout à l'heure que les victimes avaient toutes été retrouvées mortes sur le lieu même du départ de feu, intervient Denny Sasser. Notre homme a-t-il une raison d'agir ainsi ?

— Bien sûr. Le point de départ de feu est toujours celui où se concentrent les dégâts les plus importants. C'est l'endroit où les preuves ont le plus de chances de disparaître.

— Ah. Vous pensez donc que le feu est uniquement à ses yeux un moyen de détruire les preuves qu'il laisse derrière lui ?

— J'en suis persuadée. Il ne souhaite pas que nous puissions savoir le sort qu'il réserve à ses victimes. Il ne veut pas qu'elles soient autopsiées. Il tient à s'assurer qu'il n'y aura pas…

J'ai la gorge trop nouée pour finir ma phrase en pensant à Marta.

— Qu'il n'y aura pas de corps à autopsier, termine Sophie à ma place.

J'acquiesce, incapable de prononcer un mot de plus. J'entends dans ma tête les hurlements de ma mère à l'entrepreneur de pompes funèbres, à l'inspecteur de police, à tous ceux qui croisaient sa route : *Je ne peux même pas enterrer ma petite fille ! Je ne pourrai même pas lui donner une sépulture chrétienne digne de ce nom !*

Je m'éclaircis la gorge. Books avait raison de me prévenir contre le danger d'enquêter sur le meurtre d'un proche.

— À vous entendre, l'incendie représente à ses yeux un intérêt secondaire. Il ne met pas le feu par plaisir, mais uniquement pour effacer les traces de ses crimes. C'est bien ça?

Je toussote de plus belle.

— C'est bien ça, et ce genre de précaution nécessite du temps. C'est la raison pour laquelle il s'attaque à des individus solitaires. Il prend son temps avant d'incendier leur chambre lorsqu'il en a terminé avec eux. Il sait pertinemment que les pompiers interviennent en quelques minutes, de nos jours. Il se fiche bien qu'ils sauvent le reste de la maison, tant que ses victimes sont réduites en cendres avant leur arrivée.

Les autres membres de l'équipe digèrent mes paroles. À défaut de les avoir tous convaincus de l'existence de ce tueur en série, du moins les ai-je persuadés qu'une enquête s'impose.

— Par où commençons-nous? s'enquiert Denny Sasser.

— Par la région dans laquelle il vit, dans un lieu inconnu du Midwest. Personnellement, je parierais volontiers sur Chicago. Préparez vos sacs, et en route pour la Cité des Vents.

22

« Les confessions de Graham »
Enregistrement n° 6
Jeudi 30 août 2012

Techniquement, ceci est une nouvelle séance puisqu'il est minuit passé et que nous sommes officiellement jeudi. Drôle de journée, vous ne trouvez pas?

Non? Personne ne dit rien? Vous avez de la chance, je suis de bonne humeur et tout disposé à répondre à vos nombreux courriers.

Plaisanterie mise à part, ce serait génial qu'il y ait vraiment du courrier. Je suis sûr que vous avez des tonnes de questions à me poser. Ces enregistrements devraient contribuer à y répondre. Je vous invite à lire entre les lignes, à vous attarder sur chacun des mots que j'emploie, sur le ton de ma voix et toutes ces idioties, mais il est sûr que je vous faciliterais la tâche en répondant d'emblée aux interrogations les plus évidentes.

À partir de maintenant, je m'efforcerai régulièrement d'anticiper ces questions afin d'y répondre. Cet enregistrement sera donc le premier épisode du Courrier des lecteurs de Graham. Indicatif, s'il vous plaît. Comment? On me dit en régie que nous n'avons pas d'indicatif. Désolé de ce fâcheux incident auquel nous entendons remédier dans les plus brefs délais.

Question : Comment choisissez-vous vos victimes?

La meilleure réponse que je puisse vous apporter est que je me fie à mon inspiration. Ladite inspiration peut varier en fonction du moment, et mes victimes varient en conséquence. On n'a jamais demandé à Beethoven de composer deux fois la même symphonie. Ou bien à Tolstoï de réécrire le roman qu'il venait d'achever. Il m'arrive de rechercher certaines de mes victimes. Dans d'autres cas, ce sont elles qui me trouvent. Il m'arrive de perdre du temps à débusquer la personne que je recherche, ou alors elle se présente spontanément à moi, tel un parfum exotique qui flotterait jusqu'à mes narines.

En un mot, je suis un gourmet.

Je choisis parfois de déguster un délicieux carré d'agneau avec un syrah, mais ça peut tout aussi bien être un homard accompagné d'un chablis bien frais. Ou alors un sandwich italien au rosbif avec des poivrons et des chips salées au vinaigre. Tout dépend de mon humeur. Je sais juste que je finis toujours par avoir faim.

Question : Quelle est votre couleur préférée?

Je suis prêt à parier que vous me prenez pour quelqu'un qui aime le rouge. Vous ne vous trompez pas de beaucoup, ma couleur préférée est le violet. Une teinte complexe et ambiguë, porteuse de la passion du rouge, de la tristesse du bleu, de la dépravation du noir. Le violet n'est ni joyeux ni triste. Il est synonyme de souffrance et de désespoir, de manque aussi. Un désir enflammé dont les coups et les blessures n'ont pas entamé la détermination, l'envie de conquérir plutôt que de battre en retraite.

En outre, le violet se marie bien avec ma couleur de cheveux.

Nous avons le temps d'une dernière question : Pourquoi brûler vos victimes ?

Voyons un peu. Dis-moi, Curtis. Est-ce que je t'ai brûlé ?

[Des gémissements s'élèvent en arrière-plan.]

Eh bien, non. Je t'ai fait subir toutes sortes de sévices, Curtis, mais je ne t'ai pas brûlé. Allons, inutile de perdre la tête pour si peu. Je brûlerai ton corps quand nous en aurons terminé. Tu sais bien que c'est indispensable si nous souhaitons garder secrets nos petits moments d'amusement.

Désolé, vous autres, cette histoire de perdre la tête était une plaisanterie entre Curtis et moi. Si ça peut te consoler, Curtis, tu as l'une des plus belles cervelles qu'il m'a été donné de contempler. J'espère que ça te console, au moins. Tu te sens mieux ? Tu te sentirais sans doute infiniment mieux si je déplaçais ce miroir dans lequel tu admires mon œuvre, pas vrai ?

[FIN]

23

Le lieutenant Adam Ressler n'est pas ravi de nous voir. Je pourrais difficilement lui en vouloir. Il y a une semaine encore, son enquête était bouclée, et voilà qu'on remet tout en cause en débarquant à l'improviste à la veille d'un long week-end, celui de la fête du Travail. Son uniforme rigoureusement amidonné lui donne un air raide, il semble étouffer dans l'atmosphère d'étuve qui m'a accueillie lorsque je suis descendue de la jeep Cherokee prêtée par l'antenne de Chicago du Bureau.

Ressler porte bien l'uniforme, pourtant. C'est un bel homme solidement charpenté, doté d'un menton carré. Son maintien laisse penser qu'il est passé par les rangs de l'armée. Si des traces de transpiration ne s'échappaient pas de ses cheveux impeccablement coiffés pour s'enfoncer dans le col de sa chemise immaculée, on pourrait croire qu'il est insensible à la chaleur de cette fin de mois d'août.

Je m'avance avec une désinvolture feinte en m'efforçant d'oublier que mes cheveux commencent à me coller à la nuque et au front.

— Lieutenant Ressler ?

Il me répond par un grognement affirmatif sans me tendre la main.

Denny, plus fané que jamais, descend péniblement de son véhicule et se hisse sur le trottoir où nous l'attendons avec Books et Sophie. Je procède aux présentations d'usage. Ressler s'empresse de serrer la main de Books, persuadé d'avoir affaire au chef de la bande. Ce qui est effectivement le cas, mais comment ce sexiste aurait-il pu le savoir ? Je préfère ne pas relever, le moment est mal choisi pour afficher mes positions féministes.

Ressler pose sur Denny Sasser un regard qui trahit sa stupéfaction. Il faut bien reconnaître que ce dernier a tout d'une glace à moitié fondue, même si je le soupçonne de bien cacher son jeu derrière ses yeux de chouette endormie. À la vue de Sophie, le lieutenant affiche une réaction digne de tout hétérosexuel qui se respecte.

— Madame Dockery, se lance-t-il. Comme je vous l'ai indiqué au téléphone, nous ne sommes pas en présence d'un incendie criminel. Je comprends mal les raisons qui vous poussent à vouloir examiner le lieu du drame. Si vous acceptiez de m'expliquer ce que vous cherchez, je suis certain qu'on pourrait vous aider.

— Votre aide nous a déjà été précieuse, lieutenant. Nous souhaitons seulement visiter les restes de la maison. Rien de plus.

Il me fusille du regard, fait volte-face et se dirige à grandes enjambées vers des ruines carbonisées. L'idée de servir de baby-sitter à une équipe du FBI ne semble guère l'enchanter.

Je prends le temps d'observer la maison que Joëlle Swanson venait d'acquérir. Un modeste pavillon de brique sur deux niveaux, précédé de quelques marches en ciment qui conduisent à la porte d'entrée. Le bâtiment est neuf, à l'image du quartier, avec ses arbres fraîchement plantés et sa pelouse grande comme un timbre-poste. Une planche de contreplaqué bouche l'une des fenêtres, seul signe du drame qui s'est déroulé là une semaine auparavant.

Avec l'odeur.

Une odeur de goudron brûlé et de plastique fondu qui ne suffit pas à masquer des effluves chimiques mal identifiables, le tout sur fond de bois calciné détrempé. Le genre de parfum qu'exhalent les feux de camp à l'automne.

— Le feu a essentiellement affecté l'arrière du bâtiment, comme vous pouvez le constater, explique Ressler. La chambre à coucher a été entièrement détruite, ainsi que la salle de bains et le couloir attenants. Le reste de la maison a surtout souffert de la fumée, et l'ensemble est gorgé d'eau suite à l'intervention des pompiers, même au bout d'une semaine.

Je m'astreins à mémoriser la scène dans ses moindres détails. Depuis le temps que j'effectue des recherches sur cette affaire, c'est la première fois que j'arpente la maison de l'une des victimes, depuis la mort de Marta. La disposition des lieux est complètement différente, mais ça n'empêche pas les souvenirs de remonter. La maison de Marta, de plain-pied, était typique de l'architecture du Sud-Ouest : des ouvertures en arrondi, du carrelage partout et des murs couleur d'adobe. Celle-ci porte la marque du Midwest avec un salon, une salle d'eau et une cuisine au rez-de-chaussée, deux chambres et une salle de bains à l'étage.

Je prends mon courage à deux mains avant d'entamer la montée des marches. La moitié supérieure de la cage d'escalier est noircie par la fumée, on distingue encore le dessin des flammes avant qu'elles ne soient éteintes.

Je m'arrête de nouveau sur le palier. Les paupières fermées, je vois surgir dans ma tête les flammes qui hantent mes nuits, celles que les pompiers nomment les «doigts d'ange». La fumée tourbillonne en remous à la façon d'un océan démonté, et puis l'étage s'embrase d'un seul coup, transformant le pavillon en four à convection.

Ressler poursuit la visite sans se douter de mon trouble.

— L'incendie s'est déclaré ici, dans la chambre à coucher de la propriétaire. Je vous recommande la plus grande prudence. Le brasier n'a pas eu le temps de consumer le plancher, mais je ne voudrais pas qu'un agent du FBI passe à travers.

Il ponctue sa boutade d'un *ah-ah-ah* staccato, histoire de bien nous montrer qu'il plaisante.

Je retiens mon souffle en pénétrant dans la chambre. *C'est la chambre de Joëlle, pas celle de Marta.* Le lit, ou plutôt ce qu'il en reste, se trouve à l'autre extrémité de la pièce par rapport à la porte. Sans être exceptionnel, ce n'est pas courant. On pourrait croire que Joëlle et Marta étaient abonnées au même magazine de déco. Curieusement, la chambre de Marta n'était pas arrangée de cette façon-là lorsque je lui ai rendu visite, la dernière fois. J'ai pensé qu'elle avait bougé les meubles de place par la suite.

Une table de nuit calcinée monte la garde à côté du grand lit. Le fauteuil, confortable, était fabriqué dans une matière synthétique hautement inflammable, tout comme les coussins et les plaids dont on devine les restes près de la fenêtre. Quelques tas de cendres figurent l'emplacement de ce qui devait être des piles de livres.

Le plafond, effondré, est à ciel ouvert à l'endroit où les pompiers l'ont volontairement crevé afin de prévenir les explosions de fumée. Des phrases s'impriment dans ma tête. *Il ne manque plus que la pluie. Il pleuvait en Arizona pour Marta, au mois de janvier.*

Nous procédons à l'examen minutieux des lieux. Le corps de Joëlle a été retiré des décombres, bien sûr, mais le rapport indique que sa dépouille a été découverte à gauche du lit. Les photos montrent un cadavre recroquevillé sur lui-même de façon caractéristique, les jambes tournées vers l'extérieur, les poignets rentrés, les bras repliés. Les muscles et les tendons ont tendu les os de façon grotesque sous l'effet de la chaleur.

Les traces de fumée, lorsqu'elles demeurent visibles, dessinent un V étroit à droite de la fenêtre. Elles s'arrêtent juste au-dessus du plancher dans les restes noircis du bureau d'où est parti l'incendie, d'après Ressler. La moquette a brûlé et fondu quasiment partout, sauf au niveau des coins les plus éloignés où l'on devine encore sa couleur d'origine.

Après deux heures au cours desquelles nous examinons chaque centimètre carré de la chambre, nous exhalons tous les quatre une délicieuse odeur de chaudière. Nous n'avons trouvé aucune trace d'accélérant, rien qui puisse laisser croire que Mlle

Swanson a été victime d'un incendie criminel. Les services de police du lieutenant Ressler n'ont rien à se reprocher. Pourtant, je suis plus convaincue que jamais de l'intervention de notre homme.

Je décide de faire le point avec l'équipe dans une salle de réunion mise à notre disposition dans les locaux du FBI à Chicago.

— Un : Il y avait bien une bougie sur place, qui a déclenché l'incendie, d'une façon ou d'une autre.

« Deux : Les flammes se sont propagées très rapidement aux rideaux, puis au reste de la chambre qui s'est embrasée d'un seul coup.

« Trois : La maison disposait d'une alarme à incendie, mais elle n'était pas branchée au moment du drame.

« Quatre : L'une des fenêtres de la chambre d'amis, de l'autre côté du couloir à l'étage, était ouverte. Il faisait vingt-huit degrés à 1 h 30 du matin le jour du drame, la climatisation était donc en marche à l'intérieur de la maison, ce qui n'a pas empêché Joëlle de laisser cette fenêtre ouverte.

« Cinq : Nous n'avons pas trouvé trace de la moindre bougie dans la maison, en dehors de celle qui a mis le feu à la chambre. Joëlle n'était apparemment pas une fan des bougies.

« Six : On repère de très faibles marques de fumée sur les vitres qui n'ont pas explosé et sur les surfaces en verre en général. Celles-ci confirment la rapidité de l'incendie, une caractéristique qui révèle souvent la présence d'accélérant. En même temps, nous n'en avons pas décelé à l'endroit où a éclaté l'incendie, ou ailleurs.

« Sept : Ce qu'on appelle le "triangle du feu". Les flammes ont besoin d'oxygène, de combustible et de chaleur. On remarque dans la chambre de nombreux livres, ouverts pour beaucoup, ainsi que des journaux. Nous avons donc notre combustible. Une bougie qui brûlait sur un bureau trop près des rideaux, nous sommes en présence de chaleur. Enfin, la fenêtre restée ouverte dans la chambre voisine, et voilà de l'oxygène. En outre, l'air aspiré à travers la fenêtre en question finissait sa course sur le mur opposé à la porte de la chambre, à l'endroit où a été retrouvé le corps de Joëlle Swanson, près du lit. La ventilation assurant la présence en ce point précis des flammes les plus puissantes, le corps de Joëlle a brûlé très rapidement, au point de consumer la peau, la graisse et une bonne partie des muscles.

« Huit : La police n'a pas cru bon de s'adresser aux experts en incendies criminels du comté de DuPage. Les pompiers locaux ont estimé qu'il s'agissait d'un accident et ils n'avaient aucun intérêt à ce que quelqu'un rouvre le dossier. Aucune autopsie ne sera pratiquée sur le corps à moins de pouvoir leur fournir une raison valable. Ou de reprendre l'enquête à notre compte.

« Neuf : Nous sommes face à cinquante-trois autres incendies possédant quasiment tous les mêmes caractéristiques. Avec les moyens limités dont je disposais depuis quelques mois, je n'ai pas été en mesure de déterminer l'emplacement des lits dans les cinquante-trois chambres concernées, mais dans seulement huit d'entre elles. Curieusement, l'emplacement était chaque fois exactement le même.

J'adresse à Books un regard appuyé afin qu'il comprenne le message. *À Peoria aussi, le lit se trouvait au même endroit.*

Sophie prend la parole :

— Le fait que tous ces gens aient brusquement décidé de changer leurs meubles de place juste avant de mourir brûlés vifs est suffisamment étrange pour que l'on puisse ordonner des autopsies. Vous ne trouvez pas ?

Sophie n'est peut-être pas un si mauvais cheval. Je l'aimerais encore plus si elle avait quinze kilos de plus et le visage couvert d'acné.

— C'est un bon point de départ, approuve Books. Commençons par déterminer l'emplacement des lits des victimes afin de poursuivre le travail entamé par Emmy.

J'acquiesce d'un mouvement du menton.

— Nous n'avons pas une minute à perdre, les amis. Je vous rappelle que nous sommes à la veille de la fête du Travail. Si le fonctionnement de notre homme n'a pas changé depuis l'an dernier, il est désormais libre de reprendre la route et de nous offrir deux nouveaux meurtres par semaine.

25

« Les confessions de Graham »
Enregistrement n° 7
Samedi 1er septembre 2012

Bonsoir, les enfants. Ce soir, je ne répondrai pas aux questions de l'assistance. Je souhaite à la place vous dire quelques mots sur le mensonge, un don que tout artiste digne de ce nom doit posséder dans sa besace. Les mensonges sont fascinants dans leur façon de mettre en relief les paradoxes qui traversent notre société. Qu'est-ce qu'un mensonge ? Un détournement de la réalité, dont on veut donner à croire qu'il est la réalité. On considère qu'il est mal de mentir. On apprend aux enfants à ne pas mentir, on va jusqu'à enfermer des gens en prison parce qu'ils ont menti. Il n'empêche que le mensonge est partout, et que nous ne cherchons même pas à le travestir la moitié du temps.

Les pubs télé qui nous montrent des familles de rêve en train de se gaver de frites et de hamburgers sous le regard amusé d'un clown ? Nous savons tous qu'il s'agit d'acteurs, payés pour donner l'impression d'être une famille en train de s'amuser, alors qu'ils ne s'amusent pas le moins du monde. Ils sont même obligés de tourner la même scène jusqu'à l'écœurement, vous pouvez être sûrs qu'ils n'ont aucune envie d'avaler la moindre frite à la fin du tournage.

Pensez aussi à ces bons gros burgers succulents qu'on voit dans les pubs. Vous trouvez qu'ils ressemblent à ceux qu'on vous sert dans la réalité? Rien de tout ça n'est vrai, et pourtant on s'en fiche.

Les femmes portent des vêtements qui dissimulent leurs défauts. Les hommes rentrent le ventre quand ils croisent la route de l'une d'elles. Les employés de bureau tournent l'écran de leur ordinateur quand le patron passe à proximité, histoire de ne pas lui montrer qu'ils faisaient une réussite. Nous sommes cernés par le mensonge.

On nous apprend à ne pas dire à un gros qu'il est gros, à un imbécile qu'il est un imbécile. On explique à nos enfants que ça ne se fait pas. Il faut éviter de dire la vérité quand elle est susceptible de heurter. Dans ces cas-là, non seulement il n'est pas grave de mentir, mais c'est même recommandé!

N'allez pas croire que je critique le système, je me contente de le décrire tel qu'il est. L'analyser me donne du recul et m'incite à mentir à mon tour. Puisque tout le monde ment, autant vous y mettre si vous ne voulez pas vous retrouver à contre-courant, au risque de vous noyer. Ne me dites pas que vous avez envie de vous noyer?

Vous l'aurez deviné, je suis un menteur de première force. Autrement, jamais je ne serais capable de capter la confiance de tous ces gens, de m'introduire dans leur vie, voire chez eux. Ce n'est pas mentir qui est difficile. C'est mentir avec talent. Laissez-moi vous réciter quelques règles du *Petit*

Graham sur le mensonge : première règle, mentez uniquement en cas d'absolue nécessité. Tout simplement parce que tout le temps où vous vous trouverez en compagnie d'une proie, que ce soit deux heures ou deux semaines, vous serez obligés de vivre avec ce mensonge. Prenons un exemple : si vous avez envie d'approcher une proie qui fume en lui affirmant que vous fumez, vous aussi (entre parenthèses, ça marche très bien, la fraternité des fumeurs n'a rien d'une légende), vous allez devoir en griller une de temps à autre. Personnellement, dans ce cas de figure précis, je prétends être un *ancien* fumeur. Ça me permet d'affirmer que je fais une entorse, de façon à renforcer le lien de confiance qui s'est établi avec la proie, tout en me fournissant une excellente raison de ne pas fumer régulièrement avec elle si nous restons longtemps ensemble.

Deuxième règle, ne fournissez jamais trop de détails lorsque vous mentez. Plus vous restez vagues, moins vous avez de chance de vous tromper.

Prenons l'exemple de ma dernière victime, Curtis Valentine. Je suis entré en contact avec lui sans difficulté puisqu'il dirige sa boîte de création de site Internet depuis sa maison de Champaign et qu'il possède un compte Facebook. Je lui ai servi deux mensonges pour m'introduire chez lui :

1/ J'avais besoin d'un site pour la boîte de consulting que j'étais en train de monter.

2/ Je m'étais fait escroquer par le premier créateur de site auquel je m'étais adressé.

Jamais je n'aurais obtenu un rendez-vous avec lui si je n'avais pas eu besoin de ses services, d'où le premier mensonge. Je lui ai bien précisé que je *créais* ma boîte, de façon qu'il ne s'étonne pas de ne rien trouver à son sujet sur Internet s'il lui venait l'idée de vérifier.

Vous allez me demander : pourquoi le second mensonge ? Pour plusieurs raisons. La plupart des infographistes ne rencontrent jamais leurs clients, ils se contentent de communiquer avec eux par téléphone et e-mail. Le fait de m'être fait arnaquer une première fois me fournissait une bonne raison de vouloir le rencontrer dans ses locaux, pour m'assurer de sa bonne foi. En outre, ça m'autorisait à rester évasif lorsqu'il me demanderait en quoi consistait mon travail de consultant. Je n'avais aucune envie qu'on entre dans les détails. Il suffisait que je lui dise que j'étais détective privé ou spécialiste d'ingénierie mécanique pour que Curtis ait justement fait des études d'ingénierie mécanique à la fac, ou bien que son meilleur ami soit détective privé, auquel cas il risquait d'en connaître davantage que moi sur la question. Mon second mensonge, s'il me posait la question, m'autorisait à lui répondre : *Je préfère ne pas entrer dans les détails tant que nous n'aurons pas fait affaire*. Chat échaudé craint l'eau froide, vous connaissez le dicton.

Finalement, j'ai menti le strict nécessaire en me mouillant le moins possible. Nous avons éclusé deux bières dans ce bar, Curtis m'a expliqué de quelle façon il pouvait m'aider à lancer mon affaire, je me suis montré impressionné par son discours tout en restant sur ma réserve du fait de mon expérience passée, et c'est *lui-même* qui a fini par me proposer d'aller chez lui afin que je puisse voir ses bureaux.

Des questions ? Non ? Très bien. Vous pouvez sortir, les enfants, mais ne vous éloignez pas. La suite devrait vous amuser !

[FIN]

26

L'immeuble qui abrite les locaux du FBI sur Roosevelt Road, à Chicago, ne dort quasiment jamais, à l'image de ses occupants. Le premier lundi de septembre est néanmoins férié à cause de la fête du Travail, et le bâtiment somnole ce jour-là. Le septième étage, où nous avons pris nos quartiers, est entièrement vide.

Avec les trois autres membres de l'équipe, nous avons conscience de mener une course contre la montre. Diriger une enquête un week-end de trois jours n'est pas des plus commodes, ce qui ne nous empêche pas de contacter les uns après les autres les flics et les shérifs attachés aux lieux visités par notre homme. Nous leur demandons chaque fois de ressortir les dossiers relatifs à ces incendies «accidentels» afin de savoir dans quelle position exacte se trouvait le lit des différentes victimes. Dans certains cas, les enquêteurs des compagnies d'assurances ont pris davantage de photos que la police, et il nous faudra attendre demain mardi pour les joindre.

Heureusement pour nous, Internet ne part jamais en week-end, ce qui nous permet, à Sophie et moi, de croiser les informations à la recherche d'éléments récurrents chez le tueur. Nous savons déjà – si tant est que nous sachions quoi que ce soit – qu'il choisit des personnes seules et que toutes ses victimes ont un lien avec les réseaux sociaux, qu'il s'agisse de Facebook, de Twitter, de LinkedIn, ou d'autres. Il ne serait pas surprenant que les victimes possèdent d'autres points communs. Les tueurs ne choisissent jamais leurs proies totalement au hasard.

À 19 heures, je pars me dégourdir les jambes et jette un œil dans le bureau voisin, où s'est retranché Books.

— Merci, shérif, je vous en suis très reconnaissant, dit-il au téléphone en levant les yeux au ciel dès qu'il m'aperçoit. N'hésitez pas à m'appeler à n'importe quelle heure du jour et de la nuit. Je vous souhaite également une bonne soirée.

Il raccroche en faisant une grimace. Il a passé des heures à contacter les autorités des villes concernées afin de les convaincre de rouvrir leurs enquêtes, au minimum de pratiquer une autopsie. Quand bien même le FBI prendrait le relais, les victimes sont enterrées depuis belle lurette et il nous faudra obtenir d'un juge local un permis d'exhumer en bonne et due forme.

— Celui-là m'a promis d'en parler à la famille, m'explique Books.

— Nous n'avons pas besoin de leur permission.

Il hoche la tête en signe d'assentiment.

— C'est vrai, mais on n'a plus l'obligation de s'adresser à un juge si les proches donnent leur accord. De toute façon, c'est sans doute une manière pour lui de refuser poliment.

Il pousse un soupir.

— Tu sais, Emmy, ces gens-là ont refermé le dossier parfois depuis des mois. Nous allons devoir nous adresser à chacun des tribunaux concernés si nous voulons pratiquer des autopsies. Encore faudrait-il que le juge fédéral compétent veuille nous soutenir, ce qui n'est pas gagné.

— Ça ne nous empêchera pas d'essayer.

— Oui, mais ça va prendre une éternité. Au minimum plusieurs semaines. Dickinson ne nous a pas fourni assez de main-d'œuvre.

— Tu crois possible de demander du renfort ?

— C'est un cercle vicieux, ma jolie.

Il a raison. Jamais nous n'obtiendrons des agents supplémentaires tant que nous n'aurons pas réuni des preuves concrètes. Ce qui ne risque pas d'arriver de sitôt, faute d'avoir davantage d'agents à notre disposition.

Pendant ce temps, notre homme continue de s'en donner à cœur joie.

C'est même ce qui me pousse à concentrer tous nos efforts sur les deux dernières victimes : Joëlle Swanson à Lisle et le tout dernier mort en date, un certain Curtis Valentine de Champaign, également dans l'Illinois. Nous ne nous sommes pas encore rendus sur place, mais le flic chargé de l'enquête nous a gentiment fait parvenir une vidéo prise sur les lieux de l'incendie, en pièce jointe d'un e-mail. Il s'agit d'un pavillon et non d'une maison de ville, mais à ce détail près, la mort de Curtis Valentine évoque en tout point celle de Joëlle Swanson. L'incendie, également provoqué par une bougie, s'est déclaré dans la chambre où a été retrouvé le corps. Relativement peu de traces de fumée, preuve de la rapidité du sinistre, mais aucune trace d'accélérant. Le lit se trouvait, là encore, face à la porte de la chambre.

Ce type est un putain de petit malin. Je serais la première à accréditer la thèse d'un accident sans l'existence de tous les autres incendies. Aucun des enquêteurs concernés ne peut deviner que le même schéma s'est répété à plusieurs dizaines de reprises à travers le pays.

— Tu as l'air épuisée, Em, me fait remarquer Books.

— C'est le cas.

— Allons chercher les autres. Nous n'aurons qu'à dîner ensemble au restaurant de l'hôtel.

Je laisse échapper un soupir.

— Qui sait si le fait de changer de décor et d'abandonner téléphones et ordinateurs ne fera pas jaillir une idée.

Peut-être est-ce le problème. Peut-être devrions-nous prendre du recul et discuter. Si ça se trouve, l'arbre cache la forêt.

Je remarque un sourire sur les lèvres de Books.

— Qu'est-ce qu'il y a?

— Je me trompe, ou bien tu n'accepteras d'aller dîner qu'à condition de parler de l'enquête?

Je lève les bras au ciel.

— De quoi d'autre voudrais-tu parler?

Il hausse les épaules.

— On aurait pu parler des Chiefs. Ils reprennent la saison cette semaine.

J'ai oublié de vous préciser que Books est fan de football américain. C'est l'un de ses rares défauts.

— D'accord, je me rends, enchaîne Books en voyant ma mine renfrognée. On n'aura qu'à discuter de l'enquête. On ne sait jamais.

27

Notre modeste équipe rallie la brasserie située dans le hall du Marriott où nous avons élu domicile. Un bistrot baptisé Rooks Corner qui sert des bières locales à la pression, à la grande satisfaction de Books. Il a toujours collectionné les spécialités des micro-brasseries dont il croisait la route lorsqu'il était en déplacement pour le boulot, c'est-à-dire très souvent.

L'endroit, assez sombre, est meublé de chaises en vieux chêne à l'assise recouverte d'un coussin jaune. Un vrai plancher, des box alignés le long des murs, quelques tables disposées autour d'un long bar à angle droit. Les grands écrans accrochés aux murs diffusent un match de football. Books commande une Domaine DuPage. Ne m'en demandez pas plus, j'imagine qu'il s'agit d'une bière, je me suis contentée de reconnaître le nom du comté dans lequel Joëlle a trouvé la mort, DuPage. De son côté, Denny opte pour un soda tandis que Sophie choisit un mojito aux fruits rouges.

Tout le monde a faim. Un hamburger pour Books, un club-sandwich pour Denny. Je préfère une soupe à l'oignon à la française tandis que Sophie se rabat sur une salade à la poire et aux noix de pécan. J'en arrive à me demander si les jolies gamines d'aujourd'hui ne sont pas programmées génétiquement pour boire des cocktails aux fruits et grignoter des salades à la vinaigrette allégée, comme des lapins. Qu'est-ce qui empêcherait Sophie de faire une entorse à la règle et d'avaler des nachos nageant dans du fromage fondu, arrosés de Guinness ?

Ladite Sophie a trouvé le moyen de s'asseoir à côté de Books en rapprochant sa chaise de lui. Pendue à ses lèvres, elle l'écoute raconter l'une de ses vieilles histoires de guerre. Les agents du Bureau trouvent toujours le moyen d'étaler leurs exploits. Un témoin récalcitrant, un indice troublant, un assassin particulièrement charismatique qu'ils ont fini par inscrire à leur tableau de chasse. Je connais la plupart des histoires. Ma préférée est vieille d'une douzaine d'années. À l'époque, Books avait prêté main-forte à des marshals fédéraux sur le point d'arrêter un évadé. En se ruant dans la maison du Maryland où s'était réfugié leur type, il a trébuché contre un portemanteau qui lui est tombé sur la tête et l'a assommé. Les marshals ont été obligés d'enjamber son corps pour envahir la planque du fugitif. Comme ils se sont fait un plaisir de lui expliquer par la suite : *En tout cas, tu lui bloquais la sortie.*

— Vous avez déjà été confronté à un tueur en série ? s'enquiert Sophie.

— Ouais, ça m'est arrivé, répond-il en soupirant.

Il travaillait sur une enquête de ce genre à l'époque où j'ai rompu nos fiançailles. Il a attendu d'avoir coincé le tueur en question pour donner sa démission. Reginald Trager, un type qui violait et tuait des filles de Portland en leur coupant la tête.

— Freddy la Machette.

J'ai pris soin de préciser le surnom du tueur, sachant très bien que Books ne l'aurait pas fait.

Denny Sasser se caresse le menton.

— Vous avez travaillé sur l'enquête de Freddy la Machette ?

— Croyez-moi, l'enquête n'avait rien d'extraordinaire.

Books a tendance à évoquer les histoires qui le montrent sous son jour le moins flatteur. Il n'est pas de nature vantarde. C'est l'un des premiers traits qui m'ont frappée quand je l'ai rencontré, il y a quatre ans. Il enquêtait à l'époque sur des gangsters qui effectuaient des hold-up en Virginie. Il avait si bien percé leur technique qu'il les attendait avec ses hommes le jour où ils ont voulu attaquer la succursale du Crédit fédéral d'Arlington. Tous les analystes attachés à l'enquête savaient très bien que Books avait résolu l'affaire à lui seul, ce qui ne l'a pas empêché d'en partager le mérite avec tout le monde. Il a fait le tour des bureaux en distribuant un petit mot de remerciements personnel à chacun d'entre nous, en insistant sur notre apport à l'enquête. Ce type de comportement ne passe pas inaperçu auprès des analystes. La majorité des agents nous oublient consciencieusement dès qu'ils ont bouclé une enquête. Reginald Trager, surnommé Freddy la Machette par les médias de Portland, était un peintre en bâtiment au chômage qui a pété les plombs quand on a saisi son appartement. Il a tué cinq ou six femmes, je ne sais plus exactement. On a appris par la suite qu'il avait un dossier psychiatrique, en plus d'une condamnation pour tentative de viol.

— Est-ce lui qui s'est inventé ce surnom ? demande Sophie. Laissait-il des notes ou des traces de ses actes ? Son but était-il de devenir célèbre ?

Difficile de dire si elle drague Books, ou bien si sa curiosité professionnelle a pris le dessus. Vous allez me dire : en quoi ça me concerne ?

Books répond non de la tête.

— Reggie Trager n'était pas capable d'écrire quoi que ce soit ou de vouloir accéder à une notoriété quelconque. C'était un malade mental, un psychopathe sadique tout à fait classique. Il battait ces femmes, les décapitait, et les violait.

Sophie a un haut-le-corps.

— Dans cet ordre ?

— Oh oui. Il soulageait ses pulsions sexuelles sur des corps sans tête. Pas de doute, ce type-là était un monstre.

— Quel type de relations sexuelles… Non, je préfère ne pas savoir, se reprend Sophie.

— Je crois aussi, approuve Books.

Moi, je sais. Je suis sans doute la seule à le savoir, en dehors de l'équipe qui a arrêté ce monstre. Les détails n'ont jamais été rendus publics et Reggie Trager n'a pas encore été jugé, de sorte que l'information reste confidentielle. Il procédait à des viols vaginaux, mais il ne se servait pas de son pénis. Il utilisait sa machette. La lame traversait l'utérus et le côlon avant de ressortir par les fesses. On se consolera en se rappelant que les victimes étaient déjà mortes et décapitées.

Books avale une gorgée de sa pinte de bière couleur caramel. Il ne peut pas s'empêcher de jouir de tant d'attention. Comment lui en vouloir ? Quitte à démissionner du Bureau, autant partir sur une belle affaire.

Je trempe les lèvres dans mon verre d'eau. Je ne suis pas d'humeur à boire de l'alcool, laissant Books profiter de sa minute de gloire. Il surprend le regard en coin que je lui lance.

— Emmy aimerait qu'on discute ensemble de l'enquête, suggère-t-il. Par où commençons-nous ?

— Par le profil que tu pourrais nous dresser du tueur.

28

Books avale une nouvelle gorgée de bière avec un claquement de bouche.

— Impossible.

Il m'a répondu de la même façon les fois où je lui ai posé la question. Quand je dis *les fois,* entendez : tous les jours depuis que je l'ai attiré dans ce guêpier. Il se tourne vers Sophie, l'élève de service.

— Avant d'être en mesure de réaliser un profil digne de ce nom, encore faut-il établir qu'un crime…

Je le coupe :

— Qu'un crime a été commis, nous sommes d'accord. Dans ce cas, Books, partons de l'hypothèse que nous sommes en présence d'une série de meurtres dissimulés derrière des incendies. Quel est le profil du tueur ? Je suis convaincue que tu connais la réponse.

Il acquiesce d'un geste et poursuit en s'adressant à Sophie :

— Le profilage est un art davantage qu'une science. Il ne suffit pas d'entrer des données dans une machine pour obtenir un profil. Il faut d'abord procéder à l'évaluation des scènes de crime, interroger les victimes lorsque c'est possible, ce qui n'est pas notre cas. Et même dans des conditions optimales, le profil n'a rien d'une certitude.

— Étiez-vous loin du compte dans votre profil de Reggie Trager ? Ce fameux Freddy la Machette ? minaude Sophie.

Si elle se rapproche encore de lui, c'est moi qui sors une machette.

— Vous avez choisi le parfait exemple, Sophie, répond Books.

C'est tout juste s'il ne lui caresse pas la tête. Il n'est pas aveugle, tout de même. Je sais bien qu'elle a tout d'une poupée Barbie, mais il a bien dû remarquer la façon dont elle le couve des yeux.

— Nous avons longuement étudié les scènes de crime et les victimes. Il ne faisait guère de doute qu'il ne planifiait pas ses meurtres. Il n'y avait aucune logique chez lui dans le choix des victimes, il ne cherchait jamais à réorganiser les scènes de crime ou à dissimuler ses forfaits. En dehors du fait qu'il les mutilait atrocement, les décapitait et les violait, toutes ses victimes étaient blanches et blondes, la vingtaine.

« Nous avons établi son profil à partir de ces données, en estimant qu'il s'agissait d'un tueur désorganisé atteint de troubles mentaux. Un homme blanc, la vingtaine ou la trentaine, de tempérament renfermé. Il n'avait pas d'amis, ne parlait pas à ses voisins, et n'avait aucune vie sociale. Il avait été élevé au sein d'une famille dure, sans doute par sa mère. Il était peu probable qu'il ait achevé ses études secondaires. Il n'entretenait pas de relation suivie avec des femmes, sans doute parce qu'il était impuissant. Il ne travaillait pas, ou bien il exerçait une activité manuelle. Il venait de traverser une période de stress, la perte de son emploi ou une rupture féminine. Il entretenait au sujet des femmes des fantasmes violents qu'il ne parvenait pas à contrôler. Il vivait à moins d'un kilomètre de ses victimes. Enfin, il ne se prénommait probablement pas Freddy.

Sophie lui adresse un sourire radieux. Quel don Juan, ce Books.

— Qu'est-ce qui vous a fait dire qu'il vivait dans le même quartier que ses victimes ?

— Les tueurs désorganisés se déplacent rarement en voiture. Ils sont beaucoup trop pris par leurs fantasmes. Ce n'est pas comme s'ils choisissaient soigneusement une victime, se rendaient chez elle, commettaient leur forfait, et rentraient à la maison. Ils se laissent au contraire guider par leurs pulsions.

— Je vois, déclare Sophie, hypnotisée par le grand professeur. Mais alors, en quoi vous êtes-vous trompé ?

— Tout d'abord, il se déplaçait avec l'arme du crime. La plupart des tueurs désorganisés utilisent ce qu'ils trouvent sur place faute d'avoir planifié leur acte. À l'inverse, Reggie dissimulait sa machette sous un long manteau noir et repartait avec après chaque meurtre. Il emportait également un souvenir de ses victimes, ce qui ne correspond pas au profil des tueurs désorganisés. Ceux-ci se contentent de commettre leur crime et de s'en aller.

« Mais surtout, poursuit Books, il n'a pas du tout choisi au hasard sa dernière victime. Il s'agissait en fait de la même femme qu'il avait tenté de violer plusieurs années auparavant, ce qui lui avait valu une condamnation. Ce dernier crime était donc soigneusement planifié. Ce sont d'ailleurs ces différences avec le portrait-robot d'un tueur désorganisé qui nous ont mis sur sa piste. Au lendemain de son dernier meurtre, on s'est aperçus que le type qui avait déjà attaqué la victime par le passé vivait à quelques rues de là. Nous avons découvert la machette et tous ses souvenirs au moment de le cueillir.

— Quel genre de souvenirs ? l'interroge Sophie, les yeux brillants.

— Vous n'avez pas non plus envie de le savoir, rétorque Books.

— Allez, c'est bon.

C'est moi qui réponds :

— Il leur coupait la langue et conservait ses trophées dans une boîte à chaussures cachée sous son lit.

Je m'en voudrais presque de lui couper l'appétit. Cette petite a besoin de se remplumer.

— En tout cas, reprend Books en toussotant, tout ça pour dire qu'on n'a pas coincé Reggie Trager après avoir réalisé le profil parfait. Nous avons été servis par la chance, il a eu le tort de s'en prendre à son ancienne victime. Il aurait tout aussi bien pu nous envoyer un carton d'invitation.

Je tiens à rétablir la vérité.

— Ça ne signifie pas que le profilage est inutile. Et ça ne signifie pas que tu n'aies pas déjà ta petite idée sur le profil de notre homme.

— Tu te trompes, Emmy. J'aurais besoin de davantage d'informations.

— Dans ce cas, donne-moi juste un indice, Books. Un seul. Et ne me dis pas que c'est un tueur extrêmement organisé, nous le savons tous déjà.

Books secoue la tête d'un air amusé.

— Allez! Un seul indice.

— Il s'améliore chaque fois, répond Books. Les tueurs organisés améliorent leurs méthodes à mesure de leurs méfaits. Notre homme était doué dès le départ, mais s'il y a réellement un seul et même individu derrière tous ces incendies, alors il a réussi à métamorphoser en une machine parfaitement huilée ce qui était à l'origine un simple hobby.

Books soupire.

— Il ne se laissera pas attraper comme Reggie Trager. Nous allons devoir mener une enquête exemplaire, et il nous faudra en plus beaucoup de chance.

Je me lève brusquement de table.

— Seigneur! C'est ça, Books!

— Quoi, *ça*? Tu as trouvé la solution quand je t'ai dit qu'on aurait besoin de chance? Je sais que je suis doué, mais tout de même...

Je ne l'entends déjà plus. Je finis de traverser le restaurant au pas de course et m'engouffre dans le premier taxi qui passe.

29

De retour dans les locaux de Roosevelt Road, j'étudie les données des incendies, penchée sur mon clavier, lorsque Books passe une tête dans le bureau.

— Emmy et son goût de la mise en scène, déclare-t-il. Tu peux me dire quelle mouche t'a piquée ? J'ai du mal à établir un rapport avec ce que je t'ai dit tout à l'heure. Je me suis contenté d'affirmer que notre homme améliorait constamment sa technique.

— Tu n'as pas eu besoin d'en dire davantage.

Je me tourne vers ma grande carte des États-Unis, avec ses cinquante-quatre étoiles figurant les lieux où se sont déclarés les incendies. Les trente-deux points rouges des drames survenus il y a un an, entre le week-end de la fête du Travail et la mort de Marta au début du mois de janvier.

— Où s'est déclaré le premier incendie ?

Books accueille ma question d'un air perplexe.

— Le premier… je ne sais plus exactement, reconnaît-il.

Il n'a pas encore assimilé tous les drames, contrairement à moi.

— Atlantic Beach, en Floride, le 8 septembre 2011. Le premier des incendies qui ont eu lieu un peu partout à travers le pays de septembre à janvier, avant qu'il ne concentre ses efforts sur le Midwest.

— D'accord, et alors?

— Qui nous dit qu'il s'agissait de son premier meurtre?

— Rien, concède Books. On n'en a pas la certitude, à ceci près que tu n'as pas trouvé d'incendies correspondant à la méthode du tueur en remontant plus loin en arrière. Une seule victime, découverte chaque fois dans la chambre où s'est déclaré un incendie d'apparence accidentelle…

— Exactement. Je me suis concentrée sur les incendies accidentels, sans m'intéresser aux autres au prétexte qu'ils ne correspondaient pas à sa technique.

— Et alors?

Je poursuis mes recherches en me servant désormais de la base de données du NIBRS à laquelle je n'avais pas accès jusque-là, à cause de ma suspension. Les informations défilent sur l'écran, et je dois veiller à ne pas aller trop vite. C'est un peu comme une chasse au trésor, un puzzle gigantesque, il ne me reste plus qu'à découvrir la clé de l'énigme.

— Tu avais raison d'affirmer qu'il améliorait sa technique. Rien ne nous dit qu'il était aussi efficace lorsqu'il a commencé.

— Ah! Je vois. Tu veux dire qu'il a très bien pu rater son coup la première fois, auquel cas les autorités auront estimé qu'il s'agissait d'un incendie *criminel*.

— Exactement, Books.

D'où l'intérêt de pouvoir consulter le NIBRS, qui répertorie tous les incendies criminels.

— Je suis prête à parier qu'il s'est planté la première fois. Peut-être même plusieurs fois.

— Dans ce cas, que cherches-tu ? Tu voudrais passer au peigne fin tous les incendies criminels qui ont précédé celui d'Atlantic Beach ?

— Pas tous. On est partis de l'hypothèse qu'il vivait dans le Midwest. Je me penche donc en priorité sur ceux qui sont survenus dans cette région.

Je me retourne en constatant que Books ne réagit pas.

— C'est un boulot énorme, Em. Même en limitant tes recherches au Midwest, ça représente des tonnes de données. Tu veux commencer maintenant ? Je te signale qu'il est 23 heures.

— J'aurai tout le temps de dormir quand je serai morte. Ou quand on aura coincé ce type.

30

Books reste planté sur le seuil, à me regarder m'escrimer sur mon clavier.

— Quoi?

— On avait… on avait l'intention d'aller boire un verre.

Une boule se forme dans mon estomac. Books a décidément bien changé. À l'époque où il travaillait pour le Bureau, jamais il n'aurait pris le temps de sortir boire un verre lorsqu'il se trouvait sur une enquête aussi sensible. Il était constamment sur le qui-vive, le nez plongé dans les pièces du dossier. Quand nous étions encore ensemble, il lui arrivait de se trouver à des kilomètres, même lorsque nous étions installés l'un à côté de l'autre, ou bien à table pendant le dîner. Il se coulait dans la tête du monstre qu'il poursuivait, à l'affût de nouvelles pistes, de nouvelles hypothèses. Je me souviens d'un soir au cinéma. Pour une raison quelconque, je me suis tournée vers lui lors de la projection du film. Les plans qui s'enchaînaient sur l'écran éclairaient ses traits. Les yeux grands ouverts, il ne voyait rien des séquences qui se déroulaient devant lui, il repassait dans son esprit une scène de crime d'Alameda, de La Nouvelle-Orléans ou de Terre Haute.

Et voilà qu'il a envie d'aller boire un verre, alors que nous sommes en pleine chasse à l'homme. L'explication est claire. *On* avait l'intention d'aller prendre un verre. *On.* Je ne fais pas partie de ce *on*. Autant j'ai appris à apprécier Denny Sasser, autant je l'imagine mal en train de traîner en ville à 23 heures. *Je ne vois pas de quel droit j'empêcherais Books de vivre sa vie. Il est célibataire, tout comme Sophie.*

C'est toi qui l'as quitté. Tu es bien la dernière à pouvoir lui adresser une remarque.

En plus, tu as du pain sur la planche. Je te rappelle que le tueur court toujours, même si tu es la seule à croire à son existence.

— Dans ce cas, vas-y. Je continue pendant ce temps-là.

— Tu es sûre de ne pas vouloir nous accompagner ? Je peux aussi rester pour t'aider…

— Non, ne t'inquiète pas. Je suis mieux toute seule, ça m'aide à me concentrer.

Cette remarque tient de l'euphémisme. Je suis toujours mieux toute seule. Je suis faite pour être seule. D'autant que je n'ai pas de quoi m'ennuyer avec tous ces chiffres, toutes ces statistiques, tous ces recoupements.

Je m'arrête de taper, le temps d'entendre les pas de Books s'éloigner sur la moquette du couloir. Puis je me remets à l'ouvrage.

31

« Les confessions de Graham »
Enregistrement n° 8
Mardi 4 septembre 2012

Salut, tout le monde. Je savoure un hamburger (saignant, bien sûr) avec une assiette de frites tout en regardant un vieux match de football sur ESPN Classic. Mon enregistreur collé à l'oreille, à la façon d'un portable, comme chaque fois que je me trouve dans un lieu public, ce qui est le cas de ce troquet. Je n'avais pas prévu de vous dispenser un cours ce soir, mais ce match de football me donnera l'occasion d'une leçon.

Je me faisais la réflexion que mon talent n'était pas très éloigné de celui d'un quart-arrière. Je sais, je sais. Vous vous imaginez déjà l'un de ces géants musclés à la Peyton Manning ou Tom Brady en vous demandant quel rapport il peut y avoir entre eux et ce géant du crime qu'est Graham.

Le rapport est simple. N'importe qui peut jouer mal au football, de même que n'importe qui peut poignarder des gens, les abattre, ou leur tenir la tête sous l'eau. En revanche, il faut énormément de discipline, d'abnégation, d'humilité et de préparation pour se hisser au sommet de son art. Il faut être endurant et exigeant avec soi-même, se montrer capable d'auto-analyse pour parvenir à identifier ses faiblesses et s'efforcer de les surmonter. Pour atténuer au maximum celles qu'on n'arrive pas à éliminer. Mettre au point une méthode susceptible de sublimer ses qualités et dissimuler ses défauts. Il ne suffit pas d'avoir envie de gagner. L'envie de gagner est à la portée de tout le monde, mais rares sont ceux qui sont prêts à tout pour la victoire. Ce genre de processus implique une préparation difficile, désagréable et douloureuse.

Il s'agit de réaliser aujourd'hui ce qui rebute les autres, de façon à accomplir demain ce dont ceux-ci ne sont pas capables.

Sans oublier le test ultime auquel est confronté le quart-arrière. Changer de stratégie. Observer la situation et s'adapter sur le terrain. C'est précisément ce qui m'attend ce soir, alors que je viens de rencontrer Luther.

Luther Feagley, installé au bar à deux tabourets de distance, en compagnie d'une charmante jeune femme prénommée Tammy. Luther ne brille ni par l'intelligence ni par la classe. Ni par sa garde-robe, qui se limite à un short trop grand et à un T-shirt gris sur lequel on peut lire : « Faites pas chier, les Huskers. » Luther s'est lancé dans de grandes explications sur l'art du football américain, un sport auquel sa compagne Tammy ne semble rien connaître. Du coup, elle boit ses paroles comme du petit-lait, même si certains esprits moins crédules, dont je fais partie, ont conscience des lacunes de Luther.

Sachant que mon unique intention ce soir était de déguster un hamburger en regardant un match, une pause bienvenue alors que je sillonne les routes en quête d'un nouveau prospect. Je ne m'intéressais nullement à Luther, à Tammy ou à qui que ce soit d'autre en m'installant dans ce bar tout à l'heure. C'est là qu'un quart-arrière digne de ce nom a le don d'improviser lorsqu'une occasion se présente. Face aux joueurs adverses, bien décidés à le mettre en danger, le quart-arrière n'a qu'un but : marquer. Pas vrai?

Bien sûr que si. Luther et Tammy sont de trop belles proies pour que je les laisse filer. Luther, parce qu'il est incapable de fermer sa gueule alors qu'il n'y connaît rien. Aussi parce que son short me permet de constater qu'il possède de belles grosses rotules que je soupçonne d'être tendres à souhait. Tammy, parce que, derrière ses boucles rousses, elle a un joli crâne tout rond.

Elle est également dotée d'une voix rauque dont je sais qu'elle jouera une douce musique à mes oreilles lorsqu'elle me suppliera.

Improvisons, donc.

Désolé de vous quitter, les amis. Il est temps que je me glisse dans leur conversation.

[FIN]

32

Le silence qui règne dans la cuisine d'Aurora, Illinois, est tel qu'on distingue sans peine le ronronnement du réfrigérateur, l'eau qui s'égoutte du robinet de l'évier. Gretchen Swanson est toute menue. Les épaules voûtées, le visage ridé, elle a une masse de cheveux bouclés soigneusement coiffés, aussi blancs que ceux du père Noël. Son regard, perdu dans le lointain, parcourt le paysage du jardin que l'on aperçoit de l'autre côté de la vitre. Je ne sais pas si elle réfléchit à ce que je viens de lui expliquer. Peut-être pense-t-elle à sa fille qui a probablement joué autrefois sur cette balançoire usée, qui s'est accrochée au pneu suspendu aux branches du vieux chêne.

La cuisine est plongée dans une lumière crue, ce qui n'empêche pas une masse sombre indéfinissable de feutrer l'atmosphère de la pièce, comme si un champignon avait pris possession de cette maison autrefois joyeuse, teintant de beige les murs coquille d'œuf et de désespoir le caractère naturellement chaleureux de Gretchen. J'ai le souvenir d'être passée par une phase identique à la mort de Marta, frappée par l'obscénité de toute forme de beauté. *Comment*

la lumière ose-t-elle s'immiscer dans toute cette souf-
france? Comment les gens ont-ils le front de sourire et
de rire dans la rue? Qui a permis au ciel d'afficher une
couleur aussi bleue?

Je sursaute en découvrant un énorme cafard sur la table. J'ai reculé machinalement ma chaise de dégoût quand je m'aperçois qu'il s'agit d'une figurine de porcelaine. Mais aussi, quelle idée d'avoir chez soi un cafard en porcelaine !

— Désolée, s'excuse Gretchen. On a ce truc depuis toujours. Joëlle l'adorait. Elle…

Ses yeux se perdent à nouveau dans le vague.

— Vous connaissez sans doute cette chanson, « La Cucaracha »? *La cucara-CHA, la cucara-CHA?*

Je lui souris en retour.

— Oui, bien sûr.

— Elle l'a entendue un jour à la radio quand elle était toute petite. Elle devait avoir trois ou quatre ans. Elle s'est tout de suite mise à danser en claquant des doigts en rythme. Ses petites boucles blondes flottaient dans tous les sens.

Le souvenir dessine un sourire timide sur les lèvres de Gretchen.

— À la suite de ça, Earl, mon mari, l'a toujours appelée « ma petite *cucaracha* ». Le mot espagnol pour dire cafard. Joëlle était trop petite pour arriver à prononcer le mot correctement, elle disait qu'elle était son petit *coucou-cha.*

La bouche de Gretchen se tord en une grimace, entre douleur et réconfort. Je repousse mes propres souvenirs. Quelques heures après avoir appris la mort de Marta, nous attendions d'embarquer pour Phoenix au bar de l'aéroport, mais l'avion avait du

126

retard et ma mère vidait les bloody mary l'un après l'autre. J'en étais encore à vouloir croire au miracle en me demandant si ma sœur n'avait pas pu inviter quelqu'un à dormir chez elle pendant qu'elle se trouvait en randonnée. Si le corps calciné était vraiment le sien, si elle n'allait pas débarquer chez elle en tenue de marche, sac au dos, en s'étonnant de nous trouver là. *Qu'est-ce que vous faites ici? Il s'est passé quelque chose?* Je reste tétanisée sur ma chaise, les doigts crispés autour de mon verre de citronnade de peur de faire tinter les glaçons. Je n'ose plus respirer.

Gretchen ferme les yeux et secoue lentement la tête. C'est encore le meilleur moyen de dompter son chagrin, je suis bien payée pour le savoir. La situation est si inconcevable, si inacceptable, toute tentative de lui donner un sens relève du futile. Il ne reste plus qu'à secouer la tête en laissant couler les larmes.

— D'accord, Emmy.

C'est tout juste si elle a remué les lèvres. Je serre les paupières à mon tour en prononçant une courte prière muette. Je pousse les documents vers elle en lui tendant un stylo, puis je la serre longuement dans mes bras et nous finissons toutes les deux en pleurs.

Je prends mon portable en sortant de chez Gretchen. Je compose le numéro de l'assistant du procureur du comté de DuPage avec lequel je suis en contact, un dénommé Feller.

— La mère de Joëlle Swanson a donné son autorisation pour l'exhumation.

Je m'en veux d'entendre autant d'exaltation dans ma voix. Il m'a fallu deux jours pour arracher une promesse au Feller en question, hier en toute fin de journée. *J'accepte d'ordonner une autopsie si vous obtenez l'autorisation de la mère.*

À peine raccroché, je recommence avec une femme magistrat du comté de Champaign, une certaine Lois Rose. Elle m'accueille avec autant d'enthousiasme que si j'avais le choléra.

— Les autorités du comté de DuPage ont accepté de procéder à l'exhumation de Joëlle Swanson en vue d'autopsier le corps. C'est nettement moins compliqué dans votre cas, puisque Curtis Valentine n'a pas encore été enterré.

— Grâce à vous, Emmy, me rappelle-t-elle.

La famille Valentine a procédé à une cérémonie en mémoire de Curtis la veille à Champaign, mais ses proches ont accepté de retarder l'enterrement de quelques jours à ma requête.

— Je vous en prie, Lois. Si j'ai réussi à convaincre les autorités de DuPage, vous pouvez bien organiser le transfert du corps jusqu'à la morgue.

Je m'en veux d'avoir utilisé ce mot. Le *corps*. Ma sœur aussi était un corps.

Lois Rose pousse un soupir interminable à l'autre bout du fil.

— On ne vous a jamais dit que vous étiez têtue comme une mule ?

— Si, ça m'est arrivé.

— Vous me promettez d'oublier mon numéro si j'accepte d'ordonner l'autopsie ?

Cette fois, j'éclate de rire. Le portable remisé dans mon sac, je m'arrête à côté de ma voiture de location en serrant les poings si fort que j'aurais pu me casser un doigt.

— Enfin !

Enfin une autopsie. Deux, plus exactement. De quoi apporter la preuve aux huiles du Bureau qu'il est temps de nous fournir une armée pour pourchasser ce monstre.

33

«Les confessions de Graham»
Enregistrement n° 9
Mercredi 5 septembre 2012

Ce soir, je dois vous parler d'un truc de première importance. Je m'étais dit que ça pouvait attendre, mais non. Lors de notre dernière conversation, hier soir, je me trouvais dans un bar de Grand Island où était rediffusé un vieux match des Cougars de Houston sur ESPN Classic. Vous vous souvenez peut-être que je vous parlais d'un dénommé Luther Feagley? Il était assis au bar un peu plus loin, à côté d'une beauté répondant au doux nom de Tammy Duffy qu'il s'efforçait d'impressionner. Quoi qu'il en soit, je venais de couper l'enregistrement quand j'entends Luther éblouir la jolie Tammy au sujet d'une échappée de l'équipe de Houston. Il s'étend longuement sur la technique du *run and shoot.* On aurait dit un universitaire, que dis-je? Un académicien. Il lui explique avec force détails la disposition des quatre attaquants auxquels le quart-arrière passe successivement le ballon. Vous vous en doutez, j'ai senti la moutarde me monter au nez. Il ne s'agissait absolument pas d'un *run and shoot,* mais d'une attaque en éventail, ce qui est très différent.

Le *run and shoot* a été mis au point pour offrir davantage de possibilités au quart-arrière, notamment celle de courir, d'où l'usage du mot *run.* En règle générale, le quart-arrière court en avant, tandis que ses coéquipiers se taillent un chemin au milieu des joueurs de l'équipe adverse. Bref, c'est un moment très intense et très rapide.

[On entend en arrière-plan une voix d'homme aiguë, étouffée par un bâillon.]

Tais-toi, Luther. Ce n'est pas à toi que je m'adresse. Je parle *de* toi, ce qui n'est pas pareil. Tu comprends ?

Désolé de cette interruption, notre ami manque de manières.

Reprenons. L'attaque en éventail, à l'inverse, est une manœuvre de base. Elle consiste à élargir la défense de façon à créer des occasions. C'est une technique beaucoup moins improvisée.

Je m'y suis pourtant pris très poliment. J'ai tenté d'expliquer à M. Luther Feagley que Houston exécutait une attaque en éventail, mais voilà que notre Prix Nobel du football, ce membre éminent de l'intelligentsia sportive, ce vieux sage habitué à étaler sa science, me parle de haut comme si j'étais un organisme unicellulaire. Tu sais quelle erreur tu as commise, Luther ? Si tu me réponds correctement, je te rends tes dents. Une partie, en tout cas. Celles du haut. Mais je vois que tu ne comprends pas. Je vais te le dire : il ne faut jamais insulter quelqu'un qu'on ne connaît pas. Tu m'as pris pour un brave type inoffensif, c'est ça ?

Excusez-moi, je vais devoir poser mon enregistreur. Non, attendez, je vais l'accrocher à mon blouson coupe-vent… Voilà, comme ça… C'est bon, vous pourrez continuer à m'entendre… Allez, viens ici, ma chérie…

[Des cris étouffés de femme résonnent dans la pièce jusqu'à la fin de l'enregistrement.]

Tu es… plus lourde… que je ne l'aurais… pensé. Ouf ! C'est bon, chère mademoiselle Duffy. L'heure est venue de nous amuser un peu. Attends… que je te mette… dans une position… un peu plus… confortable. Arrête un peu de te débattre… *[incompréhensible]*… pas me faciliter la tâche…

À vrai dire, Luther, je n'avais pas prévu ce petit épisode. Je voulais juste manger tranquillement un hamburger dans un bar en regardant un vieux match avant de reprendre ma route. C'est toi qui m'as obligé à improviser, tellement tu es bête.

Je te donne à présent le choix, monsieur le spécialiste du *run and shoot*. Soit je te tue en premier, soit tu te trouves aux premières loges pour assister au sort qui attend Tammy.

Tu as du mal à choisir. Tant pis, je choisis pour toi les premières loges. L'avantage, c'est que tu survivras une demi-heure de plus. C'est bien le but suprême de tout un chacun, non ? S'accrocher à la vie ?

En fait, je ne serais pas surpris que tu reviennes sur ton opinion après avoir vu le sort qui attend Tammy.

[FIN]

34

Je recule ma chaise du bureau et lève la tête en direction de l'horloge. 17 heures passées. Que fichent-ils donc ? Mes pieds martèlent le sol d'impatience. J'ai du mal à me concentrer. Je nage au milieu d'un océan de données récupérées sur les fichiers du NIBRS, et je suis infoutue de me concentrer tant le but est proche. Les autorités des comtés de DuPage et de Champaign m'ont pourtant promis les résultats d'autopsie avant 17 heures. Eh oh, les gars, vous avez vu l'heure ?

Je rejoins Books dans son bureau. Sophie Talamas, assise en face de lui, penchée en avant, discute avec lui à mi-voix. Les coudes plantés sur la table, ils sont à quelques centimètres l'un de l'autre. Il flotte autour d'eux une atmosphère d'intimité discrète que confirme chacun de leurs gestes.

Ils reculent brusquement en m'apercevant. Il est clair qu'ils ne m'attendaient pas. Si je pouvais, je ferais machine arrière, mais tout le monde se montrerait mal à l'aise.

— Tu as reçu les résultats ? me demande Books qui s'est déjà ressaisi.

Je brandis mon téléphone en secouant la tête.

— Ils devraient tomber d'une minute à l'autre.

— Viens t'asseoir en attendant.

Sophie recule sa chaise afin que je puisse m'installer à côté d'elle.

— Tu as pu filtrer les incendies d'hier ?

Je lui ai confié la surveillance des sites et le relevé des e-mails, ainsi que je l'ai fait pendant un an, à l'affût d'un nouveau meurtre.

— Oui, acquiesce-t-elle. Rien hier et la nuit dernière.

Je hoche la tête à regret. Je ne suis pas certaine qu'elle soit encore à la hauteur. Je prendrais la peine de vérifier si j'avais le temps. Nous ne sommes que quatre pour abattre la besogne de douze personnes.

— J'étais en train d'expliquer à Sophie les contraintes liées au respect des juridictions, intervient Books à qui mon air dubitatif n'aura pas échappé.

Je feins de le croire. À les voir aussi près l'un de l'autre, à voir la façon dont ils se sont reculés en me voyant, je doute qu'ils aient parlé juridiction.

Le FBI n'a pas la priorité tant que l'affaire ne se déroule pas dans plusieurs États. Quand bien même nous prouverions que les incendies de Champaign et de Lisle sont des meurtres, ils ont tous deux eu lieu dans l'Illinois. À moins que les autorités locales ne fassent appel à nous, nous sommes coincés. Un handicap de plus, mais nous n'en sommes plus à un près.

— Désolée de vous avoir dérangés.

— Ne sois pas bête, me rétorque Books sans enthousiasme.

Sauvée par le gong. La sonnerie de mon portable me signale l'arrivée d'un e-mail. Je me penche sur l'écran.

— C'est l'autopsie de Joëlle Swanson.

35

Je retourne à mon poste de travail afin de lire le rapport d'autopsie du médecin légiste sur mon ordinateur portable. C'est le deuxième qui me passe entre les mains depuis le début de ma carrière et le précédent n'avait pas été établi dans l'Illinois, de sorte que je ne suis pas très sûre de mon coup. À l'image du précédent – mais peut-être sont-ils tous rédigés sur le même modèle –, un résumé final fournit les conclusions du légiste en termes à peu près compréhensibles. Je m'y rends directement en retenant mon souffle.

Les experts en incendie n'ont trouvé aucune preuve formelle que l'incendie soit d'origine criminelle. Ils se contentent de conclure qu'une bougie renversée dans la chambre de Joëlle Swanson a enflammé les rideaux et que le feu s'est propagé au reste de l'étage.

Je laisse échapper un grommellement. Rien de neuf de ce côté-là. Passons aux constatations médicales.

La présence d'un dépôt de suie sur la muqueuse de la trachée et le dos de la langue confirme que la victime était vivante lorsque le feu s'est déclaré puisqu'elle a respiré de la fumée et des émanations toxiques. Les tissus mous et le sang retrouvés dans les organes encore analysables étaient rouge vif, comme toujours lorsque le taux de carboxyhémoglobine est supérieur à trente pour cent, signe que la victime a inhalé du monoxyde de carbone et du cyanure.

— Ça ne colle pas…

Voilà que je parle toute seule, à présent.

Le rapport nous dit qu'elle a avalé de la fumée. Joëlle était donc en vie quand le feu s'est déclaré ? Cette conclusion concorde avec l'absence de traces d'hématomes sur son corps. Aucune plaie à l'arme blanche, aucune blessure par balle. Rien de rien, en dehors des dommages provoqués par les flammes et la chaleur du brasier.

— Non, non et non.

Fort de ces constatations, le rapport conclut que la mort est ACCIDENTELLE, que le décès est le résultat d'une asphyxie due à l'inhalation de fumée lors de l'incendie.

— Non !

Je repousse mon clavier d'un coup de poing rageur. Il glisse de la table et pend dans le vide par son câble.

Books passe la tête par la porte.

— Mauvaises nouvelles ?

— Ils se trompent. Ce n'est pas possible autrement. C'est impossible.

Je me lève en titubant. Le front collé contre le mur, je regarde fixement mes chaussures. Books s'approche de mon ordinateur et entame la lecture du rapport.

— Je suis désolé, Emmy.

Un bip m'annonce l'arrivée d'un nouvel e-mail, mais je reste figée contre la cloison.

— Il doit y avoir un autre e-mail dans ma boîte, Books. Sûrement le rapport du légiste de Champaign.

— Ne bouge pas.

Books récupère le clavier et enchaîne les clics de souris.

— C'est bien ça, il est arrivé.

— Ça t'ennuierait de me le lire, Books ?

Les yeux fermés, je revis douloureusement dans ma tête la dispute avec ma mère, après la mort de Marta.

Il y a un truc qui cloche, maman. On devrait leur demander de pratiquer une autopsie.

Pour quelle raison, Emmy ? Parce que tu crois que son lit n'était pas à la même place qu'un mois plus tôt, quand tu lui avais rendu visite ?

Je ne crois pas, maman. Je le sais. De toute façon, je trouve cette histoire suspecte. Il me semble qu'on devrait…

Tu crois peut-être que je vais les laisser couper mon bébé en morceaux et lui retirer tous ses organes ? Tu ne trouves pas qu'elle a déjà été assez mutilée comme ça ? Tu veux qu'on la découpe comme un animal de laboratoire ? Je refuse.

— Putain, souffle Books. Putain.

— Ne me dis rien.

— Je suis désolé, Em. Le rapport d'autopsie est à peu près le même que celui du comté de DuPage. Le médecin légiste de Champaign estime que la mort de Curtis Valentine est accidentelle, qu'elle est due à l'inhalation de fumée.

Il se plante derrière moi et pose ses mains sur mes épaules.

— Non. Ne me touche pas.

Je me dégage et m'enfuis à l'autre bout de la pièce.

— Ils se trompent. Tu ne le vois donc pas ? Ils ont tort, tous les deux !

Books baisse les yeux et enfonce les mains dans les poches de son pantalon de costume. Il ne voit rien du tout ? Bien sûr. Tout ce qu'il voit, c'est une femme arc-boutée à une vérité qui n'en est pas une, une gamine qui s'entête à croire à la petite souris.

— Je suis désolé, répète-t-il. Sincèrement désolé.

36

« Les confessions de Graham »
Enregistrement n° 10
Vendredi 7 septembre 2012

J'observe ce gamin. Il doit avoir dans les cinq ou six ans. Les yeux marron, une tignasse mal lavée et mal peignée, un jean. Il est pieds nus, comme tous ceux qui fréquentent l'aire de jeux de ce centre commercial. Les parents, assis à l'écart, surveillent leur progéniture en discutant ou en buvant un *latte* Starbucks, enjoignant à leurs gamins de jouer gentiment, de se calmer, de veiller sur leur petite sœur.

Il doit y avoir une cinquantaine d'enfants dans cet espace pavé de mousse, à escalader les structures, dévaler le toboggan, sauter sur le radeau. La plupart ne se connaissent pas, ce qui ne les empêche pas de s'amuser ensemble avec maladresse, comme toujours avec les enfants dont on sait qu'ils peuvent se montrer bien ou mal élevés, doux ou brutaux. Ils vont et viennent d'un jeu à l'autre, seuls ou à plusieurs au gré des rencontres.

Ce n'est pas le cas du gamin que j'observe. Assis au fond de l'aire de jeux, il ne joue avec personne, se contentant d'observer le manège de tous ceux qui l'ignorent. Il y a une minute, une balle de mousse s'est arrêtée à ses pieds. Il l'a rendue à une petite fille qui ne l'a même pas remercié.

On sent bien qu'il aimerait se joindre aux autres. Son envie se lit dans ses yeux, tandis qu'il suit du regard le ballet des enfants qui courent, crient et rient. Il voudrait courir, crier et rire, lui aussi, mais il reste dans son coin. Il se sent naturellement à l'écart.

Il aimerait s'intégrer au groupe. Si les autres lui donnaient sa chance, ils verraient bien qu'il est semblable à eux. Il a les mêmes envies qu'eux, les mêmes craintes qu'eux.

Vas-y, bonhomme. N'aie pas peur. Ils t'aimeront, tu peux en être certain.

Je vous en prie, donnez-lui sa chance. Tendez-lui la main, appelez-le. Il suffirait d'un geste, d'une main tendue pour qu'il vous rejoigne. Il ne demande quasiment rien, je vous le garantis. Il suffirait qu'une personne, une seule personne, fasse preuve de gentillesse à son endroit avant qu'il soit trop...

[Un blanc de dix-sept secondes.]

Lève-toi, bonhomme. Lève-toi, va jouer avec les autres.

[FIN]

37

Books, en parfait gentleman, me tient la porte et je suis la première à découvrir dans un fauteuil en cuir le visage ravi de Julius T. Dickinson.

(T. pour Trou du cul. Ses parents devaient déjà savoir qu'ils avaient produit un sale con.)

— Bien, bien, bien.

Ce connard de Dick trouve systématiquement le moyen d'avoir l'air occupé quand vous entrez dans une pièce. Une façon comme une autre de souligner votre médiocrité et de prendre de la hauteur. Aujourd'hui, il est plongé dans la lecture d'une brochure quelconque.

— Inutile de vous asseoir, commence-t-il avant que Books et moi ayons pu esquisser un pas à l'intérieur du bureau. Nous n'en avons pas pour long-temps.

Il nous oblige consciencieusement à poireauter pendant qu'il achève sa lecture avant de lever les yeux par-dessus ses lunettes.

— J'ai cru comprendre que vous aviez passé une semaine trépidante à Chicago. Arrêtez-moi si je me trompe. Emmy, ici présente, prétendait que nous étions en présence d'un tueur en série décimant nos

concitoyens d'un bout à l'autre du pays en camou-
flant ses crimes derrière des incendies criminels.
Apparemment, son stratagème consiste à déplacer le
lit de la victime afin de favoriser les courants d'air et
d'alimenter le brasier.

Il reprend quasiment mot pour mot notre rapport
de la veille, rédigé sur sa requête. Ce qui prouve qu'il
l'a lu.

— Au cours de cette même semaine trépidante,
enchaîne-t-il, vous avez pu établir que dans la moitié
des cinquante-quatre incendies de cette virée meurtrière, le lit avait été placé de façon à se retrouver
face à la porte.

Il feuillette négligemment sa brochure.

— À ceci près que vous ne savez pas si les lits ne
se trouvaient pas dès le départ dans cette position,
et si c'est bien notre tueur fantôme qui les a bougés
de place.

Sauf dans le cas de Marta. La phrase me brûle
les lèvres. *Quelqu'un a effectivement déplacé le lit de
Marta.*

— Dans l'autre moitié des cas, vous n'avez aucune
idée de l'emplacement du lit. Les faits sont trop
anciens. Je me trompe?

— C'est exact, répond Books.

— Dans ce cas, poursuit Dickinson, on peut en
déduire que la moitié des victimes avaient leur lit
face à la porte. Un détail de première importance…

Il m'adresse l'ombre d'un sourire.

— … si j'étais le rédacteur en chef de *Ma maison &
mon jardin*. Ce qui n'est pas le cas. Il se trouve que je
suis le directeur adjoint d'un service du FBI et que ce
détail ne présente pas le moindre intérêt à mes yeux.

143

Je me mords la langue, au bord de l'implosion.

— En revanche, je m'intéresse de près aux rapports établis à votre demande par deux médecins légistes indépendants sur deux victimes de votre choix. Ils ont conclu à des morts accidentelles, et non à des meurtres.

Il décroche son téléphone et brandit sa brochure. Je m'aperçois qu'il s'agit d'un menu.

— Lydia, déclare-t-il à sa secrétaire. Commandez-moi un sandwich au rôti de porc avec une salade de pommes de terre. Et deux cornichons. Pas un. Deux.

Ce connard de Dick pose le combiné contre sa poitrine en relevant la tête.

— L'enquête est officiellement close. Books, votre mission temporaire prend fin immédiatement.

Books, les mains dans le dos, ne dit rien.

— Quant à vous, Emmy, ajoute Dickinson d'un air mauvais, je vous attends à 18 heures pour parler de votre suspension.

Je suis prête à me battre, mais Books m'attrape le bras et m'entraîne hors de la pièce, laissant tout le loisir à ce connard de Dick de passer sa commande.

38

À peine sommes-nous montés dans l'ascenseur que je me tourne vers Books.

— Tu aurais au moins pu prendre notre défense. Ta parole a infiniment plus de poids que la mienne.

— Pas aux oreilles de Julius, rétorque-t-il en secouant la tête. Et pas davantage à celles du directeur, j'en ai bien peur. Plus, en tout cas.

— N'empêche que tu aurais pu nous défendre, au nom de la vérité.

— Ah oui? Je suis curieux que tu me dises de quelle vérité tu parles, Emmy.

Je comprends d'un seul coup. Le comportement taciturne de Books depuis trente-six heures. Depuis l'arrivée des rapports d'autopsie. J'avais imaginé à tort que nous étions sur la même longueur d'onde, qu'il partageait ma colère, ma frustration, mon entêtement.

— Tu ne me crois plus. Tu ne crois plus à l'existence de ces meurtres.

— C'est-à-dire…

Il émet un léger toussotement en levant les mains.

— Emmy, nous ne pouvons pas continuer à ignorer certains faits.

Je recule sous le choc.

— J'y crois pas !

— Holà ! s'écrie-t-il en tendant les bras vers moi.

— Il n'y a pas de holà qui tienne, Books. Crache ta Valda.

Il prend son souffle.

— Il ne s'agit pas de savoir si je te crois ou pas, Emmy. Tu n'as pas plus de preuves que moi de la réalité de ces meurtres. Nous devons nous appuyer sur des données tangibles, et les données en question nous disent qu'il n'y a pas eu meurtre.

— Pas du tout. Les données en question nous indiquent que notre homme ne laisse pas de traces derrière lui.

— C'est vrai, je me trompais ! s'énerve Books en levant les bras au ciel. Comment ai-je pu l'oublier ? L'absence de preuves sur les lieux des incendies nous a prouvé que ce type était un incendiaire de génie. Et maintenant, l'absence de preuves sur les victimes nous prouve que c'est un meurtrier de génie. Et ensuite ? L'absence de preuves qu'il vient de la planète Mars nous prouvera que c'est un assassin martien génial ? Tu verras, l'absence de preuves que nous avons affaire au lapin de Pâques nous apportera la preuve que le lapin de Pâques est l'incendiaire et l'assassin le plus extraordinaire de toute l'histoire de l'humanité !

— Tu veux que je te dise ? Tu es exactement comme Dickinson ! Désolée de t'avoir fait perdre ton temps, Books.

Il enfonce le bouton d'arrêt d'urgence de l'ascenseur avec une telle force que je perds quasiment l'équilibre lorsque la cabine se fige dans sa course.

Son cou est cramoisi, ses sourcils s'agitent furieusement.

— Je t'interdis de m'assimiler à Julius, siffle-t-il en
pointant sur moi un doigt vengeur. Je t'ai constamment accordé le bénéfice du doute. J'avais sincèrement envie que tu aies raison. Je sais ce que cette
enquête représente à tes yeux. Sauf que tu as *tort*,
Emmy. Il est temps que tu lâches prise. Accepte de
garder en toi le meilleur de Marta et résous-toi à ce
que tout le monde fait en pareil cas : le deuil. Ça
finira par passer. La croisade dans laquelle tu t'es
lancée va finir par te rendre folle et tu pourrais bien
y laisser des plumes au niveau de ton boulot ici. À
ce propos…

Il remet en route l'ascenseur en appuyant sur le
bouton de l'étage suivant, alors que ce n'est pas le
nôtre.

— Je te conseille de te montrer particulièrement
aimable avec Dickinson lors de ton rendez-vous de
18 heures, si tu as l'intention de continuer à travailler
ici.

Je tue le temps qui me sépare de mon rendez-vous avec ce connard de Dick en marchant au hasard. Je passe devant le bâtiment des Archives nationales, sur Pennsylvania Avenue. Je me souviens d'être venue ici quand j'étais petite, pendant des vacances d'été. Mon père s'enthousiasmait davantage à l'idée de visiter les locaux du FBI. Un goût de gendarmes et de voleurs hérité de son enfance. Il avait envie de voir les souvenirs liés aux gangsters de sa jeunesse, Machine Gun Kelly, Pretty Boy Floyd et Baby Face Nelson, les mitraillettes à l'ancienne, le Colt de John Dillinger, les demandes de rançon liées à l'enlèvement du bébé Lindbergh. Quant à Marta et ma mère, elles étaient impatientes de découvrir le musée de l'Air et de l'Espace.

Moi, c'était les Archives. Les vieux documents, l'idée que comprendre le passé aiderait à préparer l'avenir, que tout était lié. Mon père m'a toujours dit que je serais archéologue, mais je n'avais pas envie de remonter aussi loin. Les hiéroglyphes, les pyramides et les squelettes de dinosaures ne m'ont jamais intéressée. En revanche, je me passionnais pour les nombres. Passer les chiffres en revue, essayer de deviner la formule gagnante, en déduire un résultat. J'ai adoré les maths très jeune. Je jonglais constamment avec les chiffres dans ma tête. Un prof m'a expliqué un jour que s'il était possible de diviser par trois l'addition des chiffres d'un nombre, le nombre en question était également divisible par trois. Je n'ai plus jamais regardé un nombre sans le vérifier dans ma tête. Il suffisait que je passe devant le 1535 de Linscott Street pour calculer : $1 + 5 + 3 + 5 = 14$, qui n'est pas divisible par trois. En conséquence, 1535 ne l'est pas non plus. La plaque d'immatriculation KLT 438 se transformait en $4 + 3 + 8 = 15$ qui était divisible par trois, donc 438 l'était aussi.

La vie ne se résume pas à des chiffres et à des formules, répétait inlassablement Marta à sa jumelle studieuse. *Prends le temps de vivre, Emmy. Rencontre des gens, ouvre-toi aux autres.*

T'as raison. Le conseil m'a bien servi avec Books. Je me suis ouverte à lui, sauf que c'est terminé et que je ne suis pas près de ranimer la flamme. L'étincelle est bien là, mais je ne suis pas capable d'entretenir éternellement le feu. J'ai toujours su que je finirais par le décevoir. C'était inévitable. Il se serait installé avec moi, avant de s'apercevoir que je n'étais pas celle qu'il voulait. Books est une âme trop noble, jamais il ne me l'aurait avoué. Il ne m'aurait pas quittée, mais au prix d'une vie de médiocrité entière auprès d'une femme qui aurait été pour lui davantage une amie et une compagne qu'une amante. Sans doute ne saurat-il jamais à quel sort je lui ai permis d'échapper. Il ne comprendra jamais que je lui ai rendu service en mettant un terme à notre relation.

Reste à savoir s'il avait raison, quand il m'a parlé dans l'ascenseur. Me suis-je effectivement lancée dans une croisade déconnectée de toute réalité? Est-ce ma façon de gérer la disparition de Marta? S'agit-il des élucubrations d'une fille qui se fie démesurément à son adoration des statistiques, au point de ne plus voir la réalité en face et de trouver des monstres au fond de son placard?

Il est peut-être temps que je grandisse.

Il est peut-être temps que je sauve ma carrière au FBI.

Je jette un coup d'œil à ma montre. 17 heures. Je ferais mieux de retourner là-bas si je ne veux pas arriver en retard à mon rendez-vous.

Il est temps de ravaler ma fierté et d'essayer de garder mon boulot.

Je prends la direction du Hoover Building quand mon portable sonne. Le nom de Sophie Talamas s'affiche sur l'écran.

— Tu avais raison, Emmy, s'écrie-t-elle d'une voix essoufflée. Entièrement raison!

40

Je m'arrête à l'ombre des arbres qui bordent Pennsylvania Avenue. Une légère brise caresse mes cheveux, les gens qui rentrent chez eux se frayent un chemin sur les trottoirs au milieu des touristes. Je glisse un doigt dans l'oreille droite afin de mieux entendre le flot de paroles que déverse Sophie Talamas dans mon autre oreille.

— Un incendie qui remonte à vendredi, m'explique-t-elle. La victime est un certain Charles Daley. Un représentant en chaussures originaire de Lakewood, une banlieue de Denver. Retrouvé mort dans sa chambre, la pièce où s'est déclaré le feu. Tu vas me demander où se trouvait le lit, mais je n'ai pas encore pu obtenir le renseignement.

Je hoche bêtement la tête, bien qu'elle ne puisse pas me voir.

— C'est vrai, ça colle avec notre homme, mais…

— Mais quoi ?

— On sait qu'il a l'habitude de commettre deux meurtres par semaine lorsqu'il est en déplacement. Tu n'en as pas trouvé d'autre, à part celui de Lakewood ?

— Eh bien… justement. J'ai cherché dans les environs, conformément à tes instructions, et je crois en avoir découvert un autre en étendant un peu mes recherches. Sauf qu'il est légèrement différent.

— En quoi est-il différent?

— L'autre incendie a fait *deux* victimes, et non une seule, répond Sophie. À part ça, tout est pareil. Le feu a pris accidentellement dans la chambre en tuant deux personnes. Luther Feagley et Tammy Duffy. Un couple qui partageait une maison à Grand Island, dans le Nebraska.

— Dans le Nebraska, tu dis? À quelle distance de Lakewood, Colorado?

— Dans les six cents kilomètres. Six heures de voiture. Mais c'est logique, Emmy. Les corps de Luther et Tammy ont été découverts deux jours avant le meurtre de Denver. C'est-à-dire le mercredi 5 septembre. Si tu ne t'es pas trompée en pensant que notre homme vit dans le Midwest, il aura emprunté l'Interstate 80 en direction de Denver. Grand Isle, Nebraska, se trouve sur le chemin, le long de l'I-80.

Je tourne et retourne les faits dans ma tête.

— Mettons qu'il ait quitté l'Illinois, ou un État voisin, en empruntant l'I-80. Il fait halte mercredi à Grand Isle, Nebraska, où il assassine ce Luther et cette Tammy. Ce qui lui laisse tout le temps de rallier Denver le vendredi et de tuer ce représentant.

— Exactement. Tu avais raison, Emmy. Il a repris la route au lendemain du week-end de la fête du Travail. Tu avais raison sur toute la ligne.

Peut-être bien, mais aucune des personnes concernées n'est disposée à me croire. Un directeur adjoint du Bureau et deux médecins légistes viennent de me donner tort. On vient surtout de me retirer l'enquête.

152

— À propos, comment ça s'est passé avec Dickinson tout à l'heure ? m'interroge Sophie.

Je m'arrange pour ne pas trop déformer la réalité.

— Rien n'est encore décidé.

— Mais on ne peut pas s'arrêter maintenant, Emmy. Il faut absolument coincer ce type.

Si seulement Dieu pouvait l'entendre. Ou bien Dickinson. Elle a raison, bien sûr. Il est hors de question d'arrêter. D'autant que *lui* n'arrête pas. Mais comment m'y prendre ?

Comment parvenir à poursuivre l'enquête ?

41

Je m'arrête un instant dans mon box avant de me rendre au bureau de Dickinson. En passant, j'aperçois Books dans le bureau qui lui a été affecté lorsqu'il a accepté cette mission temporaire. La hiérarchie du FBI dans toute sa splendeur. Un type qui ne travaille plus pour le Bureau a droit à un vrai bureau pour la seule raison qu'il a eu le titre d'agent autrefois.

Books a rangé dans un carton les quelques objets avec lesquels il avait personnalisé son cadre de travail : une photo de ses parents, un ballon de football signé par les joueurs des Chiefs de Kansas City en 1995, son diplôme du Bureau. Il est prêt à repartir pour Alexandria.

Il a l'air au bout du rouleau, les yeux fatigués, les paupières lourdes. Il a desserré son nœud de cravate. Si ça se trouve, il n'est pas mécontent de retourner dans sa librairie après ces quelques jours échevelés. Je m'autorise une petite halte.

— J'y suis allée un peu fort tout à l'heure. Je sais que tu t'es beaucoup mouillé pour qu'on obtienne tout ça.

Il balaie l'argument d'un geste, une ombre de sourire sur les lèvres.

— Il y a eu deux nouveaux meurtres. Le premier dans le Nebraska, le second dans le Colorado, en l'espace de deux jours. Il a repris la route. Mêmes circonstances, même technique.

Books secoue la tête.

— Mêmes rapports d'autopsie aussi, à tous les coups. Si tant est qu'on autopsie les corps. Mort par asphyxie à la suite d'un incendie accidentel.

Il a probablement raison. Impossible de résoudre un crime que personne n'accepte de considérer comme un crime.

Il hoche la tête.

— Tu sais, on prétend que personne ne gagne vraiment ses galons au Bureau tant qu'il n'est pas tombé sur un os de ce genre.

— Un os ?

— Un meurtrier qui réussit à s'en tirer. Une affaire jamais résolue.

Books sait de quoi il parle. Il y a fait souvent allusion.

— Le Tueur des Cow-girls.

Il acquiesce, les lèvres pincées. Sept meurtres en l'espace de six ans dans le Sud-Ouest : Texas, Nouveau-Mexique, Arizona. Toutes les victimes étaient de belles femmes vivant dans des ranchs. Le tueur leur coupait les bras et les jambes avant de les violer. La presse locale en a fait des gorges chaudes à l'époque.

À un détail près : le type leur coupait aussi les orteils avant de les leur enfoncer dans la bouche.

Books s'est joint à l'enquête assez tard, mais il y a laissé des plumes, d'après ce qu'il m'a expliqué. Il y a consacré des années, sans résultat. Les enquêteurs du FBI, qui ont le goût des noms de code, avaient baptisé leur homme le Tueur des Cow-girls. Les meurtres se sont arrêtés il y a cinq ans, et Books n'a jamais cessé d'y penser.

— On se prend à espérer qu'il ait été interpellé pour un autre délit, ou bien qu'il soit mort, confirme Books. Tous les matins, on se demande s'il est toujours en vie, s'il ne va pas recommencer. S'il fera une nouvelle victime ce jour-là, si quelqu'un d'autre mourra parce qu'on n'a pas bien fait notre boulot.

Il vient de résumer en quelques mots ce que j'entends éviter à tout prix. Je ne veux pas que notre homme me serve de contre-exemple. Je n'ai aucune intention qu'il devienne mon Tueur des Cow-girls.

Books se lève et se plante devant moi.

— Je ne sais pas ce que Dickinson va te dire, mais arrange-toi pour garder ton boulot, Emmy. Il va s'en donner à cœur joie en se montrant insultant et méprisant. Laisse-le dire, OK ? Même si c'est le prix à payer pour rester au Bureau. Tu seras plus utile dedans que dehors.

— Plus utile…

Il pose une main sur mon épaule.

— Plus utile pour coincer ton incendiaire, ma fille. Si tu es vraiment convaincue de l'existence de ce type et que les incendies se poursuivent, alors n'écoute pas les autres. Ni moi, ni Dickinson, ni les médecins légistes. Quand bien même tu devrais continuer seule, ne renonce pas.

Nous échangeons un regard lourd de signification, puis nous baissons les yeux. Il a raison, comme toujours. Je n'ai jamais envisagé de procéder autrement.

Il n'est pas question pour moi d'abandonner l'enquête.

Reste à savoir à quel sacrifice je vais devoir consentir pour y parvenir.

42

— Entrez, Emmy, m'invite Dickinson.

Lydia, son assistante, a terminé sa journée. L'étage, réservé aux cadres du Bureau, est à moitié désert. Le bureau de Dickinson me paraît brusquement moins grand.

Pour une fois, Dickinson ne me fait pas attendre en feignant de lire un rapport, consulter un menu ou bavarder au téléphone dans le seul but de me rappeler à ma petitesse. Il est impatient de me voir, il m'observe avec les yeux féroces d'un prédateur attiré par l'odeur du sang. Je suis à lui. Lui et moi le savons. J'ai perdu, et il a gagné.

Je m'approche du fauteuil installé en face de lui, mais je reste debout.

— Vous pouvez vous asseoir, si vous le souhaitez.

— Merci, c'est inutile.

Il fait claquer sa langue.

— Emmy, Emmy, Emmy, qui choisit toujours le chemin le plus difficile même lorsqu'un autre se présente à elle.

Nous savons tous les deux quel est *l'autre chemin* en question. Je l'ai compris il y a plus d'un an, le jour où il m'a posé familièrement la main dans le dos pour la première fois. Ensuite, il a pris l'habitude de se pencher en faisant mine de regarder l'écran de mon ordinateur par-dessus mon épaule. L'étape suivante a consisté à me proposer de boire un verre ou de dîner ensemble après le boulot, jusqu'à la fois où il m'a suggéré de passer le week-end avec lui à Manhattan.

Je n'ai pas tilté sur le moment. J'étais à mille lieues de m'imaginer dans les bras de ce type, si bien que je n'ai pas compris. J'ai cru un instant qu'il s'agissait d'un déplacement de boulot. Je lui ai bêtement demandé pour quelle raison nous devions nous rendre à Manhattan. Il a battu des cils en me regardant fixement, comme si la réponse allait de soi, avant de susurrer : *Pour être tranquilles.*

C'est là que j'ai ri. Un simple gloussement, rien de plus. Assez pour lui montrer que l'idée de coucher avec lui était comique.

Sur le moment, je m'en suis presque voulu. J'avais la ferme intention d'en reparler avec ce connard de Dick le lendemain, mais il ne m'en a pas laissé le temps. J'ai appris ce matin-là que mon directeur adjoint m'accusait de harcèlement sexuel et de comportement anormal.

— Quel autre chemin ?

Dickinson a le front de m'adresser un clin d'œil et mon estomac fait un triple salto dans mon ventre. Puis il se lève et me rejoint. Il tient à la main un petit appareil qui ressemble aux vieux talkies-walkies d'autrefois, avec des diodes lumineuses et une courte antenne.

— C'est ce qu'on appelle un détecteur de micro caché, m'explique-t-il.

Il appuie sur une touche, l'appareil ronronne, une lampe orange s'allume, ainsi qu'un écran sur lequel s'agite une ligne brisée figurant les fréquences radio, comme sur un moniteur cardiaque.

— Ça permet de détecter la présence d'appareils espions : micros, écoute téléphonique, GPS, caméra.

Il me frôle avec la machine avant de répéter l'opération dans mon dos. Le ronronnement reste régulier.

— Rien, conclut-il en me murmurant à l'oreille.

Son haleine me donne la chair de poule.

— Je vais devoir vous fouiller. Levez les bras.

— Pour quelle raison ?

— Parce que mon gadget ne détecte pas les bons vieux magnétophones à l'ancienne. Et puis, j'en ai peut-être envie.

Je lève les bras et il me palpe. Il prend son temps, s'attarde si bien qu'il connaît désormais la nature de mes sous-vêtements. L'opération achevée, il s'empare de mon smartphone, un iPhone de base, qu'il examine avant de me le rendre.

— Parfait, déclare-t-il en éteignant son appareil dont le ronronnement se tait soudain.

— À quoi rime tout ce cirque ?

— À quoi ? répète-t-il.

Il s'appuie contre le bord de son bureau sans me quitter des yeux.

— J'avais simplement envie d'avoir une conversation avec vous, Emmy. Sans témoin.

43

Toujours appuyé contre son bureau, Dickinson croise les bras en secouant la tête, ainsi que le ferait un père de famille face à un enfant insolent.

— Une conversation avec moi? J'imagine que vous allez me détailler la nature de *l'autre chemin*?

— Vous la connaissez très bien, répond Julius en écartant les mains. Ce serait si terrible que ça, Emmy?

Si terrible que ça? Entretenir avec lui des relations sexuelles? J'aimerais autant qu'on m'arrache une dent avec une pince, sans anesthésie. J'aimerais autant prendre un bain dans une coulée de lave.

Mon portable se met en branle. Je consulte brièvement l'écran. Le mot *Maman* s'y affiche.

— Maman appelle sa fille, remarque Dickinson qui a également vu l'écran.

C'est l'heure à laquelle ma mère me téléphone en général. Après l'apéro, histoire d'exprimer son affection d'une voix pâteuse à sa fille survivante. L'alcool est le plus efficace des désinhibants. Il lui permet d'exprimer des émotions contenues depuis des années. Elles s'échappent dans une mélasse de mots d'amour et de regret avant de regagner leur abri souterrain dès qu'elle a dessoûlé.

— Excusez-moi.

Je m'empresse d'appuyer sur quelques touches, la sonnerie se tait, et je pose l'appareil sur la chaise à côté de moi.

— Nous disions donc?

Dickinson ponctue sa question d'un sourire en coin.

— Je n'éprouve aucune attirance pour vous, désolée.

Dickinson laisse échapper un petit rire.

— Aucun souci, Emmy. Aucun souci.

Il m'observe, la tête légèrement de côté.

— Vous ne voulez décidément pas comprendre, c'est ça? Sachez que ce sera d'autant plus agréable pour moi.

J'ai l'impression qu'on vient de me glisser un glaçon dans la nuque. Je me fais violence pour ne pas quitter la pièce. Il est en train de m'expliquer que ça le brancherait encore plus si je couchais avec lui contre mon gré. Ma répulsion le ferait bander.

Jusqu'où suis-je prête à me sacrifier?

Arrange-toi pour garder ton boulot, m'a conseillé Books. *Tu seras plus utile dedans que dehors.*

— Et… et si j'accepte?

Je n'ai pas réussi à le regarder dans les yeux en posant la question.

— Si vous acceptez, Emmy, vous retrouvez votre poste. Dès ce soir.

Je ferme les yeux.

— Et l'enquête sur les incendies? On ne dissout pas l'équipe?

162

Dickinson ne répond rien, le regard vitreux. Il humecte ses lèvres d'une langue libidineuse. Il nous imagine déjà en train de faire l'amour.

Je suis au bord de la nausée. Je m'oblige à ne pas voir dans ma tête le corps adipeux et bronzé à la lampe de ce type répugnant, nu à côté de moi.

— Si j'accepte de coucher avec vous…

— Et le reste. Je ne manque pas de fantasmes.

Je baisse la tête en me pinçant l'arête du nez. Le silence s'installe entre nous, que je romps en relevant les yeux.

— Non, je ne peux pas.

Dickinson, habitué à toujours garder la main, s'efforce de ne pas laisser percer sa déception.

— Dans ce cas, vous n'appartenez plus au Bureau.

— Vous n'avez pas le droit de me licencier au prétexte que je refuse de coucher avec vous.

— Ce n'est nullement le cas. Je vous licencie parce que je vous considère toujours comme instable. Pourquoi insinuez-vous que j'exige d'avoir des relations sexuelles avec vous ?

Il se penche vers moi.

— C'est votre parole contre la mienne, Emmy.

— Allez savoir.

— En tout cas, j'ai la même interprétation qu'Emmy, nous interrompt la voix de Books, s'échappant du haut-parleur de mon téléphone.

Dickinson quitte l'appui de son bureau d'un bond, le visage défait, comme s'il avait vu un rat traverser son bureau.

— Que… qu'est-ce que c'est ?

Autant lui expliquer.

— C'est la voix de Books. Au lieu d'éteindre mon téléphone tout à l'heure, j'ai dû répondre par erreur. Si ça se trouve, il écoutait notre conversation.

Toujours sous l'effet de la surprise, les traits aussi brouillés que doit l'être son scrotum à l'heure qu'il est, Dickinson en bredouille d'émotion.

— Mais… je croyais que cet appel venait de votre… de votre *mère*?

Il se peut que j'aie modifié le nom correspondant au numéro de Books dans mon iPhone, pour le remplacer par le mot *Maman*. Il y a une demi-heure, par exemple. Juste avant de venir ici.

— Vous n'avez pas l'air dans votre assiette, Julius. Vous devriez vous asseoir.

Dickinson titube à reculons, le plus loin possible de moi et de mon téléphone, bientôt bloqué par la cloison. Son esprit carbure à toute allure, il s'efforce de se souvenir des détails de notre conversation, des paroles que Books a pu entendre, au cas où il lui resterait la possibilité de détourner ses propos de façon plausible, de tout nier en bloc.

Je comprends qu'il reconnaît sa défaite en le voyant ployer les épaules. Il a perdu la partie. Il s'est montré trop explicite. Autant il pourrait s'en tirer face aux allégations d'une petite analyste, autant il connaît le crédit de Books auprès du directeur. Tout bien considéré, le jeu n'en vaut plus la chandelle.

— Vous n'avez pas le droit, marmonne-t-il sans y croire.

— On l'a pris. Maintenant, asseyez-vous pendant que je vous explique ce qui va se passer.

Un léger crachin tombe sur la ville lorsque Books et moi quittons le Hoover Building ce soir-là. Nous rejoignons sa voiture en silence, tout enivrés par notre victoire. Books ne s'est pourtant pas laissé convaincre aisément au départ. L'idée d'espionner un directeur adjoint n'était pas pour lui plaire, je l'ai rallié à ma cause en lui expliquant que si Dickinson avait effectivement l'intention de profiter de la situation (ce qui ne faisait aucun doute à mes yeux, vu l'heure tardive à laquelle il me convoquait), nous devions combattre le feu par le feu. Pardon pour le mauvais jeu de mots.

— Quelle ordure, gronde Books lorsque nous nous trouvons suffisamment loin de l'immeuble du Bureau. J'ai toujours su que ce type était un sale con, mais de là…

— Il suffisait d'insister pour en obtenir davantage.

Le parking de la 10e Rue nous permet enfin d'échapper à la pluie qui redouble. Books a toujours détesté la pluie. La neige ne le dérange pas, il est capable de supporter la canicule comme le froid le plus polaire, mais il déteste être mouillé. Les vêtements humides, les cheveux trempés, et tout le reste.

Contrairement à lui, j'adore la sensation de la pluie sur mon visage, l'odeur qu'elle laisse derrière elle, l'herbe moite entre les doigts de pied. Qui sait si mère Nature n'a pas souhaité souligner notre degré d'incompatibilité?

— Nous avons obtenu ce qui nous revenait de droit, rétorque Books. Ni plus ni moins. Je n'ai pas plus envie que lui de gaspiller les moyens du Bureau, Emmy. Il va falloir que l'enquête débouche sur des résultats concrets, faute de quoi nous ne pourrons pas réclamer indéfiniment l'appui de Dickinson.

Il a raison, mais ça ne m'a pas empêchée de boire du petit-lait en voyant Dickinson se débattre, la corde au cou. Pour un peu, j'aurais exigé un vrai bureau, une augmentation, un budget digne de ce nom pour l'enquête. Heureusement que Books était là pour tempérer mon ardeur.

Je sais que c'est dans sa nature. *Il a toujours arrondi les angles avec toi. Il était l'ancre plantée au fond de l'eau, pendant que tu dansais au gré des vagues.*

— C'est probablement ta dernière chance, m'avertit Books en déverrouillant sa Honda. Espérons que nous obtiendrons rapidement des résultats.

Nous ne tarderons pas à être fixés. Un vol à destination de Chicago nous attend dès ce soir-là à l'aéroport national Reagan.

45

« Les confessions de Graham »
Enregistrement n° 11
Lundi 10 septembre 2012

Je rentre chez moi, la route qui m'attend est longue et monotone. De vastes étendues désertiques plongées dans le noir, au milieu desquelles l'autoroute dessine un ruban de lumière. De quoi vous mettre la tête à l'envers.

Savez-vous… comprenez-vous au moins ce qui me pousse à partager ces instants avec vous ? Vous croyez sans doute me connaître, mais vous avez tort. On ne connaît jamais rien ni personne, et je vais vous en fournir la preuve.

Prenons votre propre exemple. Votre cerveau fourmille de pensées que vous n'avez jamais partagées avec personne, pas même votre meilleur ami, un frère ou une sœur. Personne. Il en est de même de beaucoup de vos actions.

Vous pouvez être le plus généreux et le plus aimant des pères, l'individu le plus charitable de la planète, si vos copains savaient que vous avez téléchargé sur Internet des photos de gamines asiatiques à peine majeures, c'est tout ce qu'ils retiendraient de vous.

Ils vous prendraient pour un pervers, et rien d'autre. C'est bien pour cette raison que vous n'en parlez à personne. Vous pouvez être une épouse modèle qui n'a jamais trompé son mari, s'il savait qu'il vous arrive de vous caresser sous la douche en pensant au principal du collège de vos enfants ou à un acteur quelconque, il n'aurait plus la même opinion de vous. Vous préférez donc le lui taire.

Vous n'en parlez à personne parce que vous craignez de vous retrouver défini par ces petits secrets. Vous avez peur qu'ils viennent brouiller l'image que vous avez soigneusement construite. Alors vous vous cachez. Vous enfilez un masque. En oubliant de voir que, à moins de pénétrer ces petits secrets, personne ne vous connaîtra jamais vraiment. Si on ne connaît de vous que le centre bien moelleux en oubliant les facettes les plus rugueuses de votre personnalité, le tableau sera forcément incomplet.

Vous croyez être le seul à entretenir des secrets? Bien sûr que non. C'est le cas de tout le monde. Tous ceux qui vous entourent ont un penchant sexuel particulier, une tendance sadique, des tentations rentrées soigneusement dissimulées derrière le paravent d'un costume Armani, d'un maquillage parfait, d'un sourire chaleureux ou d'un rire poli. On ne connaît jamais personne à part soi-même. Et encore.

C'est la raison pour laquelle je vous dis tout de moi. Je veux que vous me connaissiez, que vous sachiez tout. À commencer par mes petits secrets. Est-ce suffisant pour me définir? Sûrement pas. Je suis bien davantage que la somme de mes secrets.

Par exemple, vous doutiez-vous que je serais incapable de maltraiter un animal? Vous doutiez-vous

que je parraine un enfant dans un pays du tiers-
monde en versant trente dollars tous les mois ?
Vous doutiez-vous que j'ai financé sur mes propres
deniers les obsèques d'un voisin que sa veuve n'avait
pas les moyens de payer ? Ça vous épate, hein ? Vous
aimeriez voir en moi un monstre, ce serait tellement
plus facile. Vous n'avez pas envie de savoir que je suis
capable de générosité et de compassion. Ça ne cadre
pas avec vos idées reçues, avec le portrait mono-
chrome que vous avez dressé de ma personne. Je
trouve ça injuste, c'est tout. Je ne demande pas à être
canonisé, je voudrais seulement être reconnu dans
toute ma complexité humaine. Vous me reconnaîtrez
au moins le mérite de m'être démasqué devant vous.
Tout le monde ne peut pas en dire autant.

[FIN]

46

L'institut médico-légal du comté de Cook, à Chicago, est un cube de béton gris qu'un architecte inspiré a tenté d'agrémenter en y ajoutant quelques angles. La bouffée d'air glacé qui nous accueille dans le hall d'entrée est une bénédiction. Je n'aurais jamais cru être un jour aussi heureuse de pénétrer dans une morgue. La climatisation de la voiture de location nous a craché un flux tiède alors que nous faisions tous les quatre le court trajet depuis les locaux du FBI. Autant Sophie Talamas reste rose et pimpante, autant nous avons l'allure de fonctionnaires accablés, avec Denny Sasser et Books.

Une hôtesse nous introduit dans une minuscule salle de réunion aveugle. Nous nous écroulons sur des sièges fatigués. Je m'empare d'un exemplaire de *Vogue* sans trouver la force de m'y plonger.

— Si je comprends bien, commence Books, il a tué un jeune couple dans le Nebraska avant de s'en prendre à un représentant de commerce de Denver.

— Exactement.

— Où ira-t-il cette semaine, Emmy ?

Si je le savais. Seattle ? Austin au Texas ? Burlington dans le Vermont ?

Le Dr Olympia Janus nous rejoint sur ces entre-faites. C'est une grande et belle femme au visage décidé. Ses cheveux, coupés court, sont marbrés de légères touches de gris. Elle porte des lunettes rectangulaires à monture noire, reliées à la chaîne de perles qu'elle porte autour du cou. Elle est vêtue d'un pantalon gris très classique et d'un chemisier de coton bleu, avec des chaussures très sobres. Sans doute des Dansko.

— Bonjour, Lia, la salue Books en se levant, imité par Sasser.

— Books! Denny! Je suis contente de vous voir.

Les présentations s'accompagnent de poignées de main. Olympia Janus est le médecin légiste officiel du Bureau. Le FBI procède rarement à des autop-sies, mais il s'adresse à Lia Janus le cas échéant. Elle a notamment officié lors des attentats du 11 Sep-tembre, au lendemain du drame de Waco, ou encore à Ruby Ridge[1].

Lia est ma dernière chance, Dickinson m'ayant autorisée du bout des lèvres à m'adresser à elle pour autopsier les corps de Joëlle Swanson et de Curtis Valentine. Je me suis montrée claire avec ce connard de Dick : *Si elle ne découvre rien, je me retire sur la pointe des pieds.*

Mon cœur bat à tout rompre tandis qu'elle s'ins-talle en bout de table et pose devant elle deux volu-mineux dossiers. On sent une femme circonspecte, très professionnelle, et parfaitement objective.

---

1. Le siège d'une secte de Waco, au Texas, a fait quatre-vingt-deux victimes en 1993. Ruby Ridge, dans l'Idaho, a été le cadre d'une confrontation meurtrière entre un groupe d'illuminés d'extrême droite et des agents fédéraux en 1992.

— Je vous remercie pour toutes les informations que vous m'avez fournies au sujet des victimes, Denny, se lance-t-elle. Elles m'ont été d'un grand secours.

— Je suis là pour ça.

Denny a réuni tout ce qu'il a pu trouver sur Joëlle Swanson et Curtis Valentine, en s'efforçant de ne pas effaroucher les autorités locales.

Lia Janus nous dévisage longuement avant de pousser un long soupir.

— On peut dire que vous aurez donné du fil à retordre à d'excellents médecins légistes.

Est-ce une bonne ou une mauvaise nouvelle ? J'ai envie de croire que c'est la première solution.

— J'ai réalisé plus de mille autopsies au cours de ma carrière, reprend-elle. J'ai vu des corps mutilés, découpés en morceaux, écrasés, battus, brûlés. Rien ne m'étonne plus.

Oui ? La suite ?

— Eh bien, après l'examen des corps de Joëlle Swanson et de Curtis Valentine, je vous avoue pourtant mon étonnement.

Je l'interromps, incapable de me contenir plus longtemps :

— Pourquoi ? Ils ne sont pas morts asphyxiés par la fumée ?

— Si, répond-elle en se tournant vers moi.

C'est la dernière réponse que je souhaitais entendre, mais la façon dont elle s'est exprimée, la lueur qui brille dans ses yeux me disent que tout n'est pas perdu.

— Mais leur mort n'a rien d'accidentel, poursuit Lia. Nous sommes en présence de meurtres. Il s'agit des meurtres les plus ingénieux, les plus méticuleusement calculés qu'il m'a été donné de voir dans ma carrière.

47

— Je tiens à vous apporter une précision, enchaîne le Dr Janus. Si j'avais dû autopsier ces corps sans avoir reçu vos avertissements au préalable, j'en serais probablement arrivée aux mêmes conclusions que mes collègues. J'aurais pensé qu'il s'agissait de décès accidentels.

Elle écarte le rabat du premier dossier et nous distribue des photos.

— Curtis Valentine, de Champaign, Illinois. Sujet de sexe masculin âgé de trente-neuf ans. Joëlle Swanson, de Lisle, toujours dans l'Illinois, de sexe féminin, âgée de vingt-trois ans.

Elle poursuit d'une voix râpeuse, sur un ton qui pourrait laisser croire qu'elle lit un rapport ordinaire :

— Chez chacun des défunts, on retrouve des traces de suie au niveau de la muqueuse respiratoire et du dos de la langue. Les tissus mous et le sang contenu dans les organes sont rouge vif, ce qui indique normalement un taux de carboxyhémoglobine supérieur à trente pour cent. On peut en déduire l'inhalation par les victimes de monoxyde de carbone et de cyanure à des niveaux toxiques.

« Ces éléments, je ne vous apprends rien, semblent confirmer que les défunts étaient vivants au moment de l'incendie et qu'ils ont inhalé de la fumée ainsi que divers composants toxiques. C'est la conclusion à laquelle sont parvenus les médecins légistes des comtés de Champaign et de DuPage.

Tout le monde hoche la tête autour de la table.

— Vous m'avez demandé d'aller voir plus loin, reprend-elle. J'ai donc procédé à des examens complémentaires. J'ai notamment observé de plus près la suie qui s'était déposée dans la bouche, la gorge et les poumons des victimes afin de procéder à l'analyse des gaz toxiques concernés. J'aurais normalement dû retrouver du monoxyde de carbone et du cyanure d'hydrogène, qui sont les gaz toxiques responsables de la mort en cas d'incendie. Or, savez-vous ce que j'ai découvert ?

— Quoi ?

Je suis écartelée par des sentiments contradictoires. D'un côté, j'aimerais que les détails sinistres qu'elle nous expose viennent confirmer mon hypothèse originale. De l'autre, je voudrais le contraire, sachant que ma sœur figure au nombre des victimes. J'ai du mal à déterminer laquelle de ces deux émotions me donne mal à la tête et me fait trembler de tous mes membres.

— Les résidus chimiques retrouvés au niveau de la gorge et des poumons ne sont pas ceux auxquels on pourrait s'attendre chez quelqu'un qui se fait surprendre dans son lit par un incendie, dans un environnement constitué de tissu, de polyuréthane, de moquette et de livres. J'ai en effet découvert une quantité anormalement élevée de dioxyde de soufre.

Bien plus élevée qu'en cas d'incendie ordinaire. C'est un peu...

Elle s'excuse d'un petit rire.

— Un peu...?

Elle secoue la tête.

— C'est un peu comme si les victimes avaient respiré de la fumée de pneu brûlé.

— Du pneu brûlé?!!

— Exactement, sourit tristement Lia. Je n'ai rien lu dans les rapports d'enquête qui puisse suggérer la présence de caoutchouc brûlé.

— Bien sûr que non, approuve Denny Sasser.

— Ce n'est pas tout, poursuit Janus. On ne trouve aucune trace de brûlure au niveau de la trachée et des poumons. Cela signifie que la fumée inhalée par les victimes n'était pas chaude.

Elle martèle son propos sur la table d'un ongle manucuré.

— Si les victimes avaient inhalé la fumée provoquée par l'incendie, la trachée et les poumons seraient brûlés.

— Quelle est votre conclusion? s'enquiert Books.

Lia Janus hausse les épaules.

— Officieusement, je dirais que quelqu'un a fabriqué de la fumée qu'il a ensuite forcé les victimes à inhaler, de façon qu'un médecin légiste puisse diagnostiquer une mort par asphyxie. À ceci près que les victimes n'ont pas inhalé la fumée de l'incendie. La fumée qu'elles ont respirée provenait d'une source différente. Elles étaient déjà mortes lorsque le feu s'est déclaré.

C'est comme si la pièce tout entière exhalait un soupir de soulagement. Les découvertes de Lia Janus invalident les conclusions des médecins légistes de Champaign et de DuPage.

Je m'aperçois soudain que je tambourine des doigts sur la table avec nervosité. *Reprends-toi, Em. Tu dois écouter jusqu'au bout. Ne pense pas à elle. Il n'est pas question de Marta. Pense au tueur.*

— J'ai le sentiment que vos conclusions ne s'arrêtent pas là, commente Books.

Lia Janus lui répond par un petit rire gêné.

— En effet, reconnaît-elle. Si j'en avais terminé, je ne passerais pas mes nuits à cauchemarder pour la première fois en vingt ans de carrière.

48

En attendant les explications d'Olympia Janus, nous avons déjà remporté une victoire majeure. Les conclusions des médecins légistes des juridictions locales sont bonnes à jeter aux orties.

Mais je ne pavoise pas, pour une raison simple : les détails que Lia Janus s'apprête à nous fournir au sujet de Curtis Valentine et de Joëlle Swanson concernent également ma sœur.

Les trois autres membres de l'équipe manifestent aussi leur émotion, chacun à sa façon. En baissant la tête, tendant le dos, tapotant du pied par terre. Même s'ils n'ont pas les mêmes raisons que moi de redouter la suite. Nous savons déjà que notre adversaire est un génie du crime. Nous n'allons pas tarder à savoir jusqu'où il pousse la perversité.

Janus nous distribue des photographies tirées sur papier brillant en précisant qu'il s'agit de gros plans des cuisses de Curtis Valentine, des coudes et des genoux de Joëlle Swanson.

— J'attire votre attention sur les déchirures que l'on distingue sur les corps, précise-t-elle. En soi, elles n'ont rien d'anormal en cas de brûlure. La chaleur des flammes provoque des crevasses lorsqu'elle consume la peau. La partie la plus épaisse de l'épiderme se déshydrate et se recroqueville en se crevassant. Ces entailles sont parallèles aux fibres musculaires, ainsi que vous le voyez sur les clichés.

Je ne suis pas certaine de voir vraiment. La lecture de ces photos n'est pas évidente pour la néophyte que je suis. On dirait pourtant que la peau s'est écartée verticalement en révélant les muscles, à la façon des feuilles d'un épi de maïs.

— C'est la clé du mystère, renseigne Janus. Les crevasses dermiques provoquées par la chaleur de l'incendie sont toujours *parallèles* aux fibres musculaires, alors qu'elles sont généralement perpendiculaires au muscle en cas de lacérations à l'aide d'un couteau, par exemple. Cette différence est cruciale pour déterminer si la mort est accidentelle ou non. Vous me suivez?

— Oui, approuve Books. Les crevasses que nous voyons ici sont parallèles aux muscles, à l'image de celles provoquées naturellement par un incendie.

— Exactement. Sauf qu'un examen plus poussé nous montre que ces crevasses possèdent une précision quasi chirurgicale. Elles sont trop symétriques et régulières pour être naturelles.

« Notre homme est très malin, ajoute-t-elle. Il n'a pas sélectionné au hasard l'emplacement des lacérations. Il a veillé à choisir des parties du corps qui seront presque complètement consumées par les flammes, où il ne restera qu'une fine couche de chair sur les os calcinés, ou bien des endroits où la peau est naturellement crevassée. Le coupable possède un excellent bagage médical et une main très sûre. Il lacère les corps aux endroits précis où nous n'avons aucune chance de le remarquer.

Je croise les mains afin de calmer mes tremblements. Mes oreilles bourdonnent furieusement.

— Nul doute qu'on vous aura parlé de la position très particulière des corps brûlés, poursuit Lia Janus.

Je revois dans ma tête le corps noirci de Marta dans une pose de boxeur, genoux et bras pliés, en position de défense. Je m'efforce de contrôler ma respiration, paupières serrées.

— En contractant le corps, la chaleur des flammes met à nu les articulations au niveau des poignets, des coudes et des genoux. La surface osseuse est généralement calcinée à ces endroits précis, on ne s'étonnera donc pas de la trouver fortement détériorée. En observant de plus près, dit-elle en pointant du doigt le coude de Joëlle, on s'aperçoit qu'il *manque* une portion d'os. Celle-ci a été retirée avant l'arrivée des flammes. Les tissus voisins sont brûlés en profondeur, mais on distingue des lacérations profondes au niveau de l'épiderme.

— En clair ? l'interroge Books.

— En clair, cela signifie que notre homme a ouvert la peau de sa victime, écarté le tissu musculaire en le lacérant méthodiquement dans le sens vertical avant de retirer un morceau d'os. Quand la victime était encore en vie. En termes simples, il l'a mutilée au niveau des coudes, des poignets et des genoux. Imaginez une opération chirurgicale sans anesthésie sur un sujet en pleine conscience, et vous aurez une petite idée de ce qu'ont subi ces gens. Aux *deux* genoux, aux *deux* poignets, aux *deux* coudes. Six opérations en tout.

180

— Jésus Marie Joseph, murmure Denny Sasser.

— Notre homme savait qu'il serait quasiment impossible pour les enquêteurs de s'en apercevoir, puisque ces parties du corps sont les plus exposées en cas d'incendie.

Mes doigts se sont décroisés machinalement avant de reprendre leur ballet nerveux. La lumière de la pièce me brûle les yeux, le bourdonnement qui me vrille les tempes est insupportable, il flotte dans l'air une odeur putride...

— Vous ne vous sentez pas bien ? fait la voix de Lia Janus, à moi probablement.

J'ai le visage en feu, le cœur au bord des lèvres.

— Emmy, insiste Books.

— J'avais oublié que vous étiez liée personnellement à..., s'excuse Janus.

Je m'entends lui répondre :

— Continuez... car j'imagine que ce n'est pas tout ?

— Malheureusement. C'est à ce stade que les deux décès divergent. Et le pire est à venir.

49

— Si je comprends bien, s'enquiert Denny Sasser, il n'a pas réservé le même sort aux deux victimes ?

— Pas tout à fait, répond Olympia Janus. Commençons par nous intéresser au cas de Curtis Valentine.

Elle sort deux séries de photos de son dossier.

— J'ai découvert sur le corps des traces de blessures infligées au niveau des temporaux. Sur le crâne, si vous voulez. On distingue deux fractures crâniennes, ici et là, nous montre-t-elle en posant l'index successivement sur les deux tempes. En soi, ce n'est pas inhabituel chez un sujet décédé lors d'un incendie. La chaleur peut suffire à provoquer des fractures au niveau de l'os temporal, juste derrière ou sous la tempe. Des fractures étoilées partant d'un point central, qui traversent parfois les lignes de suture crâniennes. De ce point de vue, les fractures que l'on distingue ici n'ont rien d'exceptionnel.

« Examinons toutefois les centres des deux fractures, enchaîne-t-elle en rythmant son propos avec la gomme de son crayon. Les points de fracture ont exactement le même diamètre. Quelles sont les chances d'une telle similitude en cas d'incendie ?

Surtout si l'on considère que le point de fracture a précisément la dimension d'un pic à glace.

— Vous pensez donc qu'il a troué le crâne de Curtis Valentine au niveau des tempes avec un pic à glace, résume Books. À un endroit qui ne risquait pas d'attirer l'attention d'un médecin légiste.

— Exactement. À un endroit où l'on ne s'étonne pas davantage de découvrir la peau éclatée. À ce sujet, vous noterez que les incisions au niveau du crâne sont parallèles aux fibres musculaires, comme pour les poignets, les genoux et les coudes, de façon à imiter les crevasses dues à la chaleur.

Un profond silence lui répond. Chacun d'entre nous s'applique à suivre les explications de la légiste, à digérer les informations qu'elle nous donne en résistant à la nausée.

Je traduis d'une voix blanche ce qu'elle vient de nous dire :

— Curtis Valentine a été scalpé.

— Exactement, approuve Janus. Notre homme a troué le crâne de M. Valentine à deux endroits de façon à pouvoir détacher la peau, comme on pèle une orange. Les lambeaux de peau sont toutefois restés collés au crâne, de manière à se recroqueviller sur eux-mêmes sous l'effet de la chaleur, donnant l'impression que le phénomène avait été provoqué par les flammes.

— D'accord.

Le mot est sorti tout seul. Sans doute ai-je besoin de me reprendre, de me concentrer sur l'aspect clinique du dossier afin de ne pas penser à ma sœur.

— Au moment des faits… Curtis était… il était…

— Il était vivant, me confirme Janus. Pendant qu'on lui découpait la peau au niveau des coudes,

des genoux et des poignets, pendant qu'on lui brisait les tempes, pendant qu'on lui arrachait le cuir chevelu. On trouve la confirmation de tuméfactions dans l'analyse histologique des tissus. Ce phénomène survient uniquement lorsque le sujet est vivant.

N'y pense surtout pas. Ne pense pas à elle. Concentre-toi sur l'affaire. Il ne s'agit pas de Marta…

Marta. Mon pauvre amour de Marta…

— Vous nous décrivez une séance de torture, commente Denny Sasser.

— Le mot *torture* est faible, réplique Janus. Emmy ? Vous ne vous sentez pas bien ?

En ouvrant les yeux, je m'aperçois que j'ai la tête dans les mains. Je bats des paupières à plusieurs reprises.

— Emmy ?

Je lui fais signe de continuer. Je ne suis pas certaine d'être en capacité de parler.

— Et Joëlle Swanson ? demande Books. Elle n'a pas été scalpée ?

— Non, soupire Lia Janus. J'ai également fait procéder à des analyses histologiques des rares tissus crâniens encore exploitables. En revanche, certains tissus au niveau des cuisses font apparaître des brûlures au second degré, suffisamment longtemps avant son décès pour qu'on puisse établir qu'elle a été ébouillantée. La présence d'œdèmes, d'érythèmes, d'inflammations et d'hémorragies le confirme.

— Ébouillantée ? répète Denny Sasser. Avec un liquide bouillant ?

— Exact, approuve le Dr Janus en se raclant la gorge. Il l'a ébouillantée à de nombreuses reprises, en veillant à ne pas dépasser le stade des brûlures au second degré.

— Pourquoi s'arrêter à des brûlures au second degré?

Lia Janus nous adresse un sourire contrit.

— Les brûlures au troisième degré détruisent les cellules nerveuses, elle n'aurait rien senti. À l'inverse, une brûlure au second degré sur une surface aussi vaste relève du supplice. Ceux d'entre vous qui ont eu l'occasion de visiter un service de grands brûlés savent que ce type de douleur rend fou.

Elle secoue la tête.

— Il a soigneusement veillé à provoquer chez elle un maximum de souffrances.

Books s'éclaircit la gorge.

— Si je résume… il l'a aspergée d'eau bouillante, mutilée au niveau des articulations et asphyxiée en lui faisant respirer du caoutchouc brûlé avant de brûler son corps en allumant un incendie.

Non… pas Marta… Marta n'a pas vécu un tel calvaire…

— C'est en effet ce qui s'est passé, confirme Lia Janus. Mais je ne suis pas certaine que vous ayez pris la mesure des caractéristiques de ces maltraitances. Tout d'abord, n'importe laquelle de ces lésions peut être imputée à un incendie accidentel. Nous ne serions donc pas en mesure d'obtenir sa condamnation sur la seule foi des éléments que je viens de vous exposer. Je suis convaincue de ce que j'avance, mais un bon avocat ne ferait qu'une bouchée de moi.

«Plus important encore, poursuit-elle, chacune de ces mutilations a été infligée dans le but évident de provoquer des souffrances insoutenables *sans* provoquer le décès des victimes. Le meurtrier les a découpées avec le savoir-faire d'un chirurgien, sans jamais toucher la moindre artère. Les victimes n'ont pas saigné parce qu'il ne *souhaitait* pas qu'elles saignent.

Elle nous dévisage l'un après l'autre.

— Je ne sais pas ce qui vous a mis sur la piste de ce monstre et comment vous avez pu établir un lien entre ces meurtres. Je ne peux qu'applaudir votre travail parce qu'on approche ici du crime parfait. Ces meurtres font partie des plus horribles qu'il m'a été donné de voir. Notre homme a torturé ses victimes de façon abominable tout en s'arrangeant pour rester absolument invisible.

Olympia Janus se lève.

— Attrapez-le. Le plus vite possible, avant qu'il recommence.

— Quel jour sommes-nous ? réagit Denny. Le mercredi 12 septembre ? Il vient d'entamer sa deuxième semaine de déplacement.

— Très juste, approuve Books. À l'heure qu'il est, il guette probablement déjà sa prochaine victime.

50

« Les confessions de Graham »
Enregistrement n° 12
Mercredi 12 septembre 2012

Allô ? Comment allez-vous ?… Très bien, merci…

Vous l'aurez compris, j'ai réutilisé la bonne vieille ruse du faux appel téléphonique puisque je me trouve dans un bar, à satisfaire mon hobby : l'observation de mes semblables. Vous n'aimez pas ça, vous ? Bien sûr que si, tout le monde aime ça. Vous ne trouvez pas surprenant que les autres nous paraissent aussi bizarres ? Parce que vous imaginez peut-être que vous n'êtes pas bizarre à leurs yeux, vous aussi ?

Quoi qu'il en soit, je reprends la route demain et j'ai décidé de me détendre un peu ce soir. Ce qui ne m'empêche pas de vous montrer comment j'agis pour séduire les gens, gagner leur confiance et…

[On entend une voix de femme.]

— Vous êtes écrivain ?

Excusez-moi un instant, je vous demande une petite minute, on me parle. Je suis à vous tout de suite…

Excusez-moi, je n'ai pas entendu votre question ?

[La femme :] Je vous demandais si vous étiez écrivain.

Moi, écrivain? Pourquoi me demandez-vous ça?

[La femme :] Parce que vous donnez l'impression d'observer les gens en prenant des notes. Même si vous faites semblant de téléphoner.

Je ne fais pas semblant, je suis réellement au téléphone.

[La femme :] OK, désolée de vous avoir dérangé.

Dites-moi, je peux vous rappeler? D'accord… d'accord, merci… Au revoir.

[La femme :] Désolée, c'était très mal élevé de ma part.

Vous ne croyez donc pas que j'étais au téléphone?

[La femme :] Je trouvais juste que votre portable avait une drôle de tête, quoique de nos jours… Je me mêle de ce qui ne me regarde pas, en fait.

Non, pas de souci, pas de souci. À propos, je m'appelle Graham.

[La femme :] Enchantée, moi c'est Mary.

Mary, Mary, la chipie.

[La femme :] Vous ne croyez pas si bien dire. C'est quoi comme prénom, Graham? C'est anglais?

Absolument. Que buvez-vous, Mary?

[La femme :] Une eau pétillante. Alors… vous êtes vraiment écrivain?

Pas du tout. Je vous laisse une seconde chance.

[La femme :] Vous êtes flic?

Non plus. Vous trouvez que je ressemble à un flic?

[La femme :] Pas vraiment. C'est votre façon d'observer les gens, on dirait un flic en filature.

Et si c'était vous que je filais, Mary? Qu'avez-vous donc à vous reprocher?

[La femme (en riant) :] La question mérite d'être posée.

Vous m'intriguez. Je vous écoute.

[La femme :] Je déconnais.

Qu'avez-vous à perdre, Mary ? Puisque vous ne me connaissez pas. Je suis un simple inconnu croisé dans un bar. Je pourrais aussi bien être prêtre. Confessez-vous, ma bien chère sœur.

[La femme :] Je sors mon joker, si ça ne vous embête pas.

Vous n'êtes pas drôle. Ça vous aiderait, si je me confessais en premier ?

[La femme :] Bien sûr.

Alors j'avoue. Je suis un tueur en série. J'étais en train d'enregistrer mes confessions pour la postérité sur mon faux téléphone. En prévision du jour où je servirai de sujet d'étude au FBI.

[La femme :] Combien de personnes avez-vous tuées ?

Des centaines, Mary.

[La femme :] Mouais… vous n'avez pas la tête de l'emploi. On voit tout de suite que vous êtes inoffensif.

C'est ce qui assure ma réussite. J'attire les gens dans mes filets. Comme vous, par exemple.

[La femme :] Comme ça, vous êtes en train de m'appâter ? Histoire de gagner ma confiance ?

Exactement.

[La femme :] Et si c'était moi, la tueuse en série qui cherchait à gagner votre confiance ?

Dans ce cas, je vais devoir me méfier. Dites-moi, Mary, que faites-vous ici ?

[La femme (elle glousse) :] Une gentille fille comme moi, dans un endroit pareil, c'est ça ?

C'est exactement ça.

[La femme :] Eh bien… vous voulez vraiment savoir? J'avais un rencard arrangé par des amis. J'avais donné rendez-vous ici à ce type que je n'avais jamais vu. L'endroit était commode, puisque je travaille dans ce bar. On a bu un verre et il est reparti.

Le courant n'est pas passé?

[La femme :] Si, c'était un gentil garçon.

Vous avez l'air déçue en disant ça.

[La femme :] Peut-être un peu. Il faut croire que j'ai besoin d'un gentil garçon. C'est ce que tout le monde pense autour de moi, en tout cas.

Vous n'êtes pas d'accord?

[La femme :] J'ai envie qu'il soit gentil, bien sûr. Mais, avant tout, je voudrais qu'il soit… disons intéressant, faute de trouver le bon terme. Pas trop fade, sombre sur les bords, juste ce qu'il faut.

Vous cherchez un *bad boy,* c'est ça?

[La femme :] Pas exactement.

Pas un garçon inoffensif dans mon genre, en tout cas.

[La femme :] On peut être intéressant tout en étant inoffensif.

Très bien. Alors en quoi me trouvez-vous intéressant?

[La femme :] Rien… laissons tomber.

Pas du tout, je suis curieux. En quoi suis-je intéressant? N'allez pas croire que j'essaie de vous draguer, ce n'est pas le cas. Mettons ça de côté pour éviter toute confusion, mais j'avoue être curieux de vous entendre.

[Blanc de vingt-sept secondes.]

Vous allez me laisser en carafe? Sans me dire…

[La femme :] Je bosse très tôt demain. C'était sympa de discuter avec vous, Graham. Bonne chance pour votre roman… ou vos meurtres en série.

Mary, Mary, la chipie.

[Blanc de onze secondes.]

[La femme :] Bon, d'accord. Vous voulez vraiment savoir ce que je trouve d'intéressant chez vous ?

Je suis pendu à vos lèvres.

[La femme :] Ça ne va pas vous plaire.

Je me prépare au pire.

[La femme :] Eh bien… c'est vos yeux, je suppose. On dirait que vous rêvez d'un truc que vous n'avez pas. Vous avez l'air… comment dire ? Vous avez l'air perturbé. J'espère pour vous m'être trompée. Cette fois, il faut vraiment que j'y aille. Ravie de vous avoir rencontré, Graham.

[Blanc de quarante et une secondes.]

Mary, Mary, Mary, Mary…

Mon Dieu.

[FIN]

51

C'est une bonne chose… c'est une bonne chose.

Books me répète inlassablement cette phrase dans le creux de l'oreille, on pourrait penser qu'il s'adresse à un enfant. Je quitte les locaux de l'institut médico-légal d'un pas mal assuré, incapable de desserrer les dents. Je m'écroulerais probablement si Books ne me tenait pas fermement par le bras. En arrivant à la voiture, je me précipite vers un buisson et je vomis, secouée de spasmes, les mains sur les genoux. Books attend que la crise soit passée pour me tendre des mouchoirs en papier avec lesquels je m'essuie la bouche avant de me glisser, avec son aide, sur la banquette arrière.

— Je… je suis désolée.

Ce sont les seules paroles que je suis capable de prononcer en rentrant à l'hôtel. Books, Denny et Sophie m'assurent qu'il n'y a aucun problème.

Ils se trompent, car la situation a changé du tout au tout. J'ai changé, moi aussi, depuis que je sais de quoi ce monstre est capable. Depuis que je sais ce qu'il a infligé à Marta.

Books m'emboîte le pas jusqu'à ma chambre et s'engouffre dans la pièce à ma suite, sans un mot. Il m'aide à m'allonger et s'installe à côté de moi, un pied par terre, l'autre sur le lit, une main posée sur mon bras.

— De quoi as-tu besoin? Tu veux de l'eau?

Incapable de répondre, je me contente de geindre à mi-voix, hypnotisée par le papier peint bon marché qui recouvre les murs de la pièce.

— Vas-y, dis-le.

La phrase a jailli dans un murmure rauque.

— Je ne dirai rien, réplique Books.

Il se rend dans la salle de bains, remplit un verre d'eau et le dépose sur la table de nuit à côté de moi.

— Rien avant demain, en tout cas.

C'est la raison pour laquelle on n'enquête jamais sur le meurtre d'un proche.

Il m'a prévenue. Il avait raison.

— Tu devrais te mettre sous les couvertures, Emmy. Tu trembles.

— Pas à cause du froid.

— Je sais.

Il me frotte doucement le bras avec une tendresse presque amoureuse. Il m'a souvent caressée de la sorte. Avant. Plus lentement, plus passionnément.

— C'est une bonne chose, répète-t-il une fois de plus. Ne l'oublie jamais.

Je ferme les yeux en guise d'acquiescement. J'ai bien compris que les découvertes d'Olympia Janus validaient définitivement notre enquête.

— Lia avait raison tout à l'heure, Emmy. Découvrir l'existence de ces meurtres était un trait de génie. On le doit à toi seule. Tu t'es battue contre vents et marées. Contre la terre entière. Même moi, je finissais par douter de toi, alors que tu avais raison depuis le début. On va pouvoir passer à la vitesse supérieure pour coincer ce type. Car on va le coincer, Em.

Je suis prise de vertiges en me mettant en position assise.

— Où est mon ordinateur ?

Books lève la main.

— Pas ce soir, Emmy. Tu as besoin de te reposer.

— Non…

— Écoute-moi, Emily Jean. Tu ne disposes pas de pouvoirs surhumains. Tu ne dors quasiment pas depuis des semaines, peut-être même des mois. Sans même parler du choc que tu viens de recevoir. Repose-toi. Pour le bien de l'enquête, dors cette nuit. Je demanderai qu'on nous envoie une douzaine d'agents en renfort demain. Nous aurons désormais le soutien plein et entier du Bureau. Si tu veux vraiment coincer ce type, tu vas devoir prendre soin de toi.

Books me connaît mieux que je ne me connais moi-même, comme toujours. Je laisse tomber ma tête sur l'oreiller, les yeux rivés au plafond.

Il baisse la lumière.

— Je dormirai dans le fauteuil. Je reste avec toi cette nuit. D'accord ?

— Merci.

Il ne répond pas immédiatement. Je me sens chavirer lentement, les paupières lourdes. Le sommeil sera réparateur, en dépit des rêves qui m'attendent.

— On va l'attraper, Em. Ne pense qu'à ça.

La silhouette de Marta ressurgit devant moi. Des images que je m'efforce de réprimer depuis l'exposé détaillé de Lia Janus. Des images que je ne pourrai jamais empêcher de s'imposer à moi quand je finirai par succomber à la fatigue. Un couteau lui lacère la rotule, un pic à glace lui transperce la tempe, une pluie d'eau bouillante se déverse sur elle...

— Je me fiche de... de l'attraper. Je veux le tuer.

52

Dix-neuf paires d'yeux – celles de douze agents et de sept analystes – sont braquées sur moi tandis que j'achève ma présentation. La carte avec ses étoiles bleues et rouges, la technique du tueur, à raison de deux meurtres par semaine de début septembre au Nouvel An, son rythme qui baisse au printemps et pendant l'été.

— Des questions ? Des commentaires ?

Je balaie mon auditoire du regard. La plupart des visages me sont étrangers. Certains agents sont venus du siège à Washington, d'autres nous sont prêtés par l'antenne de Chicago. Books non plus ne les connaît pas tous, et il a travaillé dans la maison pendant plus de dix ans.

En qualité de directeur d'enquête, il a organisé plusieurs équipes, toutes placées sous la responsabilité d'un agent chargé de lui présenter son rapport chaque soir. La première équipe consacre ses efforts aux nouveaux incendies dont nous découvrons l'existence, sachant que plus tôt nous arrivons sur place, meilleures sont nos chances de recueillir des indices. Avec l'espoir utopique d'arriver avant que le tueur ait quitté la ville.

Books a confié la gestion des anciens incendies à une deuxième équipe chargée d'interroger les témoins, de déterminer les habitudes du meurtrier.

Enfin, les deux dernières équipes se concentrent sur les affaires les plus récentes, alors que les corps sont encore chauds, si je puis dire, et les indices encore frais. L'équipe Nebraska/Colorado traitera le double meurtre commis la semaine dernière sur Luther Feagley et Tammy Duffy à Grande Isle, ainsi que celui de Charles Daley à Lakewood deux jours plus tard.

De son côté, l'équipe Illinois enquêtera sur les meurtres de Curtis Valentine à Champaign et de Joëlle Swanson à Lisle. L'équipe en question comprend la bande des quatre originale (Books, Denny, Sophie et moi), ainsi que quelques autres.

Une main se lève au fond de la salle. Elle appartient à un blond en costume anthracite. Le simple fait de tourner la tête me fait grimacer. Des nuées de lutins attaquent mon cerveau au marteau-piqueur, jamais je n'ai souffert d'un tel mal de crâne. J'ai la gueule de bois après une nuit entrecoupée de cauchemars atroces, marquée par une nausée permanente.

— Si j'ai bien compris, on pense qu'il réside dans le Midwest et se déplace uniquement à l'automne.

— C'est exact.

— Quel genre de boulot vous coince chez vous pendant les neuf premiers mois de l'année tout en vous obligeant à sillonner le pays le reste du temps ?

Je hausse les épaules.

— Je ne suis pas certaine qu'il se déplace à cause de son travail. J'ai même l'intuition du contraire.

— Pourquoi donc ? insiste l'inconnu. Ce serait pourtant logique. Il peut s'agir d'un camionneur ou d'un représentant de commerce, par exemple. Un métier qui lui donne un alibi pour se balader d'un bout à l'autre des États-Unis. À sa place, j'aimerais avoir une bonne raison de me trouver dans les lieux en question, au cas où la police m'interrogerait.

— Jamais il ne réagirait de cette façon.

— Jamais il ne réagirait de cette façon ? Très bien. Vous pouvez m'expliquer pourquoi ?

Il se pince pour ne pas sourire en regardant autour de lui d'un air supérieur. La réaction typique de l'agent content de lui qui se moque gentiment de la petite analyste. *Vas-y, ma belle, apprends-nous notre métier !*

— Vous aurez remarqué à quel point notre homme est méticuleux. Il vous suffit, pour vous en convaincre, d'examiner les conclusions de Lia Janus et vous verrez avec quel luxe de détails il torture ses victimes en veillant à ce que personne ne puisse soupçonner qu'il s'agit de meurtres. Ce n'est pas le comportement de quelqu'un qui se laisserait suivre à la trace en abandonnant dans son sillage des bons de commande ou des bordereaux d'envoi.

J'entame une ronde face au groupe en secouant la tête.

— Les meurtres commis de septembre 2011 au tout début de l'année 2012 nous ont montré qu'il se déplaçait chaque semaine dans une région différente, tuait deux personnes, et retournait dans sa tanière du Midwest avant de reprendre la route la semaine suivante. Tout laisse croire qu'il se déplace en voiture. C'est assez logique, sachant qu'il laisserait des traces s'il voyageait en avion. Il pourrait prendre le train, mais c'est un moyen de transport plus lent, moins souple, qui laisse également des traces. Je suis prête à parier qu'il conduit sa propre voiture et non un véhicule de location, une fois de plus par souci de discrétion. De même, je suis persuadée qu'il règle toutes ses dépenses en liquide, qu'il s'agisse de carburant, de nourriture ou de logement. Souvenez-vous que notre homme asphyxie ses victimes avec du caoutchouc brûlé et leur inflige des souffrances calculées en imitant des lésions spécifiques aux incendies. Un individu qui se donne tant de mal ne commet pas l'erreur d'être enchaîné à un boulot quelconque.

Je laisse échapper un soupir.

— Non. Quand bien même nous lui mettrions la main dessus, nous n'arriverons jamais à prouver qu'il se trouvait sur place au moment des faits.

Mon interlocuteur ne ricane plus, mais il n'a pas dit son dernier mot.

— Vous estimez donc que ça ne sert à rien d'enquêter de ce côté-là ?

— Au contraire, poursuivez vos investigations. J'ai simplement émis une opinion.

Books se joint au débat.

— Je vous propose de commencer à partir de l'hypothèse d'Emmy. À savoir que notre homme s'évertue à ne pas laisser de trace visible de son passage : paiement par carte bancaire, location de voiture ou autre. Cela ne signifie pas pour autant qu'on ne peut pas le pister. Concernant les meurtres de l'automne dernier et les régions dans lesquelles il a sévi chaque fois à deux reprises, vérifiez les hôtels des environs à la recherche de clients ayant réglé leur note en liquide à la période concernée. On leur aura normalement demandé de produire une pièce d'identité. Vérifiez les PV de stationnement donnés à des voitures d'autres États. En outre, payer en liquide l'oblige à disposer de sommes substantielles. Rien ne nous dit qu'il n'a pas utilisé de distributeur automatique. Cherchons les retraits d'argent importants, supérieurs à mille dollars, par exemple.

Je sens monter en moi une vague d'optimisme. En réunissant les compétences de tous ces enquêteurs confirmés, on devrait normalement voir surgir des idées bienvenues.

Nous reprenons enfin l'initiative. Il n'est plus question désormais de prouver l'existence de ces meurtres, mais bien de passer à l'étape suivante : la découverte et la traque du coupable.

— Nous espérons pouvoir établir un profil psychologique du tueur très rapidement, poursuit Books. En attendant, je donne rendez-vous à tous les chefs d'équipe chaque soir à 18 heures pour un point par visioconférence.

Il tape dans ses mains.

— Allez, tout le monde. Essayons de coincer ce monstre.

53

Il est 15 h 57 et le bistrot est aux trois quarts plein.
Un comptoir en L dans un coin, des tables à cocktail
au milieu, d'autres tables réservées à la clientèle du
restaurant au fond de la salle. Il y a là essentiellement des jeunes, la plupart ont tout juste franchi le
cap des vingt et un ans, l'âge légal pour consommer
de l'alcool. Les autres sont à peine plus vieux, sans
doute des étudiants de troisième cycle. Les serveuses
sillonnent la salle munies de plateaux sur lesquels
sont posés des bières et des petits verres d'alcool.
L'ambiance est probablement bruyante, on imagine
de la musique, mais nous ne disposons pas du son.
Uniquement des mauvaises images en noir et blanc
prises par l'unique caméra de surveillance accrochée
dans un coin, et téléchargées sur l'ordinateur portable de Sophie Talamas.

Books, Denny, Sophie et moi sommes agglutinés
autour de l'écran. De la pointe de son stylo, Denny
Sasser nous montre un individu qui se dirige vers le
restaurant en fendant la foule des consommateurs.
Petit, les hanches larges, il porte un jean noir et une
chemise noire sur le dos de laquelle flotte une queue-
de-cheval. Un hippie vieillissant.

— Voici Curtis Valentine, nous explique Denny.

Mon cœur se met à battre plus vite. Je suis émue de voir ce type se mouvoir nonchalamment en direction de l'une des tables, une bière à la main, sans se douter qu'il lui reste à peine quelques heures à vivre. Des heures abominables.

Nous avons récupéré cette vidéo dans le système de surveillance de la Benny's Tavern à Urbana, dans l'Illinois. Ces images ont été enregistrées le 29 août, le jour du meurtre.

Valentine poursuit son chemin vers le coin inférieur droit de l'écran et disparaît du champ de la caméra. Il a choisi une table à l'écart, ce qui est logique puisqu'il vient là pour un rendez-vous. La malchance a voulu que l'objectif de la caméra n'englobe pas le coin en question. Elle est tournée vers l'entrée de l'établissement et le bar, où se situe la caisse. Les propriétaires souhaitent garder un œil sur les barmen, et la recette, c'est compréhensible.

— Au revoir, monsieur Valentine, commente Denny en voyant l'homme à la queue-de-cheval disparaître de l'écran. Sophie, peux-tu avancer jusqu'à 16 h 04, s'il te plaît ?

Sophie s'exécute et saute sept minutes en vitesse rapide.

— Regardez bien la porte d'entrée, nous conseille Denny en désignant le coin supérieur droit de l'écran.

On entendrait une mouche voler dans le bureau. Books se racle la gorge.

— Là ! nous signale Denny en voyant s'ouvrir la porte du bar.

Un homme s'avance, la caméra a enregistré son profil droit. Une casquette de base-ball empêche de distinguer ses traits. Des lunettes de soleil achèvent de dissimuler son visage. La piètre qualité des images n'aide pas, mais quelques éléments ressortent pourtant. L'homme, d'origine euro-américaine, est sans doute chauve. Il est de taille moyenne, son ventre dépasse d'un blouson coupe-vent de couleur sombre.

— Voici notre homme, murmure Denny.

L'atmosphère est électrique. Je découvre en chair et en os l'individu que je pourchasse depuis des mois. Il est là, à portée de main, je me retiens de toucher l'écran.

L'individu qui tue sans relâche, en toute impunité.

L'individu qui commet des actes de torture d'une telle barbarie qu'il serait capable de faire pâlir les membres d'une commission onusienne de défense des droits de l'homme.

L'individu qui a tué ma sœur.

54

— Salut, sac à merde, grommelle Books, hypnotisé par l'écran.

L'expression consacrée de Books chaque fois qu'il poursuit un criminel, qu'il s'agisse d'un braqueur de banque, d'un kidnappeur ou d'un tueur en série. Une expression qui traduit autant son hostilité que son mépris. Sa façon directe, et inconsciente, de signifier aux membres de son équipe qu'il n'a pas peur de l'adversaire et qu'ils n'ont donc aucune raison de le craindre.

Sur l'écran, le tueur le plus malfaisant de tous les temps a un portable collé à l'oreille. Le visage légèrement baissé, il poursuit sa conversation en posant régulièrement la main sur son oreille gauche.

— C'est bien notre chance qu'il soit au téléphone, remarque Sophie.

— La chance n'a rien à voir là-dedans, réplique Books. Il a repéré la caméra de surveillance et il s'efforce de nous dissimuler son visage sans en avoir l'air.

Le tueur se fraie un chemin au milieu de la foule en continuant à ne montrer que son profil droit. Nous le perdons régulièrement de vue, chaque fois qu'il traverse un groupe compact, jusqu'au moment où il se retourne. L'espace de quelques instants, il fait face à la caméra et se dirige vers le fond du bar que l'on devine au bas de l'écran.

— Arrête-toi.

Sophie n'a pas attendu mon injonction pour mettre la vidéo en pause.

L'image se fige sur l'écran en tremblant doucement. C'est la meilleure vue que nous aurons de lui, même si elle n'est pas fameuse. Il fait face à la caméra tout en conservant la tête légèrement baissée. Il téléphone toujours, s'il ne fait pas semblant, et la visière de sa casquette nous dissimule ses yeux en ne laissant apparaître que son nez, sa bouche et son menton.

— C'est clair qu'il a repéré la caméra, répète Books. Vas-y, Soph. Remets en route.

Soph. Et non Sophie.

L'écran s'anime à nouveau, notre homme continue de baisser la tête et se dirige vers le coin où l'attend Curtis Valentine. Nous remarquons pour la première fois sac que le tueur porte en bandoulière à l'épaule gauche. J'imagine qu'il contient tous ses trésors : un pic à glace, des instruments chirurgicaux, une bombe aérosol, un masque à gaz, un Taser, peut-être une arme à feu.

À l'instant où notre homme atteint le coin inférieur droit de l'écran, il relève la tête et met apparemment fin à sa conversation téléphonique afin de s'adresser à Curtis.

Puis il disparaît du champ de la caméra.

— Vacherie !

— Nous pouvons visionner la suite, nous avertit Denny, mais on le revoit seulement à 17 h 03, lorsqu'il quitte les lieux avec Valentine. Et on le distingue à peine.

Sophie avance la vidéo en vitesse rapide jusqu'à l'heure indiquée. Au moment de repartir en compagnie de Curtis Valentine, le tueur se trouve à la gauche de ce dernier. On voit les deux hommes s'éloigner et, pour ne rien gâter, il discute avec son compagnon, tourné vers lui, si bien qu'on ne voit que l'arrière de sa casquette et son blouson coupe-vent.

Les deux hommes gagnent la porte d'entrée, dans le coin supérieur gauche de l'écran, et le tueur s'applique à ne jamais regarder l'œil de la caméra, le plus naturellement possible.

— Il est très fort, remarque Books.

— Ce n'est pas nouveau. Sophie, ça t'ennuie de remonter jusqu'au plan de face ?

La vidéo repart en arrière à toute vitesse. Ça me rappelle les images de ma petite enfance, où l'on voit mon père nous apprendre à marcher, à Marta et moi. Nous les avons regardées un jour à Noël, quand nous avions dans les dix ans avec ma sœur. Mon père nous guide, puis il nous lâche la main, deux jumelles titubant maladroitement comme des marins en goguette, jusqu'au moment où nous tombons toutes les deux sur les fesses. Je me souviens d'avoir regardé cette vidéo avec papa, maman et Marta plusieurs fois de suite. Papa repartait en arrière en vitesse rapide, on nous voyait nous relever avec Marta et reculer avant de retrouver les mains de papa. Nous étions mortes de rire, émerveillées de voir papa rembobiner la VHS et la remettre en marche dans le salon plongé dans la pénombre en buvant du lait de poule (Marta

206

détestait le lait de poule, contrairement à moi qui adorais ça). Du feu crépitait dans l'âtre, les chaussettes de Noël que nous avons gardées tout au long de notre enfance sagement pendues à la cheminée.

— Là, s'écrie Books.

L'image se fige en tremblant. Sophie essaie d'actionner le zoom, mais la mauvaise qualité de l'image la rend encore plus floue. Elle s'escrime sur son clavier jusqu'à trouver la meilleure image possible.

Impossible de distinguer ses yeux convenablement.

Nous n'avons pourtant pas perdu notre temps. On distingue l'arrondi du visage, un long nez délicat. En dépit de son coupe-vent, on devine une silhouette étroite, des épaules légèrement voûtées. Nous observons longuement l'image, incapables de savoir si nous serions capables de le reconnaître dans la rue.

Bien sûr que si.

C'est mon opiniâtreté qui s'exprime. Comment savoir s'il est réellement chauve, s'il a du ventre ? Nous le connaissons suffisamment pour savoir qu'il s'est déguisé. Des cheveux blonds, plus de lunettes, un costume et une cravate, plus de fausse panse, et il passerait probablement à côté de nous sans qu'on lui accorde un coup d'œil.

Avouons-le. Il pourrait porter la même tenue que sur la vidéo et nous ne le verrions pas. Ce type-là a précisément l'allure qu'il veut bien se donner, celle d'un trentenaire anonyme. Un personnage banal. Normal.

Inoffensif.

55

Books repousse sa chaise, au comble de la frustration. Denny nous avait prévenus de ne pas nous attendre à un miracle, mais nous ne pouvions nous empêcher d'espérer, à l'heure de découvrir le tueur pour la première fois. En redescendant, l'adrénaline engendre une bouffée de déception.

— On va demander aux techniciens de s'y coller au plus vite, afin d'améliorer la qualité de l'image si c'est possible, ajoute Books avec un soupir discret. Cela dit, je doute que ce soit suffisant pour soumettre son visage à un logiciel de reconnaissance visuelle.

Il a raison. Je m'y connais mal en reconnaissance visuelle, les analystes attachés à la sécurité intérieure sont nettement plus chevronnés que moi en la matière, mais je sais que cette technique a ses limites. Le profil du sujet ne nous mènera pas très loin et cette image de face ne nous fournit pas le détail des yeux, du nez ou des pommettes. Impossible de savoir s'il a le teint lisse ou un grain de peau marqué, il n'a pas laissé le temps à la caméra d'enregistrer les informations essentielles.

Books se frotte le visage à deux mains.

— Nous avons obtenu ce matin le mandat nous autorisant à récupérer les ordinateurs de Curtis Valentine, nous explique-t-il. Nous devrions rapidement avoir le nom de la personne avec qui Curtis avait rendez-vous. Son pseudo, tout du moins. Nous avançons, les enfants.

Je laisse échapper un petit ricanement. Books a pourtant raison. Cela fait à peine deux jours que le Bureau a officiellement reconnu l'existence du tueur et nous obtenons déjà des résultats.

Si seulement nous avions pu aller plus vite.

C'est la dixième fois que je me fais la réflexion. La phrase tourne dans ma tête comme un leitmotiv. Ce retard à l'allumage a coûté plusieurs vies humaines.

Je me penche à nouveau sur l'écran où s'étale l'image trouble en noir et blanc du tueur. Il nous nargue presque, allant jusqu'à s'approcher de la caméra sans jamais nous montrer son visage de face, sachant précisément à quel endroit…

Une petite minute !

— Ce n'est pas la première fois qu'il vient là. Tu l'as dit toi-même, Books. Il connaissait l'emplacement de la caméra à l'instant où il est entré.

— Il n'est pourtant pas venu plus tôt dans la journée, précise Denny. Nous avons visionné l'ensemble des bandes.

— Alors, c'est qu'il est venu la veille.

— C'est possible, concède Books en hochant lentement la tête. C'est même très possible.

Je bondis de ma chaise. Il m'arrive souvent de tourner en rond lorsque je suis excitée, comme si mon cerveau s'animait au rythme de mes jambes.

— Il est venu en repérage la veille. Il s'est installé au bar afin d'observer soigneusement les lieux. Sans doute dans une tenue complètement différente.

Books se tourne vers Denny.

— Je m'y mets, réagit ce dernier. Je ne sais pas si on a récupéré les vidéos du jour précédent. On a déjà de la chance que les bandes du 29 août n'aient pas été effacées. Je vérifie tout de suite.

Il quitte la pièce, son portable à l'oreille. Books m'adresse un signe de tête solennel.

— Nous avançons, répète-t-il. C'est une question de temps avant qu'on découvre un indice majeur.

— Tant mieux, parce que c'est une question de temps avant qu'il se remette à tuer. C'est-à-dire aujourd'hui, ou demain.

56

« Les confessions de Graham »
Enregistrement n° 13
Vendredi 14 septembre 2012

Dis-le, Nancy. Dis-le de façon que tous mes amis t'entendent.

[Une voix de femme inaudible.]

Dis-leur que tu m'as cru quand je t'ai dit que je vendais des petits gâteaux pour les scouts en frappant à ta porte. Si ça n'est pas la preuve de mon talent, je ne sais pas ce qu'il vous faut ! Pour ne rien vous cacher, j'ai gentiment embobiné cette chère Nancy en lui expliquant que ma fille avait la grippe, qu'elle était censée remplir son quota avant telle date et que je faisais la tournée des voisins à sa place. La boîte en fer que j'avais sous le bras a contribué à donner le change.

Quelle journée magnifique ! Il fait grand soleil, les oiseaux pépient, les feuilles commencent à jaunir, l'air est frais et pur, et nous sommes en train de faire plus ample connaissance avec Nancy. En clair, je suis le plus heureux des hommes.

Je n'en reviens toujours pas que Mary, Mary la chipie, ait osé me dire que j'avais l'air perturbé. Elle ne sait rien de moi. *C'est vos yeux, je suppose. On dirait que vous rêvez d'un truc que vous n'avez pas.* De quoi diable pourrais-je rêver que je n'ai pas déjà ? Je suis en bonne santé, Dieu soit loué. J'adore ce que je fais, et je le fais *à la perfection.* Que demander de plus ?

Qu'en pensez-vous, Nancy ? Je sais bien, c'est difficile de parler avec un masque à gaz sur le nez. Ne vous inquiétez pas, il n'y en a plus pour longtemps. Encore un peu de…

[On entend un sifflement.]

Hé ! Vous avez entendu ça, Nancy ? Ne bougez pas, je reviens tout de suite !

Gentille fille, cette Nancy. À la fois aimable et douce.

Elle a eu un bébé très jeune, si bien que son fils est déjà à l'université alors qu'elle a tout juste la quarantaine. Divorcée, sans attache. Une vieille fille. Je me demande si on utilise toujours cette expression de nos jours. *Vieille fille.*

Nancy a une hantise dans la vie : que son fils Joseph ne trouve pas la femme qu'il lui faut. Elle me dit qu'il a le plus grand mal à s'engager. J'ai cru comprendre qu'il avait connu une fin de scolarité difficile. Des histoires de drogue, quelques arrestations pour vol à l'étalage. Son ex-mari est partiellement responsable de la situation. Il ne verse pas la pension et passe trop peu de temps avec Joey. Il semble pourtant que ça s'améliore pour Joey qui a l'intention de devenir éducateur dans un centre pour toxicomanes. À propos, je ne veux pas insister lourdement, mais si quelqu'un est perturbé, c'est bien Mary, Mary la chipie. Le jour où je l'ai rencontrée, elle sortait d'un rencard arrangé avec un inconnu. Une fille tellement seule qu'elle en arrive à donner rendez-vous à quelqu'un qu'elle n'a jamais vu, et c'est moi qui suis perturbé?

Je ne suis pas perturbé.

Allez-y, je vous entends déjà. *Il projette sa tristesse. Il essaie de se rassurer en faisant souffrir les autres. La souffrance d'autrui est une thérapie pour lui.*

Désolé, mais non. Merci tout de même d'avoir tenté votre chance! Qu'avons-nous aujourd'hui pour nos perdants, Johnny? Tout d'abord, un exemplaire tout neuf du *Manuel diagnostique et statistique des troubles mentaux* gracieusement offert par l'Association américaine de psychiatrie. L'AAP, toujours là pour vous servir! Si vous souffrez d'un trouble mental, nous le diagnostiquerons, quitte à inventer un nouveau terme pour le définir.

Et ce n'est pas tout! Vous recevez également un exemplaire de *L'Interprétation des rêves* de Sigmund Freud, dans lequel vous trouverez des explications passionnantes sur l'obsession pénienne, les angoisses castratrices et le complexe d'Œdipe. Grâce au Dr Freud, ne laissez pas vos problèmes gâcher votre existence! En cas d'échec, ne craignez rien! Il mettra vos difficultés sur le compte de vos désirs sexuels réprimés pour votre mère.

Nancy, Nancy! Je suis à nouveau à vous. Vous vous souvenez de notre amie la bouilloire? Ne vous agitez donc pas, même si je crains fort que ce soit douloureux.

[FIN]

57

Je distingue un bruit de clavier à l'autre bout du fil, derrière le sergent Roger Burtzos de la police de New Britain.

— Très bien, madame Dockery. J'ai reçu votre accréditation. Dites-moi en quoi je peux vous être utile.

— C'est au sujet de l'incendie de ce soir.

— Eh bien ?

— Je souhaitais vous demander d'envoyer quelqu'un…

— Nous avons déjà plusieurs agents sur place.

— C'est parfait. Demandez-leur de se renseigner auprès des pompiers sur le nombre de victimes et leur localisation à l'intérieur de la maison.

Un silence. Je ne sais pas s'il prend des notes ou si c'est une façon d'exprimer son agacement.

— Demandez-leur également d'interroger les voisins pour avoir la confirmation du nombre d'occupants de la maison.

— Très bien, madame Dockery. Je m'en occupe.

— J'ai besoin de ces informations le plus rapidement possible.

— Compris.

C'est le troisième appel de ce type que je passe ce soir, après avoir été notifiée de la survenue de plusieurs incendies par des alertes. Nous savons que notre homme commet deux meurtres par semaine dans les régions qu'il visite lors de sa «tournée d'automne». Il s'agit d'identifier le premier le plus rapidement possible de façon à être prêts lorsque survient le second. Reste à savoir si cette tactique prouvera son efficacité, mais l'expérience vaut la peine d'être tentée.

Je suis donc à l'affût des incendies en temps réel. À l'époque où j'étais seule à mener l'enquête, je contactais les services de police le lendemain, voire plusieurs jours plus tard. Désormais, je m'y prends dès qu'un feu m'a été signalé.

Il est près de minuit, ce vendredi soir, et je commence à fatiguer. J'ai les paupières lourdes, des courbatures partout. Le manque de sommeil me fait osciller entre la catatonie et l'état de zombie.

Je n'ai pourtant pas le choix. Ce soir est crucial. Nous savons déjà qu'il ne tue jamais le dimanche, que le deuxième meurtre est généralement commis le samedi. Par conséquent, le précédent a lieu quelques jours plus tôt : souvent le jeudi, parfois le mercredi (comme ce fut le cas de Luther Feagley et Tammy Duffy dans le Nebraska), et jamais plus tard que le vendredi. Donc ce soir.

Je m'étire longuement dans mon bureau, au septième étage de l'immeuble du FBI à Chicago.

Dans la pièce voisine, Books vient tout juste de rentrer après avoir visité la maison de Joëlle Swanson à Lisle.

— Rien d'intéressant ?

Il hausse les épaules.

— La porte d'entrée n'a pas été forcée, preuve qu'elle l'a invité chez elle. Comme Curtis Valentine. Ce type doit avoir un charme fou.

Je frémis à cette seule idée, mais Books a probablement raison. Mon portable se met à vibrer. Un numéro masqué, sans doute l'un des services de police contactés dans la soirée. J'ai le choix : New Britain dans le Connecticut, Fergus Falls dans le Minnesota, et Cambria en Californie.

— Madame Dockery ? Sergent Burtzos, de la police de New Britain.

Mon interlocuteur n'a pas traîné.

— Oui, sergent ?

— Les gars que j'avais envoyés sur les lieux avaient déjà les informations dont vous avez besoin. Vous avez de quoi noter ?

Je retourne en hâte à mon clavier.

— Je suis prête.

— Nous avons une certaine Nancy McKinley. Elle vivait seule. Une femme divorcée avec un fils, Joseph, étudiant à Hartford.

— Très bien…

Je retiens mon souffle.

— Elle a péri dans l'incendie, les pompiers sont arrivés beaucoup trop tard. Son corps a été en partie carbonisé.

Ça se rapproche…

— On a retrouvé le corps dans sa chambre.

De mieux en mieux…

— Sur le lit ?

— Euh… laissez-moi poser la question.

J'entends le sergent discuter avec ses hommes par radio. La réponse me parvient, nasillarde, que le sergent Burtzos me confirme aussitôt.

— Oui, elle a été retrouvée sur son lit.

— Quelles sont les causes de l'incendie ?

— Ils disposent seulement de constatations préliminaires, répond le sergent Burtzos. Les flammes ne sont toujours pas éteintes, mais il semble que le feu ait pris dans la chambre.

J'éloigne le portable de moi.

— Books !

Je reprends aussitôt la conversation.

— Sergent, vous allez devoir m'écouter très attentivement.

58

— Désolé, me répond le sergent Burtzos dont la voix sort du haut-parleur. Je n'ai déjà pas assez de monde un jour de semaine et il est minuit passé. Je n'ai aucun moyen de réunir les effectifs que vous me demandez.

Je croise le regard de Books. Nous nous en doutions.

— Je pourrais peut-être demander à la police d'État, suggère Burtzos. Ce sont eux qui établissent les barrages routiers, en général.

Books fait non de la tête.

— Le temps de les mettre en place, il sera trop tard. Nous ne savons même pas dans quel périmètre il faudrait les installer, faute de savoir où il compte se rendre. Dites-moi, sergent, auriez-vous la possibilité de nous mettre en contact avec les hommes qui se trouvent sur place ?

— Aucun problème, donnez-moi votre numéro.

Trois minutes plus tard, la ligne directe sonne dans le bureau. Je décroche après avoir enclenché le haut-parleur.

— Janet Dowling de la police de New Britain, résonne une voix.

— Bonjour. Agent Harrison Bookman. Je suis en compagnie d'Emmy Dockery, qui occupe les fonctions d'analyste au sein du Bureau. Vous m'entendez bien ?

— Oui, je me trouve dans ma voiture de patrouille.

— Dites-moi, madame Dowling. Y a-t-il beaucoup de badauds rassemblés devant la maison à l'heure où je vous parle ?

— Bien moins que tout à l'heure, quand l'incendie faisait rage, mais il reste un peu de monde. Une bonne vingtaine de personnes, je dirais.

— J'ai besoin de votre numéro de portable, afin de vous envoyer une photo.

Il y a dix ans, l'idée de pouvoir transmettre une image par téléphone relevait de la science-fiction. De nos jours, on s'impatiente si l'opération dure plus de dix secondes.

— C'est bon, je viens de la recevoir, déclare Janet Dowling. La transmission devait être mauvaise, on ne voit presque rien.

— Le document de départ était de mauvaise qualité. Il s'agit d'un repiquage réalisé à partir d'une caméra de surveillance. Nous n'avons rien de mieux. Le suspect est un homme de race blanche, un peu moins d'un mètre quatre-vingts, peut-être chauve, corpulence moyenne, entre trente et trente-cinq ans.

— Compris.

— Essayez de dévisager les badauds présents sur place. Avez-vous la possibilité de prendre une photo de la foule ?

— Aucun problème. Vous pensez qu'il est resté assister au spectacle ?

— C'est possible.

Books m'adresse un coup d'œil. Il n'y croit pas davantage que moi, mais sait-on jamais ?

— Monsieur Bookman, le capitaine des pompiers affirme que ça ne ressemble pas à un incendie criminel. Il n'y a pas encore eu d'enquête, bien sûr, mais il a de la bouteille et un instinct plutôt sûr.

Ma grimace n'échappe pas à Books. Plusieurs dizaines de capitaines de pompiers et d'experts en incendie se sont déjà trompés.

Je décide d'intervenir dans la conversation.

— Nous sommes convaincus du contraire, ce type-là est extrêmement doué pour camoufler ses crimes.

— Très bien.

— Interrogez tous les témoins, lui recommande Books. Considérez qu'il s'agit d'une scène de crime.

— Promis.

— Efforcez-vous d'agir de façon discrète. Notre homme ne se doute pas encore que nous sommes sur sa piste. Inutile d'attirer son attention pour le moment.

La conversation terminée, Books vérifie ses SMS.

— C'est bon, notre équipe est en route pour l'aéroport. Il faut que j'y aille.

Je me retiens de lui répondre. Mon regard s'est posé sur mon sac de voyage, qui traîne dans un coin du bureau. J'ai pris des affaires pour trois jours, à tout hasard.

— J'aime autant que tu restes ici, me dit Books. Tu as du pain sur la planche.

Je sais que si j'insistais pour venir, il ne refuserait pas, mais il a raison. Nous en avons discuté. On vient de recevoir un tombereau d'informations concernant Joëlle Swanson et Curtis Valentine, c'est mon rôle de les décrypter. C'est la loi du genre, les analystes passent leur temps à examiner des données pendant que les agents s'amusent sur le terrain.

Je le sens aussi mal à l'aise que moi. Me serrer dans ses bras serait ridicule, tout comme me tendre la main. Il ne me reste plus qu'à lui recommander la prudence.

— Fais gaffe à toi. Et tiens-moi au courant.

59

Le visage de Books s'affiche sur l'écran, ses paroles en léger décalage avec le mouvement de ses lèvres.

— Vous me recevez bien ?

— Très bien.

Sophie et Denny sont assis à côté de moi.

— Rien d'exceptionnel pour l'instant, malheureusement. New Britain est une petite ville tranquille. La victime, Nancy McKinley, est comptable à Hartford. Elle a quitté son boulot à 17 h 15 et s'est arrêtée dans un supermarché en périphérie de New Britain avant de rentrer chez elle. Personne ne l'a revue vivante.

— Nous n'avons rien remarqué sur la vidéo du supermarché, intervient Denny. Rien d'évident, en tout cas, mais nous poursuivons le visionnage des bandes.

Pas étonnant, notre homme est malin.

— Il n'aura jamais commis l'idiotie d'utiliser sa carte pour régler ses courses. Je doute même qu'il ait mis les pieds dans le magasin. Il aura attendu qu'elle ressorte avant de la suivre.

— Son fils, Joseph, affirme qu'elle n'avait personne dans sa vie et qu'elle n'avait rien prévu de spécial pour le week-end, reprend Books. Le tueur a très bien pu sonner à sa porte et la convaincre de le laisser entrer.

Je me tourne vers Sophie. Au nombre de ses attributions figure la vérification des e-mails et des comptes des victimes sur les réseaux sociaux, à la recherche d'indices.

— Je n'ai pas encore terminé. Rien pour l'instant.

— Les polices d'État du Rhode Island, du Connecticut, du Massachusetts et de New York sont en alerte, ajoute Books. À ton tour, Em. Dis-moi ce que tu as découvert.

Je jette un rapide coup d'œil à mes notes, où sont résumés les éléments glanés par nos différents enquêteurs.

— Le jour de sa mort, on trouve sur l'agenda de Curtis Valentine un rendez-vous à 16 heures avec un certain « Joe Swanson » de Lisle, Illinois.

— Tu déconnes !

Ce n'est malheureusement pas le cas. Notre homme a masculinisé l'identité de Joëlle Swanson au moment de rencontrer sa victime suivante.

— Nous avons trouvé dans le journal d'appels de Valentine un coup de fil passé depuis un portable jetable en provenance de Lisle le 22 août. Le jour du meurtre de Joëlle Swanson.

— Si je comprends bien, il tue Joëlle à Lisle et organise le jour même le meurtre suivant, une semaine plus tard.

— Oui. Apparemment, ce « Joe Swanson » a expliqué qu'il lançait sa boîte, sans préciser la nature de celle-ci, en affirmant avoir été roulé par le créateur de site auquel il s'était adressé dans un premier temps. D'où son désir de rencontrer Curtis en personne.

— Malin, commente Books. Et même très malin. Curtis a dû l'inviter à venir chez lui pour lui montrer son matériel. Et Joëlle Swanson?

— Rien. On n'a rien retrouvé sur son ordinateur et elle ne semble avoir parlé à personne d'une rencontre quelconque.

Books reste silencieux. Il n'est pas difficile d'en tirer certaines conclusions. Notre homme n'éprouve aucune difficulté à venir toquer à la porte de ses victimes féminines, mais il a plus de mal avec les hommes. De ce que nous pouvons en savoir, il a trouvé le moyen d'entrer chez Joëlle Swanson et Nancy McKinley, mais il a pris un rendez-vous avec Curtis Valentine avant de trouver un prétexte pour s'introduire chez lui.

Comment a-t-il procédé avec Marta? A-t-elle répondu à un coup de sonnette, pensant avoir affaire à un représentant, à un type qui cherchait son chemin, à quelqu'un qui venait relever son compteur électrique? Marta aurait ouvert sa porte à n'importe qui. Elle ne voyait jamais le mal nulle part.

— D'accord, dit Books.

Je le vois regarder sa montre sur l'écran. Il est 16 heures passées à Chicago, une heure de plus dans le Connecticut. Nous sommes samedi, le second meurtre hebdomadaire aura lieu aujourd'hui. Nous pourrions lancer un appel. Mais de quelle nature? Nous disposons d'une mauvaise photo, pas même d'une description fiable de la façon dont il s'y prend pour approcher ses victimes.

Salut à tous. Si vous vivez dans le Nord-Est, méfiez-vous d'un type de taille moyenne. Il est susceptible de s'introduire chez vous, de vous torturer et de mettre le feu à votre maison.

— Nous avons sensibilisé les autorités compétentes du Massachusetts, du Rhode Island, du Connecticut et de New York en leur demandant de nous alerter en cas d'incendie, précise Books. Avec un peu de chance, on sera avertis moins d'une heure après qu'un feu aura éclaté.

Je n'ai pas envie d'entretenir trop d'espoirs, tout en sachant que nous sommes fin prêts au cas où surviendrait l'événement que nous attendons tous.

« Les confessions de Graham »
Enregistrement n° 14
Samedi 15 septembre 2012

Si j'ai une remarque à formuler au sujet des États du Nord-Est, c'est que le changement de saison y est magnifique. Les feuilles d'automne offrent un tableau somptueux. C'est vrai, il est encore un peu tôt dans la saison, je vais devoir revenir en octobre si je veux profiter de la majesté du spectacle, mais on devine déjà la suite, tout comme on discerne la beauté de la femme chez certaines adolescentes. Un mystère à la fois émouvant et réconfortant. De quoi vous redonner du tonus.

J'éprouve la même émotion chaque fois que je termine l'une de ces confessions. Je me sens presque sentimental, joyeux, voire euphorique. J'exerce une activité formidable, surtout depuis quelque temps. J'aimerais croire que vous en percevez la beauté.

Quelqu'un a dit un jour que les gens ne sont jamais aussi honnêtes qu'au moment de leur naissance et à l'heure de leur mort. Vous savez qui a dit ça, en réalité ? Figurez-vous que c'est moi ! Vous imaginiez sans doute qu'il s'agissait de Robert Frost ou de

Philip Roth. Pas du tout, c'est bien moi. Il ne vous est jamais arrivé de lire des dictons sur Internet, ou dans un recueil de citations, et de vous dire : *Si seulement on m'attribuait une devise, à moi aussi* ? Après tout, Will Rogers est bien crédité d'une douzaine d'aphorismes, Winston Churchill en a des dizaines à son actif, sans parler de la plupart de nos grands présidents. J'en revendique un seul, rien d'autre, l'une de ces vérités pleines de bon sens qui ne vous quittent jamais.

« Il n'y a que la vérité qui blesse. »

« Nous ne devons avoir peur que de la peur elle-même. »

« Un mensonge aura fait le tour du monde avant que la vérité ait trouvé le temps de s'habiller. »

« Les gens ne sont jamais aussi honnêtes qu'au moment de leur naissance et à l'heure de leur mort. »

Bien joué. Au risque de blesser ma modestie, ma citation trouve toute sa place à côté des autres.

Mais il ne s'agit pas de moi, cher public. Il s'agit de vous.

J'aimerais savoir ce que *vous* pensez de mon génie.

Assez pour ce soir. Je me suis bien amusé avec cet honorable Dr Padmanabhan, à qui j'adresse mes excuses les plus sincères si j'ai écorché la prononciation de son patronyme.

Si vous lui posiez la question, il reconnaîtrait volontiers que ce n'est pas ce qui lui est arrivé de pire aujourd'hui.

Il est l'heure de tirer ma révérence. Avant de partir, j'aurais aimé vous poser une dernière question : à m'entendre, vous trouvez vraiment que j'ai l'air perturbé ? Bien sûr que non. Je suis au sommet de mon art et je continue de m'amuser. À quoi pensait cette Mary ?

Je vous retrouve demain. La circulation doit être moins dense à l'heure qu'il est sur l'I-95, il est temps de prendre la route.

[FIN]

61

— Les voisins affirment que le Dr Padmanab-han vivait seul, m'explique le flic que j'ai au télé-phone.

— Je vous remercie. Ne quittez pas.

Je repose le combiné et j'appuie sur le bouton de la radio qui me relie à Books.

— Books, tu me reçois ?

— Je te reçois, Emmy.

— Scénario n° 2. Scénario n° 2. Nous avons reçu un appel de Providence, dans le Rhode Island.

— Scénario n° 2, bien reçu. Tu peux les appeler.

Moins d'une minute plus tard, Books et moi dis-cutons avec le préfet de police du Rhode Island et son collègue du Connecticut. Tous deux attendaient mon appel.

— Rhode Island et Connecticut, nous sommes en présence du scénario n° 2.

— Bien compris dans le Rhode Island, confirme le préfet Adam Vernon. Nos équipes sont en place.

— Bien reçu dans le Connecticut, enchaîne le commandant Ingrid Schwegel. Nos équipes sont également en place.

— Vous êtes toujours confiants pour l'I-95 ?

Nous en avons déjà longuement parlé. J'ai posé la question essentiellement pour me calmer les nerfs.

— Madame Dockery, répond Vernon. Si le suspect a effectivement décidé de rentrer dans le Midwest, il est obligé de traverser le Connecticut et la route logique est l'I-95. C'est vrai que nous avons soixante-six kilomètres de frontière avec le Rhode Island, mais s'il est persuadé que personne ne le surveille, il aurait tort de ne pas prendre l'I-95.

— Très bien. L'incendie nous a été notifié il y a quatorze minutes, et je viens d'avoir la confirmation que c'est bien le drame que nous redoutions. À la lecture de la carte, je vois que l'incendie a eu lieu juste au nord de l'hôpital Miriam de Providence. Il va donc devoir parcourir une soixantaine de kilomètres sur l'I-95 avant d'entrer dans le Connecticut.

— Même avec de l'avance, précise Vernon, il n'a pas encore atteint la frontière. Je viens de passer les ordres, agent Dockery. Ils sont en train d'établir des barrages à l'heure où nous parlons.

— Agent Bookman à l'appareil. Je suis actuellement en vol, je serai sur place dans quinze minutes. En attendant d'assurer la direction de l'enquête, j'ai déjà dépêché des hommes qui ne tarderont pas à se joindre aux vôtres. Revoyons les détails une dernière fois. Relever l'immatriculation et le numéro de série de tous les véhicules transportant un individu de sexe masculin ressemblant plus ou moins à la description dont vous disposez. Procéder à une fouille minimale. Au moindre élément suspect, prendre immédiatement contact avec moi.

— Bien reçu dans le Connecticut.

— Bien reçu dans le Rhode Island, répète Vernon. S'il est sur la route ce soir, nous le coincerons.

62

La liaison avec l'hélicoptère du FBI est remarquablement bonne. Sur l'écran de mon ordinateur s'affiche une vue à vol d'oiseau de l'Interstate 95 à l'endroit où elle quitte le sud-ouest du Rhode Island pour pénétrer dans le Connecticut à hauteur de North Stonington. Un double ruban dans les deux sens, avec une bande d'arrêt d'urgence de chaque côté.

Au point précis séparant les deux États, au niveau de deux pancartes sur lesquelles on peut lire BIEN-VENUE DANS LE CONNECTICUT et NORTH STONINGTON, des véhicules de police ont établi un barrage routier. Des signaux lumineux incitent les automobilistes à ralentir sur près d'un kilomètre, à en juger par le long sillage orangé qui déborde de mon écran.

L'opération a provoqué un embouteillage interminable. À hauteur du barrage, des policiers et des agents du FBI scrutent les habitacles des véhicules à l'aide de torches, à l'avant comme à l'arrière. Ils exigent parfois qu'on leur ouvre le coffre, procèdent dans quelques cas à des fouilles plus poussées en obligeant certains conducteurs à se ranger sur la bande d'arrêt d'urgence. Les plaques d'immatriculation sont systématiquement relevées, de même que le numéro de série du véhicule riveté sur la portière avant gauche. L'opération achevée, les conducteurs repartent les uns après les autres en slalomant entre les voitures de patrouille avant de poursuivre leur route dans le Connecticut. Ce soir, le mot *bienvenue* est galvaudé.

L'embouteillage s'étend à perte de vue, malgré l'heure tardive puisqu'il est près de minuit sur la côte Est. Les automobilistes sont tous persuadés d'avoir affaire à un contrôle d'alcoolémie particulièrement rigoureux. L'opération tourne mal pour une poignée de malchanceux que l'on conduit en cellule de dégrisement à North Stonington après confiscation de leur voiture.

L'hélicoptère de Books survole l'autoroute à basse altitude, à l'affût des conducteurs qui tenteraient de rebrousser chemin. Un second appareil prête mainforte au premier.

Books me fournit les identités et les numéros d'immatriculation que je vérifie au fur et à mesure, à la recherche de véhicules volés ou de conducteurs déjà condamnés. Je doute que notre homme s'amuse à conduire une voiture volée, et rien ne me dit qu'il possède un casier judiciaire. D'une certaine façon, ce ne serait pas étonnant, même si je suis intimement convaincue qu'il est blanc comme neige. Ce type-là est trop malin.

J'ai soigneusement veillé à ne pas me laisser emporter par l'optimisme jusque-là, mais inutile de se voiler la face : nous avons vraiment des chances de le coincer ce soir. J'ai la chair de poule chaque fois que je vois nos équipes s'attarder sur un véhicule, demander l'ouverture d'un coffre, diriger un conducteur vers la bande d'arrêt d'urgence.

Les poils de mes bras font des heures supplémentaires, car nombre de véhicules font l'objet d'une attention particulière. La majorité des conducteurs sont des hommes, pour la plupart de race blanche, et les indications de taille et de corpulence moyennes ne sont pas des critères très sélectifs.

Pourtant, les voitures sont autorisées à repartir l'une après l'autre.

Ce n'est pas possible, je n'ai pas pu me tromper. Il rentre toujours chez lui après avoir commis son double meurtre hebdomadaire. Les données que nous avons relevées ne mentent pas. Il vit forcément dans le Midwest, ce n'est pas possible autrement. Tout indique qu'il emprunte les autoroutes.

Je n'ai pas pu me tromper. Il circule en voiture, il repart ce soir pour le Midwest.

Sauf qu'il a pu emprunter un autre itinéraire. Le préfet de police le disait lui-même un peu plus tôt, soixante-six kilomètres de frontière séparent les deux États. Pourquoi aurait-il renoncé à prendre l'I-95 ? Il ne peut pas se douter que nous le guettons. Il va forcément passer par là.

Le temps donne l'impression de se traîner pendant une heure et demie, il ne se passe rien. Les fouilles s'accélèrent par la suite, principalement parce que le nombre de véhicules diminue. L'embouteillage se résorbe totalement aux alentours de 2 heures du matin, rares sont les conducteurs qui entrent dans le Connecticut à cette heure-là.

Un minibus Dodge franchit le barrage et l'autoroute se vide définitivement.

— Où peut-il bien être? s'énerve Books. On n'a pas pu se tromper.

Je le suis sur ce point.

— Je sais. Moi aussi j'étais persuadée qu'on arriverait à le coincer. Il n'a pas pu faire demi-tour en apercevant le barrage routier?

— Impossible. Nous avons posté un type de la brigade routière sur le bas-côté, à hauteur du premier signal lumineux. Il s'est assuré que personne ne repartait en sens inverse après avoir traversé le terreplein central. Et merde!

— Peut-être a-t-il décidé de se reposer avant de reprendre la route à l'aube.

Books ne me répond pas immédiatement. Je ne sais pas si son silence traduit sa frustration, ou bien s'il se concentre. La seconde solution, probablement. Books n'est pas du genre à se laisser déborder par ses émotions. Tout le contraire de moi.

Une idée me taraude.

— On ne peut pas écarter l'hypothèse qu'il se soit trouvé dans l'une de ces voitures. Souvenons-nous d'à qui nous avons affaire.

— Peut-être, peut-être. Je n'ai pas vu beaucoup de plaques du Midwest, pourtant.

C'est vrai, mais ça ne m'empêchera pas de consigner toutes ces identités et tous ces numéros d'immatriculation dans un fichier dédié.

— Nous laisserons le barrage en place au moins jusqu'à l'aube, m'explique Books, mais nous ne pouvons pas le maintenir éternellement. Attendons le lever du soleil avant de revoir nos options. D'accord?

— Pas de problème, je n'avais aucun rencard ce soir.

Tout pour garder le moral. Au fond de moi, je sais néanmoins que nous l'avons raté, qu'il a réussi à passer entre les mailles du filet. J'étais trop sûre de moi, trop convaincue qu'il agirait conformément au modèle que j'ai mis au point à partir des données dont je dispose.

Par ma faute, il recommencera la semaine prochaine dans un autre coin du pays, laissant deux nouvelles victimes dans son sillage.

63

Penchée au-dessus du clavier de mon ordinateur, je continue inlassablement de vérifier chaque identité, chaque plaque d'immatriculation. Je n'ai plus les yeux en face des trous, mon dos et ma nuque sont au bord de la révolte. Je ne veux même pas regarder l'horloge murale, sachant que la petite aiguille ne tardera pas à atteindre le chiffre 8, la grande aiguille levée en direction du 12. Le barrage a été établi plus de dix heures auparavant.

Nous continuons de communiquer avec Books par l'intermédiaire de nos casques respectifs.

— Encore une heure, Books.

— Tu m'as déjà dit ça il y a une heure, réplique-t-il dans mon oreillette.

— Encore une heure.

Nous avions prévu au départ de lever le barrage à 8 heures, heure locale. 7 heures du matin à Chicago. J'ai déjà obtenu un répit d'une heure qui arrive à son terme.

— En plus, il y a relativement peu de circulation.

Je n'exagère pas. La file des voitures qui attendent de pénétrer dans le Connecticut est relativement courte.

— Nous sommes dimanche matin. Ce n'est pas comme si on empêchait les gens d'aller travailler un jour de semaine.

— On ne va pas pouvoir continuer éternellement, Emmy.

— Bien sûr que si. Le FBI a tous les droits.

Books ne réagit pas. Je viens probablement de gagner une heure.

Il faudra bien qu'il franchisse ce barrage un jour ou l'autre. Il n'a pas le choix.

J'ai beau essayer de me rassurer, je sais au fond de moi que je me suis trompée.

— Pas question, j'arrête tout, répond enfin Books sur un ton funèbre.

— Non ! Je t'en prie… encore une…

— Non. Je te rappelle plus tard.

— Books !

Le cri que je pousse résonne dans le vide. Books a mis fin à la communication. Il sait très bien qu'il ne sert à rien de discuter avec moi. Il a choisi la sagesse en me coupant la chique.

Et merde !

Je jette mon casque sur le bureau. Je me lève brusquement et un éclair me traverse la colonne vertébrale. Je vois trouble à force d'avoir fixé l'écran des heures durant. Je dois me rendre à l'évidence, mon cerveau est cuit.

Je remonte le couloir en direction de notre QG, une salle de réunion dans laquelle travaillent huit analystes. Ils sont arrivés à 7 heures et procèdent à des vérifications sur tous les conducteurs arrêtés au barrage. Plus de cinq cents individus de sexe masculin et de race blanche.

Malgré ma tête en capilotade, je crois entendre une discussion animée, ponctuée par un éclat de rire. Un éclat de rire? Je presse le pas.

L'un des deux analystes mâles, debout au milieu de la pièce, exécute une sorte de danse comique. J'apparais sur le seuil, les rires se taisent et les sourires se figent. Je dévisage les occupants du QG : sept nouveaux, en plus de Sophie Talamas. J'ai l'impression de me retrouver dans le rôle du parent rabat-joie qui interrompt une bande de gamins, du prof qui entre inopinément dans sa classe. Je m'en veux terriblement, mais ça ne m'empêche pas d'exploser d'une voix qui tremble.

— Le type qu'on recherche scalpe ses victimes vivantes. Vous avez compris? Il leur détache la chair en les ébouillantant. Quand elles sont en vie. Maintenant, arrêtez-moi si vous trouvez ça *drôle*.

Ils affichent tous des visages penauds. Sophie prend leur défense.

— On décompressait, Emmy. Rien de plus. Tout le monde se donne un mal de chien, crois-moi.

— Eh bien, ce n'est pas suffisant. Il est là, quelque part…

Je pointe du doigt l'un des ordinateurs de la pièce.

— Quelque part dans toutes les données que nous n'avons pas encore décryptées, sur un blog ou un réseau social quelconque, sur un site Internet. C'est notre boulot de le retrouver, les gars. À vous tous ici. Ne comptez pas sur ce cinglé pour laisser derrière lui une belle empreinte à l'intention de nos enquêteurs vedettes. Il ne risque pas d'oublier son portefeuille sur une scène de crime, ou de se casser la jambe en quittant l'une des maisons qu'il vient d'incendier. Il ne se fera pas repérer par un voisin trop curieux. Je vous le dis tout de suite, ce ne sont pas nos agents de terrain qui lui mettront le grappin dessus. Ce sera nous, les analystes. Alors ressaisissez-vous et donnez le meilleur de vous-mêmes, les gars, parce qu'au cas où vous ne le sauriez pas, ce salopard vient de s'accorder une semaine de répit en nous filant entre les doigts !

Je quitte la pièce en trombe et gagne les ascenseurs. J'ai besoin d'une bonne douche et d'un petit-déjeuner avant de me remettre au boulot. Je suis déjà sur le trottoir, devant l'immeuble, lorsque je m'aperçois que j'ai laissé mes clés de voiture dans mon bureau du septième.

64

Sophie Talamas m'attend dans le bureau, mes clés à la main, quand je remonte les chercher.

— Tu as oublié tes clés.

Je les lui arrache des mains.

— Tu n'avais pas le droit de nous dire ça, Emmy. Tout le monde se tue à la tâche pour toi. Ce sont les employés les moins bien rémunérés du Bureau, ce qui ne les empêche pas de se taper des journées de quinze heures et d'être là à 7 heures du matin un dimanche...

Je lève les bras au ciel.

— Tu sais quoi, Sophie? Si tu veux un boulot pépère, frappe à la porte d'une supérette. On est sur la piste d'un monstre, ça mérite un petit effort.

— Personne ne le conteste.

— Alors tant mieux.

Je me dirige vers la porte.

— Je n'en ai pas terminé, fait la voix de Sophie dans mon dos.

Je me retourne.

— Qu'est-ce que tu viens de dire?

Sophie, avec ses cheveux d'ange coiffés de façon savamment décontractée, ses traits fins, son jean moulant et son joli petit chemisier, est au bord de l'implosion. Quand quelqu'un d'aussi beau se met en colère, on ne peut pas dire qu'il devient laid, mais les yeux brillants et les pommettes écarlates de Sophie font ressortir ses défauts.

— Nous avons un problème toutes les deux, Emmy.

Je prends ma respiration, une main en avant.

— Contente-toi de faire ton boulot, Sophie...

— Mais je *fais* mon boulot. Je travaille autant que n'importe qui, et j'aimerais bien savoir ce que tu me reproches. Tu me regardes de travers depuis le jour de mon arrivée.

— Je te demande de t'occuper de l'enquête, et de rien d'autre.

— Je ne couche pas avec lui, Emmy.

J'ai un mouvement de recul. Sophie, les bras croisés sur la poitrine, ne dit plus rien. Un abîme de silence nous sépare. Je pourrais lui répondre de bien des façons, mais ça n'arrangerait pas la situation. J'ai forcément laissé transparaître mes sentiments, par des gestes ou des expressions, pour qu'elle se croie autorisée à me parler de Books. Je n'en reviens pas qu'on en arrive là, alors qu'un dangereux sociopathe...

— Ce n'est pas le cas, insiste-t-elle. Books s'est montré très sympa avec moi, il m'a beaucoup aidée. Nous sommes amis, mais ça s'arrête là.

Je refrène un léger pincement de soulagement. Je suis décidément la reine des sentiments rentrés, du blindage, du verrouillage à double tour. Mes sentiments à l'endroit de Books (s'ils existent encore, en dehors d'une vague attirance physique primitive) n'ont aucune importance, rien ne doit compter à mes yeux, en dehors de l'enquête. Je ne dois pas davantage penser à Marta. Je dois cliquer sur mes émotions et les glisser dans la poubelle de mon cerveau.

Je suis une femme en pleine tempête feignant de ne pas sentir les assauts du vent. Je m'astreins à trier mes émotions, à débrancher mon cœur, à concentrer toute mon énergie sur mon seul cerveau, à ne m'intéresser qu'aux données, aux indices, aux interrogations de l'enquête, à museler ma part d'humanité.

J'aurai tout le loisir par la suite de redevenir une femme. Plus tard. Comme toujours avec moi.

C'est dans un murmure que je réponds à Sophie :

— Concentre-toi sur ton boulot. C'est tout ce qui m'importe.

65

Je passe quasiment tout mon après-midi enfermée dans le QG à surveiller le travail des autres analystes et à trier les informations prometteuses. Il n'y en a pas beaucoup. L'atmosphère orageuse du matin ne s'est pas entièrement dissipée, elle finit pourtant par s'atténuer au gré de notre concentration. À 18 heures, quelqu'un évoque la possibilité de manger et nous commandons des pizzas. Je me rends dans le bureau de Books, où notre chef intrépide enchaîne les coups de téléphone aux agents de terrain depuis qu'il est rentré de sa virée dans le Nord-Est, quelques heures plus tôt.

— Vacherie, grommelle-t-il en secouant la tête au moment où je le rejoins.

La rumeur d'une vidéo grésille en bruit de fond, peut-être sur l'écran de son smartphone.

Books a une tête de déterré, après avoir passé la nuit dans un hélicoptère à survoler la frontière entre le Rhode Island et le Connecticut. Il a les yeux rouges, le regard vague, les cheveux en broussaille, les traits tirés et une barbe de deux jours.

— Que se passe-t-il ?

Il balaie la question d'un geste.

— Oh, rien. Les Chiefs se sont pris une nouvelle tôle ce week-end. C. J. Spiller, le porteur de ballon des Bills, est passé à travers notre ligne de défense comme si elle était transparente.

Il soupire.

— Quand je pense que Romeo se vante d'être un entraîneur de défense !

Je me laisse tomber en face de lui.

— Books, tu te doutes que je ne connais ni d'Ève ni d'Adam Spillman et Romeo.

— Spiller, me corrige-t-il. C. J. Spiller est le…

— Tu te doutes surtout que je m'en fiche complètement.

Il brandit son téléphone.

— Le score est de deux à zéro, nous sommes à des années-lumière du titre remporté…

— Je me demande vraiment ce qu'ont les mecs avec le football. C'est une véritable addiction.

— Je te signale que nous sommes des millions dans ce cas.

— C'est bien ce que je te dis. Mon père était pareil. Il passait son dimanche scotché devant la télé à regarder des matchs. C'était une religion pour lui.

Et le déclic se produit. Les nuages amoncelés au-dessus de ma tête s'écartent. Mon cœur fait un bond.

— Le football est l'ultime…

Je ne prête plus la moindre attention aux considérations philosophiques de Books. Je jaillis de ma chaise si brutalement que je manque de m'étaler en courant jusqu'à mon bureau.

Je me rue sur mon ordinateur et m'escrime furieusement sur mon clavier pendant une bonne heure avec des mains tremblantes, le cœur battant, couverte de transpiration.

Quand je retourne voir Books dans son bureau, je tiens à la main une carte des États-Unis constellée d'annotations. En pleine conversation téléphonique avec un agent, il me lance un regard interrogateur, termine son appel et se concentre sur la feuille que j'ai posée devant lui.

C'est d'une voix fière d'enfant modèle que je lui commente ma carte :

— Ce sont les villes visitées pendant sa tournée d'automne, du premier week-end de septembre au tout début du mois de janvier. Les étoiles orange figurent ses deux meurtres hebdomadaires à travers le pays. Tu remarqueras une étoile noire à proximité de chacun de ces binômes. De quoi s'agit-il, à ton avis ? Eh bien, ce sont des stades de football.

Books examine longuement la carte, puis il relève la tête et me regarde comme si je venais de découvrir une nouvelle planète.

J'enfonce le clou.

— Souviens-toi qu'il ne tue jamais le dimanche.

— Putain, balbutie Books en portant une main à sa bouche. Du premier week-end de septembre au début du mois de janvier. La saison annuelle de la NFL !

— Il ne se déplace pas pour son boulot. Il assiste à des matchs de football américain.

66

— Examinons les meurtres de l'automne dernier. À notre connaissance, il entame sa carrière le 8 septembre 2011 à Atlantic Beach, en Floride. Le lendemain, 9 septembre, il fait une autre victime à Lakeside, toujours en Floride. Que trouve-t-on entre les deux ? Le stade d'Ever-Bank, la patrie des Jaguars de Jacksonville. Les Jags qui ont accueilli les Titans du Tennessee à domicile le dimanche 11 septembre.

J'adresse un coup d'œil en coin à Books. C'est lui qui m'a conseillé de parler des Jags, pour être plus crédible aux yeux de la majorité d'agents masculins réunis pour l'occasion par visioconférence.

— Qui a gagné ?

Il faut toujours qu'il y ait un petit malin dans ce genre d'assemblée.

— Les Jags, seize à quatorze.

Books approuve du menton.

— La semaine suivante, deux nouveaux meurtres : le 16 septembre à Rock Hill en Caroline du Sud et le 17 à Monroe en Caroline du Nord. Le lendemain, il assiste à la rencontre entre Carolina et Green Bay au stade Bank of America de Charlotte.

— Un stade différent chaque semaine, confirme Books. Sans qu'on puisse déterminer son équipe préférée. Il ne se contente pas de suivre les Colts ou les Bears ou n'importe quelle autre équipe à travers le pays. Nous n'avons pas réussi à deviner ses motivations. Il assiste à des grands matchs, à des mauvais matchs, à des matchs moyens ou inégaux, sans logique apparente.

— Sinon qu'il évite le Midwest. Probablement parce que le Midwest est sa base arrière une fois le championnat terminé.

— Il n'a jamais visité le même stade à deux reprises ? demande quelqu'un.

— Pas la saison dernière, en tout cas. Il est trop tôt pour le dire cette année, les matchs viennent tout juste de reprendre. Au cours de la première semaine, il a tué ce couple dans le Nebraska avant d'assassiner un homme en banlieue de Denver, il aura donc assisté au match entre les Broncos et les Steelers qui se déroulait à Denver ce dimanche-là. Ce week-end, il a tué à New Britain dans le Connecticut et à Providence dans le Rhode Island. Persuadés qu'il rentrerait directement chez lui dans le Midwest en empruntant l'autoroute la plus proche, nous avons établi un barrage sur l'Interstate 95 à la frontière du Connecticut. Sauf qu'il n'est pas rentré chez lui le samedi soir. Il a effectivement emprunté l'I-95, mais en direction du nord et non du sud-ouest, afin d'assister aujourd'hui au match des Patriots à Foxboro.

J'évite de croiser le regard de Books. Tout à l'heure, lorsque nous avons compris que nous avions établi le barrage sur l'I-95 dans la *mauvaise direction,* je n'ai pas pu prononcer une parole pendant dix bonnes minutes.

On le tenait. On savait sur quelle putain de route il se trouvait, et il nous a filé entre les doigts. Cette erreur va coûter une fin de vie atroce à deux nouveaux innocents la semaine prochaine.

Books s'empresse de réagir. Sans doute a-t-il perçu ma détresse.

— Remarque bien qu'il n'a assisté à aucun match l'an dernier à Denver ou en Nouvelle-Angleterre. Cela semble indiquer qu'il poursuit sa tournée des stades sans jamais revenir sur ses pas.

— Mettons que tu aies raison. Mettons qu'il se rende le week-end prochain dans un nouveau stade. Mettons aussi qu'il évite le Midwest, où il vit. Nous pouvons éliminer les Bears de Chicago, les Colts d'Indianapolis, les Rams de Saint Louis et les Chiefs de Kansas City. Résultat des courses, nous retirons de la liste les quatre stades concernés, ainsi que les deux dans lesquels il s'est déjà rendu cette saison.

— Combien en reste-t-il ? demande une enquêtrice du Bureau.

Ma réponse est prête.

— Il y a trente-deux équipes dans la NFL et trente et un stades, puisque les Jets et les Giants se partagent le même. Il en a visité dix-sept l'an dernier et deux cette année, soit dix-neuf stades auxquels on peut ajouter les quatre situés dans le Midwest. Vingt-trois, en tout. Ce qui nous laisse huit stades.

— Sur les huit en question, intervient Books, seulement cinq accueillent des matchs à domicile le week-end prochain. Les Raiders d'Oakland, les Cowboys de Dallas, les Browns de Cleveland, les Redskins de Washington et les Seahawks de Seattle.

Je prends la suite.

— Les Seahawks joueront un lundi, nous pouvons sans doute éliminer Seattle. Il reste quatre régions pour la semaine à venir.

— Comment procède-t-on? demande l'un des agents. On fait circuler un bulletin d'alerte en conseillant de se méfier d'un type ordinaire susceptible de demander un rendez-vous ou de sonner à votre porte?

Il a mis le doigt sur le problème. Nous ne possédons pas de photo digne de ce nom de notre homme, et il est difficile de deviner la façon dont il entrera en contact avec ses victimes. Il a pris rendez-vous avec Curtis Valentine, mais nous sommes dans le noir pour les autres cas. Comment avertir les gens? Que leur recommander?

— Le mieux serait d'alerter les autorités locales en cas d'incendie, de façon à pouvoir nous retourner comme nous l'avons fait ce week-end, suggère Books. Dès qu'on saura dans quelle région il a frappé cette semaine, on saura à quel match il va assister.

En termes clairs, nous attendons qu'il fasse une nouvelle victime. Une perspective particulièrement déprimante, mais nous n'avons pas le choix.

— Une fois qu'on disposera de l'information, il n'y aura plus qu'à l'identifier au milieu de quatre-vingt mille spectateurs, remarque un enquêteur.

— C'est vrai, concède Books. Nous allons devoir réfléchir à la façon de nous y prendre. Sachant que, quel que soit le stade concerné, il s'y trouvera

pendant trois heures d'affilée dimanche. Reste à
déterminer la conduite à suivre.

Le problème est épineux, mais nous devrions trouver le moyen de le résoudre. Notre homme sera pris
au piège pendant trois heures. Le tout est de s'assurer qu'il ne puisse pas sortir de la nasse.

67

« Les confessions de Graham »
Enregistrement n° 15
Lundi 17 septembre 2012

J'ai entamé ma surveillance ce soir. De la façon la plus efficace qui soit, c'est-à-dire à son insu, en me glissant dans son bar. Vous savez maintenant que j'ai le don de me promener dans les lieux publics sans me faire remarquer. La semaine dernière, quand je l'ai rencontrée ici, Mary a fait allusion au fait qu'elle travaillait dans ce bar. C'était une chance pour moi qu'elle officie derrière le comptoir, il m'était facile de l'observer à distance, dissimulé dans un coin.

J'ai choisi de la surveiller à une heure de faible affluence, au moment du dîner. J'ai commandé un repas ordinaire, puis j'ai ouvert devant moi un ordinateur portable, ce qui me donnait une excuse pour traîner après avoir mangé. Les amateurs de football du lundi sont arrivés peu à peu, j'ai remarqué que certains la traitaient avec grossièreté, que d'autres flirtaient avec elle. Je l'ai observée pendant les rares moments où elle pouvait souffler, je me suis intéressé à ses rapports avec son patron et ses collègues.

Ensuite, je suis allé discrètement dans les toilettes, histoire d'enlever ma casquette et mes lunettes, de relever le col de mon blouson. À mon retour, il y avait assez de monde pour que je me glisse jusqu'au bar en faisant semblant d'arriver. J'avais les intestins noués, je l'avoue.

Eh oui, mes amis, j'étais nerveux.

Je me suis installé sur un tabouret en attendant mon tour, comme n'importe quel client. J'avais décidé de feindre la surprise en la reconnaissant, comme si j'étais là par hasard et que je ne m'attendais pas à la voir. J'hésitais à ne plus me souvenir de son prénom, à chercher dans ma mémoire, à claquer des doigts en lui disant : « Mary ! C'est bien ça ? »

Lorsqu'elle s'est approchée, un sourire aux lèvres, ma tête s'est vidée. Quelques mèches s'échappaient de l'élastique retenant sa queue-de-cheval. Des pattes-d'oie se sont dessinées au coin de ses yeux quand elle a plissé les paupières. Dans la pénombre du bar, ses yeux paraissaient plus sombres que la dernière fois.

— Alors, Graham, a-t-elle commencé. Je me demandais si vous alliez me snober toute la soirée.

Elle recommence ! Elle me déstabilise avant même que j'aie pu lui dire bonjour. La dernière fois, elle a compris que je ne téléphonais pas au moment où j'enregistrais mes confessions. Jamais personne n'avait deviné ma ruse jusque-là. Ce soir, elle m'a repéré au fond de la salle alors que je m'efforçais de me planquer.

Et elle s'est souvenue de mon nom !

Je n'avais pas le choix, il fallait bien que j'improvise de façon spirituelle, non ? Lui sortir un truc qui ne soit pas trop bateau, de préférence une remarque sarcastique, prononcée d'un air sérieux. De façon à ne pas perdre la face.

Avant même d'avoir pu réfléchir, les mots sont sortis tout seuls.

— Je me sentais nerveux à l'idée de vous revoir.

Mes amis, sachez-le, j'ai cru que le temps s'arrêtait. J'aurais donné n'importe quoi pour ravaler ma phrase. Je venais de lui dévoiler mon âme. À moitié asphyxié, je me suis demandé ce que j'avais fait, persuadé qu'elle allait me trouver ridicule.

Au lieu de quoi elle a tourné la tête, les coins de sa bouche ont esquissé un vague sourire et elle a essuyé le bar avec son torchon avant d'ajouter :

— Vous voulez que je vous dise, Graham ? C'est le compliment le plus délicat qu'on puisse adresser à une fille.

Vous voyez de quoi je parle ? Le moment où s'établit un... un contact particulier avec quelqu'un d'autre ? Ce frémissement du cœur quand vous comprenez que vous venez de franchir la passerelle, que vous partagez avec l'autre une forme d'émotion ?

Qui sait si Mary et moi... Je n'en reviens pas de prononcer une phrase pareille, mais qui sait si Mary et moi...

Non, non, non. Doucement, Graham. Fais attention où tu mets les pieds.

Il ne s'agit pas que tu fasses du mal à quelqu'un.

[FIN]

68

Je quitte l'écran des yeux. La tête en arrière, je fixe le plafond. Je ne vois plus rien après des heures passées à travailler sur un ordinateur. À cause du manque de sommeil, aussi.

Books frappe à la porte au même moment.

— Il reste du chinois au QG, me dit-il.

— Super.

Ma réponse manque de conviction.

— Hé, reprend-il en posant une main sur mon épaule. Puisque tu refuses de dormir, essaie au moins de manger. Tu n'as plus que la peau sur les os.

Ça n'est pas nouveau. Je pèse cinquante-quatre kilos pour un mètre soixante-quinze depuis que je suis ado. Je suis grande et mince. D'allure sportive, comme le veut la formule politiquement correcte. Je n'ai pas la silhouette accorte de ma sœur. Ou de ma mère.

— C'est bon, on a tout, annonce fièrement Sophie en nous rejoignant. Les noms de tous ceux qui ont acheté des places pour les matchs de la NFL à Oakland, Dallas, Washington et Cleveland.

Je me tourne vers elle en faisant pivoter mon siège.

— Très bien. Tu connais la musique.

Les analystes n'ont plus qu'à se coltiner la vérification de tous ces noms en les entrant dans nos bases de données.

— Ne saute pas au plafond, surtout, remarque Sophie.

Je fais la grimace. Je n'ai aucune envie de sauter au plafond.

— Emmy est convaincue que notre homme ne figure pas sur ces listes, lui explique Books.

— Oui, Sophie. Jamais il ne commettrait l'imprudence d'acheter une place de cette façon-là, au risque de se retrouver dans un fichier quelconque. Je suis prête à parier qu'il préférera scalper sa place en liquide, à l'entrée du stade.

Le mot *scalp* me fait grincer intérieurement, connaissant la torture de prédilection du tueur. C'est Books qui m'a appris cette expression désignant la vente de places à la sauvette. La première fois qu'il a parlé de *scalper* une place, j'ai vu un couteau de chasse dans ma tête.

Sophie se frotte les yeux. Elle n'a pas compté ses heures, elle non plus.

— Tu penses qu'il est capable de commettre son premier meurtre de la semaine ce soir?

Je hausse les épaules. Nous sommes mercredi. Plus tôt il passe à l'acte, plus vite nous pourrons resserrer le filet autour d'un stade déterminé. Aussi bizarre que ça puisse paraître, j'en arrive à espérer qu'il tue ce soir. C'est horrible.

— Tu ferais mieux de rentrer chez toi, me conseille Books.

Sachant que le chez-moi en question est une chambre d'hôtel.

— Tu peux continuer tes recherches de ton lit. Tu sais, Emmy, tu n'es plus toute seule sur le coup.

Je martèle la table de l'index.

— Je ne bouge pas d'ici. Si jamais il agit ce soir, j'irai sur place avec toi.

69

« Les confessions de Graham »
Enregistrement n° 16
Mercredi 19 septembre 2012

Il faut absolument que vous écoutiez ça. Ma conversation de ce soir avec Mary. Je lui avais donné rendez-vous après son boulot.

[Moi :] Je peux vous poser une question, Mary ? Pourquoi avoir accepté de me voir ce soir ?

[Mary :] Vous voulez dire : pourquoi ai-je accepté de sortir avec vous après vous avoir surpris en train de m'espionner du fond de la salle avant-hier ?

[Moi :] J'aurais formulé la phrase de façon plus charitable. Mais… oui. Pourquoi ? Je m'étais imaginé que vous me trouviez bizarre.

[Mary :] [Elle rit.] Mais je vous trouve bizarre, Graham.

[Moi :] Ah. Voilà une bonne chose de faite.

[Mary :] Je vous l'ai déjà dit, j'apprécie l'originalité chez un homme. J'étais… je ne sais pas, ça m'a touchée. Et même flattée. Je ne suis pas habituée à ce qu'on se montre nerveux à l'idée de me voir.

[Moi :] J'ai du mal à vous croire.

[Mary :] Parce que vous croyez que les gens font la queue pour s'intéresser à une barmaid de trente-sept ans qui a eu un problème d'alcool?

[Blanc de onze secondes.]

[Mary :] Oops, je vous ai fait peur. Ce n'est sans doute pas la meilleure façon de vous mettre au courant. Désolée, mais oui, je suis alcoolique. Même si je n'ai pas bu depuis plus de dix ans, si ça peut vous rassurer.

[Moi :] Non, je… je trouve ça tout à fait extraordinaire.

[Mary :] Oh, je ne sais pas. J'affronte mes démons, comme tout le monde.

[Moi :] Peut-être, mais en vous construisant une nouvelle vie. Vous suivez des cours pendant la journée et vous travaillez le soir. Je trouve ça admirable.

[Mary :] C'est gentil de le dire.

[Moi :] Mary, pourquoi travailler dans un bar alors que vous êtes une ancienne alcoolique?

[Mary :] Je sais, je sais. Ce n'est pas très logique. D'abord parce que j'avais besoin d'un boulot le soir pour pouvoir suivre des cours pendant la journée. Et puis c'est un copain qui tient ce bar. Peut-être aussi par défi.

[Moi :] Par défi?

[Mary :] Oui, en me disant que je sers de l'alcool tous les soirs et que je n'en bois jamais une goutte. Regarder toutes ces bouteilles, c'est une façon de leur dire : «Je n'ai plus besoin de vous. C'est moi la plus forte.» C'est assez grisant.

[Moi :] Vous affrontez vos démons.

[Mary :] Exactement. Vous n'avez donc aucun démon, Graham?

J'ai trouvé notre échange tout à fait... remarquable. Cette façon de s'ouvrir à moi aussi naturellement. Cette façon de me dire : *Me voilà, telle que je suis.* Les gens n'agissent jamais de cette façon-là. Ils ne montrent jamais leur vrai visage. Ils se cachent derrière des couches et des couches de déni et de mensonge. Ils sortent masqués. Ils font semblant. Ils mentent.

Ils se cachent.

Qu'aurais-je pu lui répondre? J'étais tenté de l'imiter. Sincèrement. Cette fille pose sur la table les détails sordides de son existence, aussi facilement que si elle prenait sa respiration, et qu'est-ce que je pouvais lui dire? *Moi aussi j'ai des démons, Mary*? Bien sûr que non. Alors j'ai changé de sujet de conversation.

Elle n'a pas été dupe. Elle vient de se mettre à nu, et je lui parle de la pluie et du beau temps. Elle sait. Je veux dire, elle ne sait pas *vraiment,* ce n'est pas possible, mais elle a senti. J'en suis certain.

Et son sourire. J'aimerais que vous puissiez voir son sourire, la façon dont elle retrousse le nez, dont elle plisse les yeux. J'ai rarement vu un sourire aussi sincère que le sien. Elle possède cette capacité inouïe de s'ouvrir au contentement, de veiller à ne jamais laisser échapper des pensées venimeuses.

Son odeur, aussi. Un léger parfum de fraise. Son shampooing, probablement. Il suffit que je la respire pour que le mot *frais* s'imprime dans ma tête. Mary est quelqu'un de frais, je ne vois pas comment la décrire autrement.

En fin de soirée, je l'ai reconduite jusqu'à sa porte. Je n'ai jamais été aussi nerveux de toute ma vie. Les mains enfoncées dans mes poches, la tête baissée, je me dandinais d'un pied sur l'autre. Elle a dû me prendre pour un ado le soir de son premier rencard.

Figurez-vous que je l'ai embrassée ! Ne me demandez pas comment ça m'est venu, j'imagine que j'ai dû prendre mon courage à deux mains, que je me suis approché et qu'elle a fait le reste du chemin. Un baiser à la fois doux, lent, délicieux, nos lèvres collées, sa main qui me caressait la joue. Je me suis senti traversé par une décharge électrique. J'aurais pu m'envoler.

À l'heure où je vous parle, je serais toujours capable de m'envoler.

[FIN]

70

— Merde !

En reculant d'une poussée brutale mon fauteuil à roulettes, je me retrouve au milieu du bureau. Ma tête se met à tourner quand je me lève, la pièce tournoie autour de moi, le sol se précipite vers moi. Je dois m'agripper au dossier du fauteuil pour ne pas tomber.

— Et remerde !

Je suis en train de perdre les pédales. Je le sais. Je ne tiendrai pas longtemps à ce rythme, à force d'enquiller des nuits sans sommeil et de ne rien manger.

Tout ça pour quel résultat ?

D'abord, mercredi soir, et puis jeudi soir. Enchaînée à mon ordinateur, le téléphone à portée de main, j'attends désespérément un appel en provenance des quatre régions qui nous intéressent, Oakland, Dallas, Washington, Cleveland, au cas où un incendie se serait déclaré dans une chambre.

Pour l'instant, rien. Nous avons bien reçu quelques alertes. Une maison qui a brûlé à Sausalito, un snack de Cleveland qui a pris feu (probablement un incendie volontaire provoqué par un propriétaire soucieux de toucher l'argent de l'assurance), mais rien qui ressemble de près ou de loin à la technique du tueur.

Il est à présent 5 heures du matin vendredi, c'est tout juste si je me suis accordé de courtes siestes depuis mardi. Je vais avoir besoin de dormir quelques heures si je veux tenir le choc ce vendredi, sachant qu'il agira ce soir. L'équation est simple : pour qu'il trouve le temps de tuer deux personnes d'ici dimanche, il doit forcément commettre un meurtre dès aujourd'hui.

Il ne manquerait plus que je m'endorme sur mon bureau au moment décisif.

Complètement groggy, le moral en berne, la nuque et les reins en état de rigueur cadavérique, les doigts usés après avoir passé la nuit à taper sur mon clavier, les yeux brouillés, je quitte l'immeuble du FBI et retourne à l'hôtel. Je descends de la voiture de location en claquant la portière. L'air frais de ce matin d'automne me fait l'effet d'une bouffée de soulagement. J'en avais presque oublié que l'air pur existait.

Un éclair douloureux me traverse les yeux, des cercles noirs embrument mon champ de vision, comme si je regardais à travers un tunnel. Je dois impérativement me coucher. Quelques heures de…

— C'est elle !

Une voix de femme. Je ne réagis pas aussi rapidement qu'en temps ordinaire, et le sens du danger qui m'envahit met du temps à se dissiper. L'homme et la femme qui se précipitent vers moi n'ont rien d'agressif. Physiquement, du moins. La seconde tient un magnétophone à la main, le premier une caméra.

— Agent Dockery, m'interpelle la journaliste, une Noire jeune et jolie. Diane Bell, du *Chicago Tribune*.

C'est la première fois que je me trouve face à des représentants de la presse. Les mots s'impriment dans ma tête. *Pas de commentaire. Je ne suis pas enquêtrice.* Au lieu de quoi, je m'entends dire :

— Oui ?

— Agent Dockery, j'ai cru comprendre que vous vous étiez lancée à la poursuite d'un tueur en série. L'individu aurait tué plusieurs dizaines de personnes en allumant ensuite des incendies afin de dissimuler ses crimes.

— Je… je…

Je secoue la tête en tendant la paume de la main en direction du cameraman, puis je me dirige vers l'entrée de l'hôtel.

— Je ne suis pas autorisée à commenter une enquête en cours.

Je me suis exprimée machinalement, imitant les hommes politiques ou les procureurs lorsqu'ils se trouvent sous le feu des projecteurs.

Pas de commentaire. Nous ne sommes pas autorisés à commenter une enquête en cours.

— Vous nous confirmez donc qu'il y a bien une enquête, réagit la journaliste. Super. Merci beaucoup.

Je secoue la tête avec virulence, ce qui n'arrange pas mon vertige. Je presse le pas en me tournant de côté de façon à leur échapper. Pas question de m'écrouler sur la caméra.

— Curtis Valentine ? reprend la fille. Joëlle Swanson ?

Je pousse la porte de l'hôtel.

— Votre sœur, Marta ?

Je tourne agressivement la tête, sans un mot. Elle me calme d'un geste et s'approche.

— Je suis déjà au courant de tous les détails, agent Dockery. Votre sœur fait partie des victimes, votre croisade pour retrouver ce tueur quand tout le monde refusait de vous croire.

Je réfléchis à toute vitesse. Me voici dépassée par les événements. Je ne connais même pas les consignes en pareil cas. Les agents sont formés pour affronter la presse, mais pas les analystes. Personne ne songe jamais à nous interviewer.

— Qui… qui vous a dit ça?

Elle m'adresse un sourire condescendant. J'oubliais. Les journalistes ne révèlent jamais leurs sources.

— Prenez ma carte, dit-elle en me la fourrant dans la main. C'est une affaire extraordinaire, Emmy. Vous ne souhaitez pas témoigner?

— Non!

L'instant suivant, je m'engouffre dans le hall de l'hôtel.

71

Books se passe une main sur le visage. Il a les yeux rouges, le regard vague, les traits tirés. C'est à peine s'il a dormi plus que moi.

— On ne confirme jamais l'existence d'une enquête.

Il s'est exprimé avec douceur, comme on parle à un enfant.

Je me frotte l'œil d'une phalange.

— Je n'ai rien dit.

— Tu as confirmé qu'il y avait bien une enquête en cours.

— Elle connaissait les noms des victimes. Y compris celui de Marta. Elle savait forcément que le Bureau était impliqué.

Books m'adresse un regard lourd de sens. Il n'a pas besoin d'insister. J'ai compris. La journaliste avait beau être au courant, c'est moi qui lui ai apporté la confirmation dont elle avait besoin.

Je lève les mains en signe de reddition.

— C'est bon, j'ai merdé.

Books ne cherche pas à me contredire.

— Qui a bien pu les mettre au courant ?

La question est inepte. La journaliste du *Tribune* ne l'avouera jamais. De toute façon, ça a peu d'importance.

— À mon avis, il s'agit de l'un des flics locaux enquêtant sur Joëlle Swanson ou Curtis Valentine.

Books prend un air navré.

— Ces gens-là sont toujours à l'affût d'une faveur. « Je te refile ce tuyau, ne m'oublie pas la prochaine fois que tu parleras de l'une de mes enquêtes. » Tu vois le genre. Ou bien c'est un proche de l'une des victimes. Je suis d'ailleurs surpris que l'affaire n'ait pas fuité plus tôt.

— En attendant, ça tombe mal.

Je lance un stylo à travers la pièce.

— Notre homme est persuadé de s'en être tiré jusqu'ici. Il continue à tuer comme si de rien n'était, quelle que soit sa destination, persuadé d'avoir roulé tout le monde dans la farine, sans se douter qu'on le piste jusque dans les stades. Et voilà qu'il va découvrir le pot aux roses !

Le portable de Books sonne. Il me lance une grimace désolée.

— Ce connard de Dick, dit-il en branchant le haut-parleur.

— Books à l'appareil. Je suis avec Emmy.

— Ah bon. Bien joué, Emmy ! À la veille d'une opération cruciale, vous vous répandez auprès du *Chicago Tribune.*

Books lève les yeux au ciel. Ce connard de Dick est ravi d'avoir repris la main et de m'enfoncer le nez dedans.

— Je viens de raccrocher avec les responsables du journal, poursuit Dickinson. Ils ne se sont pas montrés très bavards. Je sais simplement qu'ils possèdent les identités de plusieurs victimes. Ils savent également qu'Emmy a des raisons personnelles de participer à cette enquête...

Nous échangeons un regard avec Books. Ce connard de Dick serait trop heureux de me virer. Sans la petite scène avec moi dans son bureau, il ne se gênerait pas.

— ... Et j'ai cru comprendre qu'ils avaient eu accès à un rapport d'autopsie. Ils savent que le tueur a sévi à travers tout le pays, mais il leur manque de nombreux éléments. Ils n'ont pas fait allusion à nos dernières découvertes : la vidéo du bar, le rapport avec le championnat de la NFL.

Je secoue la tête.

— N'empêche. Ils savent que Curtis Valentine, Joëlle Swanson et ma sœur ne sont pas morts accidentellement, qu'ils ont été assassinés. Assez pour alerter le tueur. Il suffira qu'il découvre l'article pour comprendre que nous avons percé son petit secret. Nous n'avons plus aucune chance de le surprendre.

— Dans ce cas, réplique ce connard de Dick, vous pouvez me remercier d'avoir convaincu le rédacteur en chef du *Tribune* de ne sortir aucun papier avant lundi.

— C'est génial ! s'écrie Books. Alors rien n'est perdu.

Une question me brûle les lèvres.

— Qu'avez-vous promis en échange ?

— De les avertir en priorité si nous coinçons le tueur.

Books hausse les épaules d'un air rassurant.

— Bref, vous n'avez droit qu'à une chance. Vous devez impérativement le repérer ce week-end lors du match auquel il assistera. Arrangez-vous pour ne pas tout foutre en l'air dans l'intervalle.

72

« Les confessions de Graham »
Enregistrement n° 17
Samedi 22 septembre 2012

> *Mary, Mary, la chipie*
> *Comment se nourrit mon amour pour toi ?*
> *À coups de sourires et de ruses de femme*
> *Un nœud accroché à ta queue-de-cheval*

Je vous le concède, je n'ai pas le talent de Ma mère l'Oye, mais d'excellente humeur je suis.

Voilà que je m'exprime comme Yoda, dans *La Guerre des étoiles*. Le Yoda original, le seul, le vrai ! « Beaucoup encore, il te reste à apprendre ! » Ce soir, bête je suis !

Seigneur, je suis vraiment bête. Je suis tout excité, je me suis changé deux fois en prévision de mon rendez-vous, je me suis arrangé les cheveux, brossé les dents à deux reprises. J'ai même fait des pompes pour qu'elle sente mes muscles si elle me touche le bras. Est-ce bien normal, de me pomponner comme ça ? Je devrais m'en moquer. Après tout, tant pis. Si ce n'est pas normal, j'accepte de ne pas être normal !

Allez, Graham, respire! Pas question de l'effrayer, de la faire fuir en me montrant trop empressé. C'est un de mes défauts. Quand bien même elle se plairait en ma compagnie, qui me dit qu'elle est prête à s'engager?

Seigneur, dans quel état sont mes outils! Mes forceps sont crasseux. Je vais devoir me racheter un burin, j'envisage de prendre du dix millimètres au lieu du huit. Il sera plus difficile à aiguiser, sans doute moins facile à nettoyer, mais le dix est tellement plus précis. La précision est primordiale. Quant à mes curettes, elles ne sont pas non plus au mieux de leur forme. Je me demande ce qui m'arrive. Avant, je nettoyais méticuleusement mes outils à la minute où je rentrais chez moi. C'est ta faute, Mary. Tu m'empêches de me concentrer. Mais c'est aussi bien comme ça.

Et moi? Suis-je prêt à m'engager? Voilà que je recommence. Je me monte la tête trop vite. C'est une gentille fille, Graham. Une très gentille fille. C'est peut-être une aventure sur le long terme qui t'attend, mais rien ne t'oblige à prendre une décision tout de suite, ni même ce soir. Prends ton temps. Ce n'est pas ça, l'expression consacrée? *Prendre son temps?*

OK. Oui. C'est bien ce que je pensais. Si je me montre trop empressé, elle fuira. Sois naturel, détends-toi, laisse venir.

Je ne vous ai pas encore annoncé la mauvaise nouvelle : Mary travaille du lundi au mercredi, de sorte qu'elle n'est disponible que du jeudi au dimanche. C'est bien ma chance, puisque c'est précisément à ce moment-là que j'effectue mes petites virées. Elle est libre les soirs où je suis absent ! Si ça n'est pas un signe !

Récapitulons. Commençons par voir ce que je dois éviter à tout prix. Je dois éviter de me montrer trop empressé. Passons un samedi soir tranquille en… en prenant notre temps.

Voilà que j'enfile les clichés, à présent. Cela dit, les clichés ne sont pas des clichés pour rien. Prends ton temps, détends-toi, laisse la relation respirer, comme un cabernet sauvignon trop jeune.

D'un autre côté, n'en fais pas trop dans l'autre sens. Évite de paraître trop désintéressé, tu risquerais d'envoyer un mauvais signal. Sois naturel.

Facile à dire ! Comment être naturel ?

Je vais finir par devenir fou, à force de me poser des questions. Allez, amuse-toi sans rien attendre de particulier. Voilà. C'est ça. C'est la solution. Amuse-toi et ne pense pas à la suite.

Et n'oublie pas de changer la lame du couteau à amputer.

On ne sait jamais.

[FIN]

73

Mes paupières sont si lourdes que je parviens difficilement à les soulever. L'horloge de mon bureau indique 4 heures du matin. La soirée de samedi se sera donc déroulée sans incident.

De frustration, je lance mon agrafeuse sur l'horloge. J'ai mal visé, l'agrafeuse fait un trou dans le mur en écaillant la peinture. Quatre nuits de suite, de mercredi à samedi, sans rien pour ma peine, sinon des valises sous les yeux.

Au bruit, Books débarque dans mon bureau d'un air inquiet, de crainte d'être la prochaine cible de mon matériel de bureau volant.

— Il a décidé de prendre sa semaine, c'est ça ? C'est la première fois, Books ! Jamais il n'a dérogé à la règle. Ce type est réglé comme du papier à musique. La semaine où nous sommes enfin prêts, notre dernière chance de le coincer avant que les journaux ne lui donnent l'alerte, et il prend une putain de semaine de *vacances* ?

Books s'appuie contre le chambranle.

— Je sais. Je ne comprends pas non plus, mais nous n'avons pas le choix…

— Bordel, tu ne peux pas perdre ton calme, pour une fois ? On aurait pu lui tendre un piège ce week-end, Books. On le tenait. Maintenant, il sera au courant qu'on le guette.

— Pas forcément, Em. Nous ne savons même pas ce que dira le papier du *Chicago Tribune*. Efforçons-nous de maîtriser ce qui peut encore l'être.

Je secoue violemment la tête, au point de voir tout trouble sous l'effet de la fatigue. Le temps de recouvrer la vue, mon regard s'arrête sur l'article du *Peoria Times,* le journal de la ville de Marta, dans lequel je demandais à la police locale de reclasser la mort de Marta en meurtre, et non en accident. « Nous comprenons la détresse de Mme Dockery, déclarait le chef de la police. Mais il ne nous est pas possible de mobiliser nos équipes sur la simple requête d'une sœur accablée. Mes inspecteurs, le chef des pompiers et le médecin légiste sont unanimes pour affirmer que Marta Dockery est morte asphyxiée dans un incendie accidentel. »

Books suit mon regard et ses yeux se posent sur l'article, punaisé sur le tableau de liège accroché au mur, à côté de mon ordinateur.

— Regarde d'où tu partais, remarque-t-il. De quand date cet article ? Du 7 août dernier ? Le journaliste qui a rédigé ce papier t'a fait passer pour une cinglée, une dérangée croyant au père Noël. Et regarde-toi à présent, Emmy. Six semaines plus tard, non seulement tu as réussi à nous rallier à ta thèse, mais tu as mis en branle une chasse à l'homme de grande ampleur. Nous sommes près du but. Et même tout près, Emmy. Avant qu'il ne nous envoie ce mauvais ballon, nous étions prêts à lui tendre une souricière dans un stade. Nous l'aurons la prochaine fois. Je te le promets. Nous savons comment il pense. Nous connaissons ses habitudes, qu'il ait pris une semaine de vacances ou non. Hé, regarde-moi.

Avant que j'aie pu m'en apercevoir, il est là, tout près de moi. Il n'avait jamais besoin d'envahir ma bulle autrefois, tout simplement parce que ma bulle était sa bulle. Tout était plus simple lorsqu'il faisait partie de ma vie, au lieu de rester en périphérie. C'était tout naturel. C'était normal. Nous étions des pièces de puzzle complémentaires. C'est théoriquement comme ça que vivent les gens ordinaires, non? On trouve le morceau de puzzle qui vous manquait, on fait coïncider les découpes et tout finit par coller, avec les quelques ajustements obligatoires. Personne n'exige la perfection. On se satisfait des parties les mieux ajustées au lieu de se focaliser sur les angles vifs.

Je relève la tête. Ce n'est pas la première fois que je découvre le désir dans ses yeux. Moi aussi, j'ai éprouvé du désir, mais je suis trop en miettes pour réagir de façon sensée. Books le sait. J'ai déjà eu l'occasion de le dire, il me connaît mieux que je ne me connais moi-même.

— Nous allons le coincer, Em. Très bientôt.

74

«Les confessions de Graham»
Enregistrement n° 18
Dimanche 23 septembre 2012

Je ne sais pas quoi faire. Je suis dans le pétrin. Bien plus que je n'aurais pu l'imaginer. Je n'ai pas su quoi répondre quand elle me l'a dit. Je suis resté figé sur mon siège…

J'ai bien conscience de ne pas me montrer très rationnel. Nous avons décidé d'aller nous promener après le dîner, et puis nous sommes allés chez elle. Elle a une cheminée à l'ancienne. Il ne faisait pas très froid, mais elle a jugé que ce serait romantique d'allumer un feu.

On a commencé à s'embrasser, à se toucher. Des caresses tendres, douces et chaudes. Je ne parle pas de sexe, je parle d'une sensation infiniment plus profonde. Je parle d'intimité. S'effleurer, se caresser, se regarder dans les yeux, sentir le souffle de l'autre sur son visage. Nous avons partagé un moment comme je n'en ai jamais partagé avec personne. J'aurais voulu que le temps s'arrête. À ce moment-là, je lui ai déclaré : «Mary, je crois que je tiens beaucoup à toi.» Les mots sont sortis tout seuls. Ce n'était pas prévu. Je sais, ce n'est pas trop mon style, je ne suis pas du genre à dégainer sans réfléchir. Je planifie toujours tout, ce n'est pas à vous que je vais l'apprendre. Avec elle, c'est différent. J'avais envie de cet aveu. Il m'a fait du bien.

Du coup, elle m'a demandé si j'étais sincère et je lui ai répondu : «Oui, évidemment.» Alors, elle n'a plus rien dit, j'ai senti qu'elle rentrait dans sa coquille, ce qui ne lui ressemble pas. D'habitude, Mary est aussi transparente qu'un livre ouvert, et voilà qu'elle se refermait sur elle-même. Pour la première fois, j'ai lu dans son regard son côté vulnérable. Je l'avais emmenée sur un terrain qui la mettait mal à l'aise. Je ne savais plus comment réagir. Je me suis dit que j'avais commis une erreur monstrueuse, j'hésitais à m'excuser, tout en sachant que c'était ridicule. On ne s'excuse pas de tenir à quelqu'un. Toutes sortes de pensées se bousculaient dans ma tête. *On voit bien que tu n'as pas l'habitude, Graham. C'est bien la preuve que tu n'es pas fait pour ça.* Mais, loin de me pétrifier ou de revenir à mes bonnes vieilles habitudes de calculateur-né, je lui ai demandé spontanément si je l'avais blessée.

Elle avait les larmes aux yeux, j'ai pensé un instant qu'elle allait botter en touche en jouant la carte de l'insouciance, mais pas du tout. Son visage tout près du mien, elle m'a glissé dans un murmure : «Si tu es sincère, je suis toute disposée à me donner à toi. Je suis prête. Mais à la condition que tu te donnes à moi de la même façon. Si tu ne te sens pas prêt, pas de souci, je comprends. Dans le cas contraire, moi je suis prête.»

Me donner à toi. C'est l'expression qu'elle a utilisée.

Je… je ne savais plus quoi dire. Alors je l'ai embrassée. J'imagine qu'elle a pris ça pour une réponse, à moins qu'elle n'ait voulu me laisser du temps pour me décider.

J'ai réellement envie de me donner à toi, Mary. Plus que tu ne pourras jamais l'imaginer. Je m'en remets à toi, je suis prêt à abattre pour toi toutes mes cloisons intérieures, à tout te révéler de moi. Je veux que tu sois la seule personne au monde qui sache tout de moi. Tu ne comprends donc pas ? C'est ce que j'ai toujours voulu. Mais comment y parvenir ? Comment pourrais-tu m'accepter tel que je suis ?

Je me dis pourtant que Mary est la bonne personne. Elle sait qu'on peut surmonter les erreurs du passé, aller de l'avant sans se retourner. C'est vrai, mon histoire est un peu plus compliquée que son passé d'alcoolique, mais le principe est le même. Il s'agit d'aller de l'avant. De progresser humainement.

C'est mon ambition, Mary. Progresser humainement avec toi. Je m'en sens capable. En tout cas, je le crois. J'ai envie d'essayer. Vous ne croyez pas que c'est l'essentiel, de vouloir essayer ?

Pour y parvenir, je vais devoir t'accorder ma confiance, Mary.

Tu crois que je peux t'accorder ma confiance, Mary ?

[FIN]

75

Je prends une longue respiration avant de déplier le *Chicago Tribune* daté du lundi.

Le FBI attribue une série d'incendies à un tueur en série

Dans sa virée mortelle, le « génie du crime »
a fait étape à Champaign et Lisle

Chicago. Une équipe d'agents fédéraux de Chicago et d'ailleurs enquête actuellement sur une série d'incendies. Initialement considérés comme accidentels, ceux-ci seraient l'œuvre d'un « génie du crime » qui aura abusé les experts et les spécialistes du pays depuis un an, selon une source proche de l'enquête. Au nombre de ces incendies, désormais catalogués comme des meurtres, figurent ceux qui ont coûté la vie à Curtis Valentine, 39 ans, de Champaign, et à Joëlle Swanson, 23 ans, de Lisle dans la banlieue de Chicago. Les autorités n'ont pas souhaité apporter de commentaire sur le nombre total de victimes, estimant qu'il y en aurait « plusieurs dizaines, voire une centaine ». « Le tueur fait croire à des incendies accidentels afin que la mort paraisse naturelle », affirme l'une de nos sources. De nouvelles analyses et des recherches plus poussées ont ainsi permis de découvrir que les victimes avaient été torturées et assassinées avant d'être brûlées. « Les flammes se chargent d'effacer presque tous les indices », nous a confié un enquêteur.

Mon nom est cité dans le sixième paragraphe. On me décrit comme une analyste du FBI dont la sœur Marta a péri dans l'incendie de sa maison près de Phoenix, en Arizona. Il est précisé que je fais le siège du Bureau depuis le mois de janvier afin d'obtenir la réouverture de plusieurs enquêtes similaires. « L'opiniâtreté d'Emmy a fini par payer », déclare une source anonyme. Sur la photo qui illustre l'article à la une du *Tribune,* on me voit fuir la journaliste devant l'entrée de mon hôtel.

Le paragraphe le plus intéressant figure néanmoins en page 5, où se poursuit l'article. D'après des sources proches de l'enquête, les éléments recueillis sur le terrain ont permis de localiser le tueur, sans que le *Tribune* soit en mesure d'en révéler davantage. « Nous savons approximativement où il vit, précise le témoin. Lui mettre la main dessus n'est plus qu'une question de temps. »

Où sont-ils allés pêcher ça ? L'adverbe *approximativement* est très adapté quand on sait que nos recherches s'étendent à tout le Midwest.

— Au moins, vous êtes célèbre, me rassure gentiment Denny Sasser en me posant la main sur l'épaule, avant d'ajouter d'un air grave : Ça aurait pu être pire.

Il a raison. Il n'est pas fait mention dans l'article des habitudes du tueur, des matchs de football américain, de l'avancement de l'enquête.

— Pas un mot au sujet des stades, s'écrie Books en s'engouffrant dans mon bureau.

— Ils ne disent rien sur les matchs, s'exclame Sophie qui survient au même moment. Tant mieux, non ?

Je les tempère d'un geste.

— C'est bon, tout le monde. Oui, c'est bien.

Dans le silence retrouvé, chacun relit l'article. Pour ma part, c'est la quatrième fois.

— La fuite provient d'un service de police local, déclare Denny. Celui qui a vendu la mèche n'est pas au courant de tous les détails.

Il a probablement raison. Je poursuis ma lecture. Il est fait mention des premiers rapports d'autopsie, de l'avis contradictoire de la légiste du Bureau, des autres incendies dont on nous dit qu'ils ont eu lieu un peu partout, sans autre précision. L'article fait état de statistiques d'ordre général sur les incendies et les feux criminels avant de conclure sur une note dramatique : « Nous sommes en présence de l'un des tueurs les plus ingénieux de l'histoire », déclare un témoin.

Épuisés moralement après avoir craint le pire, nous restons muets tous les quatre. Comme d'habitude, Books rompt le silence le premier.

— Alors ? demande-t-il en haussant les épaules. Que fait notre homme à l'heure qu'il est ?

76

« Les confessions de Graham »
Enregistrement n° 19
Lundi 24 septembre 2012

Non, non, et non ! Je n'y crois pas. Pas maintenant ! Surtout pas *maintenant* ! Je ne comprends pas. Comment est-ce possible ? Comment ont-ils pu deviner ? J'ai pourtant veillé à tout ! Ils le disent même dans l'article : « Un "génie du crime" qui aura abusé les experts et les spécialistes du pays depuis un an. » Et c'est vrai. J'avais atteint la perfection. Il faut croire que le génie du crime en question n'était pas si génial que ça.

Quelle idiote ! Quelle triple idiote, cette Emmy Dockery. Celle dont « l'opiniâtreté a fini par payer ».

J'aurais dû me méfier. Marta m'avait bien prévenu que vous étiez intelligente et que vous ne lâchiez jamais votre proie, Emmy. Je me suis cru trop malin. J'ai voulu me rassurer. *Quelle importance que sa sœur travaille au FBI ? Personne ne découvrira jamais la vérité.*

Qu'est-ce que je dois faire, maintenant ? Récupérer mes billes et rentrer chez moi ? Passer à la suite en me disant que j'en ai eu pour mon argent ? C'est ce qu'ils veulent, en fait. Ils ont laissé fuiter cette histoire uniquement pour moi. Ça saute aux yeux. Il n'y a quasiment aucun détail. Ils ne savent rien, encore moins le comment et le pourquoi. Sinon, jamais ils n'en auraient soufflé mot à la presse. Non, ils ont réussi d'une façon ou d'une autre à comprendre comment je m'y prenais, mais ils n'ont aucune idée de mon identité. Je reste plus invisible que jamais. Ils essaient de m'effrayer, c'est tout. Mais bien sûr ! Ils essaient de me traumatiser en me persuadant qu'ils sont sur mes traces. C'est faux ! Ils ne sont pas du tout sur mes traces, c'est impossible. Ils sont même loin du compte.

Non, non, non. Non, non et non !

Je ne comprends pas comment ils ont fait. J'étais si prudent, si bien organisé.

Si vous imaginez me pousser à renoncer avec un article de journal aussi creux et vague ! Vous croyez peut-être que je ne vous ai pas vus venir ? Vous pouvez mettre tous les agents que vous voulez sur l'enquête, vous ne m'attraperez jamais. Je suis bien trop fort pour vous. Si vous ne l'avez pas encore compris !

Quel est le dicton, déjà ? « On n'a rien sans rien » ? Grâce à vous, je serai encore meilleur. Exactement. Graham reprend du poil de la bête. J'avais peut-être besoin d'un nouveau défi, après tout. Je vais pouvoir écrire un nouveau chapitre de cette glorieuse histoire. Dans le précédent, je me baladais à travers le pays en toute impunité pendant que le FBI somnolait tranquillement à Washington sans se douter de rien. Cette fois, le FBI s'est réveillé, mais il en sera pour ses frais. C'est décidé, je vais passer à la vitesse supérieure, histoire de leur montrer à quel point ils sont impuissants contre moi.

N'empêche, je n'arrive toujours pas à croire qu'ils aient découvert le pot aux roses. Je n'arrive pas à y croire. Il faudra qu'on m'explique comment ils s'y sont pris.

Aucune importance. En réalité, je suis content de ce qui s'est passé. Je commençais à m'ennuyer. Ça devenait trop facile. Je compte bien m'amuser cette semaine, leur en donner pour leur argent.

Si vous croyez me faire peur, je vous conseille d'attendre la suite, les amis. Vous allez voir si j'ai la trouille.

[FIN]

77

Books ferme les yeux, une grimace aux lèvres, alors que ce connard de Dick achève sa tirade dans le haut-parleur du téléphone.

— ... au lieu de mettre toute notre énergie à pourchasser ce monstre, nous sommes obligés de répondre aux questions des médias.

D'un point de vue pratique, Dickinson est le *seul* à répondre aux questions des médias pendant qu'on poursuit notre boulot à Chicago. Ce n'est pas comme s'il s'échinait sur l'enquête, sinon pour se mettre en valeur.

— Que fait-on, à présent ? demande-t-il.

Books, avachi dans son fauteuil, me fait signe de répliquer. Le simple fait de tourner la tête me donne le vertige.

— Nous arrivons au quatrième week-end du championnat. Sur les huit stades que le tueur n'a pas encore visités en dehors du Midwest, trois seulement accueillent des rencontres à domicile : Détroit, Philadelphie et Dallas. Dallas jouera lundi soir, donc on peut l'éliminer puisqu'il ne tue jamais le lundi.

— Ah oui, vraiment ? Vous qui le connaissez aussi intimement, vous pourriez m'expliquer pourquoi il a fait relâche le week-end dernier ?

Je réagis à la seule vraie question qui vaille, sans me soucier de sa pique :

— Il n'a jamais assisté à un match le lundi. Ce n'est pas dans son fonctionnement. Il se rendra donc soit à Détroit, soit à Philadelphie.

— Lequel des deux ? insiste Dickinson.

— Philadelphie.

Books m'adresse un regard surpris.

— Notre homme aime parcourir de grandes distances. Il ne retourne jamais dans le même secteur au cours d'une période donnée. C'est ce qui explique qu'il ait espacé ses visites aux différents stades de Floride dans lesquels il s'est rendu, par exemple. Miami, Jacksonville, Tampa. Idem avec New York dans le cas des Jets et des Giants. Il veille soigneusement à laisser du temps s'écouler entre deux visites, histoire de rester imprévisible.

— Tout ça ne me dit pas pour quelle raison vous l'imaginez à Philadelphie le week-end prochain, et non à Détroit.

— Parce qu'il y a deux stades en Pennsylvanie. Celui des Steelers et celui des Eagles. Il ne connaît ni l'un ni l'autre. Il ne lui reste que huit semaines pour boucler sa tournée, dont deux balades en Pennsylvanie. Si j'étais à sa place, je choisirais Philadelphie ce week-end en laissant Pittsburgh pour la fin de saison.

— Ça se tient, finit par reconnaître Books après un silence.

— Au vu de vos exploits passés, Emmy, je suis moins confiant, raille Dickinson.

Books ouvre la bouche pour me défendre, je l'arrête d'un geste. Si ça amuse Dickinson de m'humilier, tant mieux pour lui. En attendant, je n'ai pas besoin de lui pour valider ma thèse. Je n'ai besoin de personne.

Marta disait toujours que j'avais élevé l'indépendance au rang d'art, que je mettais un point d'honneur à me mettre à dos tous mes proches. *Emmy la forte, Emmy la solitaire,* disait-elle avec un mélange de reproche et d'affection. *Toujours prête à prouver qu'elle n'a besoin de personne.*

— La question est de savoir si le tueur a lu l'article du *Chicago Tribune,* reprend Books. Et si c'est le cas, quelle sera sa réaction.

— Vous qui avez réponse à tout, mademoiselle Dockery. Quelle est votre opinion ?

Je n'ai pas de réponse toute prête, faute de disposer d'éléments sérieux. Cela ne m'empêche pas d'avoir une intuition.

— Je suis convaincue que ça va le motiver. Il entend se prouver à lui-même que le FBI ne lui fait pas peur.

Books soupire en regardant le plafond d'un air inquiet.

J'assène le coup de grâce à mes deux interlocuteurs :

— Il va passer à la vitesse supérieure.

« Les confessions de Graham »
Enregistrement n° 20
Jeudi 27 septembre 2012

Bon, qu'on me comprenne bien. Ce n'était pas une fatalité. Qui sait ? Rien de tout ça n'aurait dû arriver. De toute façon, on ne le saura jamais. Jamais.

Ma rencontre avec Mary... cette rencontre a...

[Blanc de onze secondes.]

... cette rencontre a bouleversé ma vie. Plutôt, elle aurait pu bouleverser ma vie. Encore aurait-il fallu qu'on me laisse l'occasion de le prouver. Mais non. Vous avez choisi ce moment précis pour fourrer votre nez dans mes affaires. Vous avez attendu que j'aie croisé la route de la femme idéale pour retrouver vos neurones, vous apercevoir de mon manège, vous répandre dans la presse et ébranler tout ce bel édifice.

Maintenant, je... eh bien, je n'irai pas par quatre chemins. Je suis extrêmement mécontent. Je vais vous montrer ce qu'il en coûte d'ébranler mon édifice.

Fini d'être gentil.

[FIN]

— Ça ne colle pas.

Je tourne en rond dans mon bureau tout en m'adressant au téléphone, branché sur haut-parleur. Un coup d'œil à la pendule m'indique qu'il est presque minuit. Nous sommes jeudi soir.

— Je me contente de faire mon rapport, madame, répond mon interlocuteur, un flic nommé Glenn Hall. On m'a recommandé de prévenir le FBI en cas d'incendie et le standard m'a mis directement en contact avec vous.

— Je comprends très bien. Vous avez bien fait.

Nous avons lancé un bulletin d'alerte dans les deux régions où le tueur est susceptible de se rendre cette semaine. Détroit et Philadelphie. Conformément à ses instructions, Glenn Hall nous a signalé cet incendie en temps et en heure.

J'étais pourtant convaincue que notre homme se rendrait à Philadelphie, mais Hall m'appelle d'Allen Park, une banlieue de Détroit, dans le Michigan.

Je me pince l'arête du nez.

— Combien de victimes dénombre-t-on, déjà ?

— Il y a… il y a…

Sa phrase reste en suspens. La ligne est peut-être mauvaise, mais je soupçonne l'émotion de lui nouer la gorge.

— On a retrouvé six corps, madame.

— Très bien. Tous dans la même chambre ?

— Ou... oui, madame.

— Désolée de vous poser la question, mais pourriez-vous me décrire la position des corps ?

— Ils... ils sont...

Il déglutit avant de se reprendre.

— Ils sont alignés comme à la morgue.

C'est lui. C'est forcément lui.

Books débarque en trombe dans mon bureau.

— Je viens de recevoir ton SMS. C'est lui ? Six morts ?

Je hoche la tête sans oser le regarder en face.

— Six personnes, Emmy ? Jamais ça ne lui est arrivé.

— C'est lui.

Comme il ne répond rien, j'insiste :

— C'est bien lui.

Books ouvre son portable.

— Bookman à l'appareil. Prévenez l'équipe d'alerte. Direction Détroit.

80

Quatre-vingt-dix minutes après l'alerte d'Allen Park, je me trouve à bord d'un petit avion en compagnie de Books et des six membres de l'équipe d'alerte. Books est au téléphone avec le responsable de l'antenne de Détroit à qui il donne des instructions d'une voix sèche. Les yeux perdus de l'autre côté du hublot, les pensées se bousculent dans ma tête lorsque le type assis en face de moi me ramène à la réalité. On me l'a présenté tout à l'heure, mais j'ai déjà oublié son nom.

— Il choisit ses victimes totalement au hasard ?

— Totalement. Des hommes et des femmes. Des Blancs, des Noirs, des Latinos, des Asiatiques de tous les milieux et de tous les âges. Leur seul point commun est de vivre seuls.

— Rien d'autre ?

Je réponds par la négative d'un mouvement de tête.

— Pas à notre connaissance. On a pourtant essayé de comprendre, de déterminer si les victimes avaient des points communs. On a tout vérifié. Les endroits où ils ont grandi, leur parcours scolaire, les clubs qu'ils fréquentent, leurs religions, les réseaux sociaux auxquels ils sont inscrits, tout.

Je laisse échapper un soupir.

— Rien que des gens ordinaires, sans traits communs apparents.

Books se tourne vers moi en raccrochant.

— Les victimes de ce soir sont toutes des femmes. Six en tout, dont quatre ont pu être identifiées. La police cherche à établir l'identité des deux dernières. On parle de membres découpés, de plaies à l'arme blanche et peut-être même de blessures par balle. Il faudra attendre les rapports d'autopsie.

— Il a changé de technique? s'enquiert l'un des agents présents sur le vol.

— Oui, tout est différent. Le nombre de victimes, la façon dont il les tue, le fait qu'on découvre autant d'éléments sur la scène de crime. C'est bien la preuve que l'incendie n'a pas tout détruit.

— Il perd les pédales, suggère Books. Il en oublie sa méticulosité.

Ce n'est pas mon avis.

— Il n'a plus de *raison* de se montrer méticuleux, puisqu'il sait que nous sommes au courant. Il n'a plus besoin de donner l'impression que ses victimes sont décédées de mort naturelle puisque nous l'avons démasqué. Je me demande même ce qui l'a poussé à allumer un incendie.

— C'est le meilleur moyen de signer son crime, réagit Books en hochant la tête. Il nous envoie un message. Il est en train de nous dire que le FBI ne lui fait pas peur et que nous n'avons encore rien vu.

Cette seule idée me donne la chair de poule. L'escalade est ma hantise depuis que les médias se sont emparés de l'affaire.

— S'il s'emballe, il finira par commettre une erreur, affirme l'un des enquêteurs.

Peut-être. Mes interlocuteurs sont plus compétents que moi en la matière. De toute façon, je m'en fiche. À l'heure qu'il est, je n'ai qu'une idée en tête.

Le tueur assistera ce week-end au match opposant les Vikings aux Lions.

81

Books tourne comme un lion en cage dans la somptueuse loge privée du stade Ford où nous avons installé notre quartier général. Parfaitement concentré, on le sent dans son élément à la tête d'une armée de cent cinquante personnes. Il y a là des agents fédéraux comme des policiers du Michigan et d'autres de Détroit, tous en civil de façon à mieux se fondre dans la foule. Des hommes et des femmes ordinaires, venus assister à un match de football américain. Je retrouve le Books que j'ai connu lorsque nous nous sommes rencontrés, le flic modèle qui ne vit que pour son boulot, dont l'unique préoccupation est de coincer les méchants.

— Votre attention, s'il vous plaît.

La rumeur des conversations se tait.

— Nous tenons aujourd'hui notre meilleure chance d'attraper le pire tueur en série qu'il m'a été donné de croiser, alors évitons de commettre des erreurs.

Il reprend sa respiration, la mine tendue.

— On attend soixante mille personnes aujourd'hui dans ce stade, et notre homme a toutes les chances de s'y trouver. Vous pouvez être certains qu'il vous repérera si vous donnez l'impression d'appartenir au FBI, à la police locale, ou même si vous cherchez quelqu'un des yeux dans la foule. Nous sommes en présence d'un individu intelligent, hypersensible, et incroyablement prudent. Ne vous faites remarquer *en aucun cas.*

Books a baissé la voix en prononçant la dernière phrase afin de souligner l'importance de cette recommandation. On entendrait voler une mouche.

— Pour cette raison, nous allons procéder de façon un peu différente. Nous souhaitons l'attirer dans ce stade pour mieux l'empêcher de repartir ensuite, même s'il nous faut contrôler l'identité de tous les hommes de trente à quarante ans à leur sortie du stade. Chauves ou non, gros ou non. Pour que la nasse se referme, encore faut-il le laisser rentrer librement. Votre boulot consiste donc à identifier les suspects potentiels, *une fois qu'ils auront pénétré dans le stade,* avant d'avertir ce QG. N'arrêtez personne tant que vous n'en aurez pas reçu l'ordre.

« Laissez vos oreillettes et vos radios au vestiaire. N'utilisez que vos portables pour joindre les numéros qu'on vous a donnés, en feignant de demander à votre femme ou à votre mari s'ils se sont perdus en sortant des toilettes. Vous devez impérativement donner l'impression que vous êtes uniquement là pour voir les Lions mettre une pâtée aux Vikings.

— Pas de souci pour ça, murmure un jeune flic de Détroit qui porte le maillot bleu électrique des Lions.

Avec la désindustrialisation, Détroit se trouve dans un état de décrépitude avancé et nous avons peut-être sur les bras le pire tueur de l'histoire de l'humanité, mais je suppose que le football passe avant tout.

— L'équipe installée dans ce QG surveillera sur ces écrans tout ce qui bouge, marche, rampe ou vole dans un périmètre d'un kilomètre. Nous avons de la chance que ce stade soit équipé d'un réseau de vidéo sans fil depuis le Super Bowl de 2006. Il nous permettra de surveiller la foule au niveau des entrées, des sorties et tout autour du stade. Dieu soit loué, ce réseau est toujours en parfait état de marche. Merci, Détroit. Il suffira de nous signaler un suspect par téléphone pour qu'on zoome sur son visage et qu'on décide de la conduite à tenir. Il est *hors de question* d'effrayer notre homme avant d'être en mesure de le capturer.

Books passe le relais au sergent chargé d'attribuer les missions et se joint au petit groupe que nous formons avec Sophie et Denny. Des serveurs sont en train d'installer un buffet tout près de nous.

Books ricane sans joie en me voyant hausser un sourcil.

— C'est une loge privée, me rappelle-t-il. Il faut bien donner l'impression que nous sommes venus assister au match comme tout le monde. Tels que nous sommes situés, au beau milieu de la tribune nord, les spectateurs des gradins opposés ont tout le loisir de nous surveiller. Il faut bien sauver les apparences.

— Tu as de la chance, les apparences ont un faible pour le rôti de bœuf.

Je m'interromps en entendant qu'on nous appelle.

— Agent Bookman, QG. Sophie Talamas, QG. Denny Sasser, surveillance des guichets de la porte Est. Emmy Dockery, porte A…

Je fusille Books du regard.

— La porte A ? Tu m'as affectée à la porte A ? Tu sais aussi bien que moi qu'il ne passera jamais par là.

La présence de Comerica Park de l'autre côté de Bush Street, côté ouest, et du tribunal du 36ᵉ District juste en face, au sud, explique le nombre impressionnant de caméras. Le tueur choisira l'une des entrées nord, par les portes B, C, D, E ou F. Elles se trouvent plus près des parkings, loin des immeubles d'où l'on pourrait établir une surveillance.

Books bat patiemment des paupières.

— Vraiment ? murmure-t-il. Dans ce cas, il ne risque pas de te reconnaître après avoir vu ta photo dans le *Chicago Tribune*.

Il n'a pas tort.

Les affectations de chacun terminées, Books se tourne vers la masse des flics des deux sexes qui piétinent sur place et s'étirent, soucieux d'apaiser leurs nerfs. On pourrait croire que le résultat du match repose sur nos épaules.

— La plupart des spectateurs ne viennent pas seuls, déclare-t-il. C'est une façon de le repérer, mais ne nous leurrons pas. Il est suffisamment malin pour se fondre au milieu d'une famille ou d'un groupe d'amis, quitte à leur parler pour donner le change. Il finira pourtant par s'en détacher. Je ne suis pas en mesure de vous décrire sa réaction exacte, je me contenterai de vous recommander la plus grande attention, sans avoir l'air de scruter la foule. Facile, non ?

Quelques rires lui répondent. Books dans toute sa splendeur. Il a le don de fédérer ses troupes, tout en insistant sur la difficulté de leur mission. Il leur rappelle les enjeux de l'opération une dernière fois :

— Souvenez-vous que ce type a scalpé, ébouillanté et disséqué plus de soixante-dix personnes en un an. Il a commis des actes de torture qui feraient rougir de honte le criminel de guerre nazi le plus endurci. Il a encore dépecé six femmes jeudi soir à Allen Park. Le lendemain, il a froidement exécuté une femme et ses trois enfants avant de mettre le feu à leurs dépouilles. C'est le tueur en série le plus prolifique que j'aie jamais vu, et sa cruauté empire de jour en jour.

Books balaie des yeux l'assistance.

— Ce type est un monstre. Nous avons le devoir de le capturer aujourd'hui, mort ou vif.

82

— Tu vas finir par creuser un trou à force de tourner en rond, Emmy, me reproche la voix de Books dans mon portable. Personne ne pourrait croire que tu viens assister à un match de football. Contente-toi de prendre un air agacé, comme si tu attendais que ton petit ami arrive avec les billets.

— Je vais avoir du mal. Mon petit ami ne m'a jamais invitée à un match.

— Merci du coup bas. Encore aurait-il fallu que tu t'intéresses au football américain.

Touché.

— Rien de neuf du côté des scalpeurs de billets ?

Je lui pose la question pour la centième fois. Nous sommes partis de l'idée que le tueur achètera son ticket en liquide à un vendeur à la sauvette pour ne pas utiliser sa carte bancaire.

— On a quelques pistes, réplique-t-il d'un air vague. Contente-toi d'accomplir ta mission.

— Merci du conseil.

Il a raison, une fois de plus. Je suis à bout de nerfs et ça doit se voir. Books ne vaut pas mieux que moi. Tous nos hommes sont sur les nerfs. Ils gèrent la crise comme tous les flics, en plaisantant.

Les portes se sont ouvertes deux heures avant le coup d'envoi et j'ai dû voir passer devant moi quinze mille petits gros aux couleurs bleues des Lions. Je n'ai remarqué aucun fan solitaire pour l'instant. Tous les mecs que j'ai dévisagés sont accompagnés d'une personne au moins.

Je range mon portable dans ma poche et regarde ma montre en affichant mon impatience, dans le rôle de la fille qui attend son copain. Pourquoi m'a-t-on affectée là alors que Sophie est restée au QG ? Je connais déjà la réponse. Sophie a été formée à la surveillance électronique, contrairement à moi qui dois accepter la fouille inepte d'un agent de sécurité au moment de pénétrer dans l'enceinte du stade. Pas question de bénéficier d'un passe-droit, il faut sauver les apparences. En réalité, j'aurais pu infiltrer en douce tout un arsenal sans être inquiétée par la sécurité. Je continue d'avancer au milieu de la foule en feignant de ne pas remarquer les cinq collègues affectés à la même entrée que moi. La plupart des flics en civil sont en binôme pour ne pas risquer d'attirer l'attention sur eux.

Je n'imaginais pas trouver un jour le moindre charme à un stade, mais celui-ci n'en manque pas. Une construction en brique, verre et acier, un atrium spacieux qui laisse entrer la lumière du jour en abondance. L'endroit ressemble davantage à un centre commercial qu'à un temple du sport. Le stade Ford a été construit autour d'un ancien entrepôt de cinq étages dont l'architecture a été préservée, à commencer par son allée centrale. Je commence à comprendre pourquoi les autochtones sont si fiers de leur stade. Ce ne sont pas les balcons qui manquent, d'où notre homme peut sans peine observer la foule qui entre.

Les flics ne sont pas tous passe-partout, c'est le moins que l'on puisse dire. Je repère un type d'âge moyen aux cheveux ras, debout à l'entrée de la boutique de merchandising des Lions. Il consacre plus de temps à dévisager la foule qu'à s'intéresser au maillot pour enfant qu'il tient à la main. À tout prendre, il ferait mieux d'arborer une pancarte du style : JE FAIS SEMBLANT DE FAIRE DU SHOPPING, MAIS JE SUIS FLIC.

Je gagne lentement la tribune Adams Street où m'attend le siège qui m'a été attribué, tout en haut de la section 112.

Le terrain s'étend sous le niveau de la rue, de façon que le stade ne dessine pas une masse trop énorme dans le paysage du quartier. Au moment de franchir les grilles en fer forgé qui séparent les allées des tribunes, je m'aperçois que les meilleures places se trouvent tout en bas, et non en hauteur.

La rumeur est assourdissante. Le bruit, la foule, tout y contribue. *Jamais on ne réussira à le repérer. Il y a bien trop de spectateurs et nous ne sommes qu'une poignée.*

Reprends-toi, Emmy.

Je scrute les alentours en rejoignant ma place. J'appelle Books.

— Salut, chéri! Tu as vu ce monde? Si seulement tu pouvais être là. Tu pourras tout de même voir le match à la télé!

— Bien joué, Emmy, me répond la voix de Sophie. Du nouveau?

— Section 111, rangée 9, places 3 et 4. Section 113, rangée 26 au milieu, et rangée 30, siège 5 ou 6. Et section 112, rangée 18 ou 19, vers le milieu. Tous des chauves, ou bien le visage caché. Je devrais en avoir une dizaine d'autres à te signaler à la fin du premier quart-temps.

Je feins de m'intéresser au match et ce sont les Vikings qui ouvrent le score. Bravo, Détroit.

83

Lorsque débute le dernier quart-temps, Détroit perd vingt à six. Le score m'importe peu, j'ai du mal à m'intéresser à ces adultes déguisés en gladiateurs qui se battent pour un ballon de cuir. Books m'a bien recommandé de me méfier d'un *blowout,* c'est-à-dire de la victoire trop marquée de l'une ou l'autre équipe. Nombre de fans s'en vont avant la fin en pareil cas, ce qui nous contraindrait à surveiller les points de sortie plus tôt que prévu.

Reste à savoir si vingt à six est un *blowout*. Je n'en sais fichtre rien, tout en hochant régulièrement la tête aux commentaires de mes voisins, histoire d'avoir l'air dans le coup. Je me suis déchaînée contre l'entraîneur au début du troisième quart-temps, j'ai applaudi quand la défense des Lions s'est «enfin réveillée», et surtout passé mon temps à appeler ma mère, ma sœur, mon frère, mon mari, ma tante chaque fois que je découvrais dans la foule un chauve au nez fin et aux épaules voûtées. À cette heure, Books et ses équipes ont dû examiner tous les mecs du stade. Pour la petite histoire, l'un des flics du cru a mis Denny Sasser sur la liste des suspects en le voyant entrer dans le stade.

J'appelle une nouvelle fois mon « frère » en remontant Adams Street.

— Mon boulot d'analyste me manque. Je ne suis pas faite pour la surveillance.

— D'accord, me répond Sophie. En attendant, jette un coup d'œil aux stands qui bordent ton allée. Les marchands de parapluies nous empêchent de voir correctement certains points.

— Compris.

Je sens monter l'adrénaline à mesure qu'approche la fin du match. Je *sais* qu'il est là. Je le *sens*.

Je déambule lentement en dévisageant les gens. Ça me rappelle l'époque où Marta et moi nous promenions au centre commercial, pendant l'été. Le stade commence à se vider, mais les fans des Lions ne sont pas des lâcheurs. Ils resteront jusqu'à la dernière minute de jeu, ainsi que j'ai pu le comprendre en écoutant les conversations des fans de la section 112. La clameur qui s'échappe des tribunes me parvient par bouffées, grâce aux échappées donnant sur le terrain aux deux extrémités de l'allée. Nos équipes sont en train d'installer des points de contrôle aux sorties. En dernier recours, il est prévu de passer les fans au peigne fin à leur sortie du stade. J'ai les intestins en marmelade. Je vois mal notre homme se laisser coincer aussi bêtement. Il est trop organisé. Trop fier. Trop malin.

Adossée au mur des escalators conduisant au niveau supérieur, j'observe le défilé des spectateurs. Mes doigts jouent une sarabande nerveuse sur le revêtement en inox, au son de la musique qui secoue le stade. Le public de Détroit a d'excellents goûts musicaux, la patrie de Motown est fière de

304

son héritage. On entend des gloires locales telles que Kid Rock et Eminem, et la voix d'Aretha Franklin exigeant sa dose de R-E-S-P-E-C-T emplit l'atrium tandis que je regagne mon siège.

Tout en avançant au milieu de la foule, je suis prise d'un sentiment de malaise. Sans doute ce que les limiers de terrain nomment le flair. Le terrain se trouve sur ma gauche et le dessous des gradins qui sert de ciel à l'allée s'échappe en hauteur sur ma droite. Les restaurants, les boutiques… tout semble normal, mais j'ai le sentiment d'avancer dans une bulle au milieu de l'agitation générale. Je m'arrête afin de scruter la foule. Aucun des visages que je découvre ne ressemble à celui du tueur, mais mon malaise refuse de m'abandonner. Bien au contraire. La voix d'Aretha se perd dans le lointain, comme étouffée par un mur.

> *Oooh, your kisses (oooh)*
> *Sweeter than honey (oooh)*

Mon cœur bat à tout rompre, j'ai les mains moites. Je serais bien incapable d'expliquer pourquoi… je sais juste…

Je me retourne d'un bloc.

À une vingtaine de mètres derrière moi, un homme me dévisage, immobile.

84

Il a une épaisse tignasse, une barbe fournie, une casquette des Lions sur le crâne, des lunettes d'écaille. Le col de son blouson est soigneusement relevé. Un déguisement.

Je ne vois pas ses yeux, mais je sais qu'il m'observe.

Je bats des paupières, désarçonnée, incrédule. La foule passe entre nous, des fans qui se rendent aux toilettes et qui visitent les boutiques, mais je le retrouve, immobile, à la faveur de chaque trouée. Il ne me quitte pas du regard.

C'est lui.

Une femme le bouscule par mégarde, il tressaille sans jamais détourner les yeux.

Le tueur se trouve juste en face de moi.

Il penche légèrement la tête, de façon à mieux me dévisager.

Les secondes s'écoulent et je reste interdite, le souffle coupé, comme paralysée. Je voudrais crier. *C'est moi. Je t'ai trouvé.*

Entre deux battements de cœur, Aretha Franklin continue de chanter, la foule continue de circuler. Nous restons hypnotisés l'un par l'autre.

L'instant aura duré deux secondes, ou peut-être dix ? Impossible à dire. C'est le temps qu'il me faut pour me souvenir que je tiens mon portable à la main, pour ne pas perdre de temps en cas de besoin.

La gorge palpitante, j'effleure du pouce la touche préenregistrée qui me permet de joindre instantanément le QG.

Au lieu d'enfoncer la touche, je lève les yeux sur notre homme. Un sourire d'une bienveillance amusée s'affiche sur son visage, jusque-là impénétrable.

Lui aussi tient à la main un petit appareil, sans doute un portable. Pourquoi diable aurait-il besoin d'un portable à ce…

Une explosion assourdissante retentit, qui m'empêche de sentir la douleur de l'objet qui ricoche sur mon visage. Mon cri se trouve noyé au milieu du vacarme ambiant tandis que le sol se rue sur ma joue qu'il gifle à la volée.

Frappée de stupeur, je ne comprends plus rien. Ni le contact poisseux du béton, ni la vue de mon sang, ni les éclairs des alarmes qui hurlent. Totalement sourde, je perçois pourtant le grondement du stade dont la structure tout entière se met à vibrer au rythme de la ruée affolée des spectateurs…

Je relève la tête et cherche des yeux cet homme que je traque depuis des mois. Je découvre alors une scène digne d'un film d'horreur muet. Les images de la foule en débandade s'impriment sur ma rétine dans le silence assourdissant qui m'entoure, des centaines d'individus paniqués, freinés par l'étroitesse des issues débouchant des tribunes, qui se ruent vers les sorties. Je me précipite à quatre pattes vers un poteau auquel je m'agrippe dans l'espoir d'échapper à la déferlante de ceux qui me piétinent les chevilles, trébuchent sur mes pieds. Je parviens enfin à me lover en position fœtale.

Je m'accroche désespérément à mon pilier tandis que les gens se poussent, se déchirent, s'escaladent en tentant de s'échapper. Je lève la tête afin d'aspirer une bouffée d'oxygène, mais je sens mes forces m'abandonner et le pilier glisser sous mes doigts gourds. Je sais déjà que je mourrai écrasée si je lâche mon appui.

L'air me manque, mes tempes sont près d'éclater, je combats la nausée et la peur qui m'étouffent. Combien de gens vont mourir là, aujourd'hui ? Impossible à dire. Il ne sert à rien d'y penser, mon nom figurera sur la liste des victimes si je lâche mon poteau de béton. *Il a encore gagné.* Notre homme nous a échappé, une fois de plus.

Il s'est évanoui dans la masse des soixante mille spectateurs qui se précipitent vers les sorties, qui envahissent sans doute déjà les rues avoisinantes, dans la panique de cette déflagration qui m'a rendue sourde. Il s'est montré plus malin que nous, comme de juste. Il était prêt. Il a toujours été prêt. Chaque fois que nous croyons le tenir, il nous précède et trouve la parade.

Il ne s'arrêtera jamais. Et jamais nous ne l'attraperons.

85

— Ne bougez pas, m'ordonne l'un des secouristes.

— Je n'ai rien, c'est juste une égratignure.

— Vous avez subi une commotion cérébrale et vous avez besoin de points de suture à la joue.

Le soleil a disparu et la pénombre naissante fait rougeoyer le ciel. Quatre heures se sont écoulées depuis les explosions. Les blessés les plus grièvement atteints ont été conduits aux urgences depuis longtemps. Peu de citoyens ordinaires hantent encore les parkings du stade Ford qui débordent à présent de véhicules du FBI, de la Sécurité intérieure, de la police d'État, sans parler des camionnettes des médias au-dessus desquelles tournoient les hélicoptères des chaînes d'information. Une explosion lors d'un match de la NFL? Du pain bénit pour la télévision.

Huit explosions, plus exactement, déclenchées à quelques secondes d'intervalle tout le long de la coursive sud du stade. Il ne s'agissait pas de bombes à proprement parler, plutôt de puissants pétards déposés à des points stratégiques dans des poubelles pleines, de façon que l'écho des déflagrations résonne dans tout le stade.

Les fans des Lions n'ont pas attendu ces explications pour prendre leurs jambes à leur cou en entendant les détonations. Ils n'ont pas fait la différence entre un feu d'artifice et un engin terroriste. La succession des explosions a déclenché un mouvement de panique que personne n'aurait pu arrêter, pas même le FBI. Quand bien même nos hommes auraient trouvé le moyen de contenir la foule, les règles de sécurité les plus élémentaires les en auraient empêchés. Les mesures d'évacuation en pareil cas prévoient l'ouverture en grand des portes de façon à… évacuer le public, précisément. Nous n'avions pas le choix, d'autant qu'il aurait très bien pu s'agir d'une attaque terroriste.

Books et ses équipes ont bien tenté d'empêcher cet enfer, en vain. Les gens avaient sauté dans leurs voitures et s'étaient enfuis avant qu'on ait pu reprendre le contrôle de la situation.

Books s'approche et me réconforte d'une main sur l'épaule.

— Tu as de la chance de ne pas avoir les tympans éclatés.

Je l'ai cru un temps.

— Tu étais juste à côté de l'une des poubelles contenant les M-80.

Je tâte d'un doigt prudent le pansement qui me barre la joue.

— Les M quoi?

— Des mortiers M-80. Au départ, ce sont des explosifs militaires. Ils ne sont plus en vente libre depuis les années 1960, mais les gens continuent de s'en procurer de façon illégale. Je crois bien en avoir fait exploser quand j'étais gamin. Ce trucs-là font un vacarme d'enfer. Ils sont quarante ou cinquante fois plus puissants que les feux d'artifice du commerce.

Je quitte péniblement l'ambulance où l'on m'a soignée. C'est tout juste si je tiens sur mes jambes.

— Comment a-t-il pu introduire des explosifs à l'intérieur du stade?

— Rien de plus facile, Em.

Books dessine un intervalle de moins de trois centimètres entre son pouce et son index.

— Ils ne sont pas plus gros que ça et ne contiennent aucun composant métallique.

— Et le détonateur?

— Probablement un détonateur à distance. On en trouve dans tous les magasins de feux d'artifice.

Super. C'est bon à savoir.

— Il nous attendait.

Books fait la moue.

— Les médias ne se sont jamais fait l'écho de nos déductions au sujet des matchs. Ce type-là est un petit malin, mais on le savait déjà. J'imagine qu'il avait pris ses précautions. En t'apercevant, il a compris qu'il allait devoir trouver le moyen de s'enfuir. Alors il a sorti son joker.

Je pousse un soupir. Nous sommes d'honnêtes joueurs de dames, face à un champion d'échecs.

— Pas de victimes?

Je tends le dos en attendant la réponse.

— Pas pour le moment. Plusieurs personnes ont été grièvement blessées lors du mouvement de panique. Je n'ai jamais vu ça.

Son regard se perd dans le vide, mais il se ressaisit aussitôt.

— Les détonations elles-mêmes ont choqué ceux qui se trouvaient à côté des poubelles, comme toi. La ruée vers les sorties s'est révélée autrement plus dangereuse. On parle de plusieurs centaines de fractures, de côtes cassées, de plaies et de bosses, mais aucun mort n'est à déplorer. Pour le moment, tout du moins.

Dieu soit loué. C'est la première bonne nouvelle de la journée.

Books me tend le portrait-robot de notre homme, établi à partir de ma description. Les cheveux, la barbe, les lunettes à monture épaisse, la casquette des Lions, le blouson de l'armée au col remonté.

Je hausse les épaules.

— Il s'agit d'un déguisement, bien sûr, mais le portrait est ressemblant.

— Très bien. Commençons par le retrouver sur les enregistrements des caméras de surveillance. À partir de là, on verra bien où il était assis et on pourra remonter sa piste.

— Tu vas avoir besoin de moi, je suis la seule à l'avoir vu.

Books me saisit le bras.

— Tu dois aller à l'hôpital, Em.

Je me dégage.

— Je vais très bien.

— Non, Emily Jean. Tu vas à l'hôpital. Ta joue a besoin de points de suture. C'est un ordre.

Je le fusille du regard. Il baisse les yeux le premier. Nous savons l'un et l'autre que jamais il ne me donnera des ordres.

— Emmène-moi tout de suite voir ces enregistrements vidéo, Harrison Bookman. Sinon, c'est toi qui auras besoin de points de suture.

86

Deux heures plus tard, dans l'odeur désagréable des restes du buffet qui végètent dans notre quartier général, Books, Sophie, Denny et moi avons tout de zombies, à force de visionner les enregistrements de la journée.

— Nous savons désormais qu'il ne portait pas ce déguisement à son arrivée, déclare Books.

Nous avons regardé les vidéos de chaque entrée sans parvenir à l'identifier. Notre homme portait une tenue différente lorsqu'il est entré dans le stade.

Books se frotte longuement le front, comme pour effacer une tache d'encre tenace.

— C'était pourtant notre meilleure chance de savoir où il était assis. Cela dit, nous n'avons pas dit notre dernier mot. Il est forcément passé devant de nombreuses caméras.

Je hoche la tête en feignant d'y croire. Ce type a pensé à tout. Il a une lieue d'avance sur nous en permanence.

— Allez savoir s'il retournera de sitôt assister à un match de championnat. Il n'y a plus qu'à compter sur son entêtement, mais je ne donnerais pas cher de cette hypothèse. On a laissé passer notre chance.

Je laisse retomber ma nuque sur le dossier de mon siège.

— Évitons de broyer des idées noires, intervient Sophie. Examinons la liste des matchs du week-end prochain et fourbissons un plan. C'est le cinquième week-end de la saison, non ? Emmy, tu nous as bien dit qu'il se rendrait prochainement en Pennsylvanie, à Pittsburgh ou à Philadelphie ? Voyons un peu…

Elle consulte la liste des matchs à venir.

— Regardez ! Figurez-vous qu'ils jouent l'un contre l'autre dimanche prochain. Les Eagles face aux Steelers, dimanche 7 octobre à 13 heures. C'est bon signe, non ?

Je ferme les yeux. En dépit des efforts louables de Sophie, je ne distingue pas la plus petite lueur d'espoir.

— Il sait que nous sommes au courant de ses habitudes, à présent. Tu ne crois tout de même pas qu'il ira se jeter dans la gueule du loup ?

— Désolé, je vous entends parler de Pennsylvanie sans savoir de quoi il relève, s'interpose Denny Sasser.

Chacun de nous est censé remplir une mission précise, et Denny se trouve le plus souvent sur le terrain. Il n'est pas au courant de ma petite théorie.

— Emmy s'intéresse à sa façon de choisir les stades, lui explique Books. Il a veillé à espacer ses déplacements dans une même région chaque fois qu'il devait se rendre dans des stades plus ou moins voisins. En Floride, par exemple, il a soigneusement espacé ses déplacements à Jacksonville, Miami et Tampa.

Denny acquiesce.

— Et vous avez remarqué qu'il ne s'était pas encore rendu en Pennsylvanie, c'est ça ? Il ne lui reste que quelques semaines, il a donc intérêt à y aller très vite s'il souhaite y retourner avant la fin du championnat. Je comprends le calcul.

Je suis ravi qu'il comprenne. Je m'en porte déjà nettement mieux.

(Il ne faut pas m'en vouloir. J'ai subi une commotion cérébrale, ce qui m'autorise à être odieuse, tant que je le garde pour moi.)

— Autoriserez-vous un vétéran tel que moi à vous suggérer une idée ? ajoute Denny.

— Allez-y, approuve Books.

— Pourrions-nous envisager la possibilité qu'il renonce *purement et simplement* à la Pennsylvanie ?

Je fronce les sourcils.

— Pour quelle raison ?

— Mais… la réponse me semble évidente.

— Moi pas.

J'ai réagi sèchement. Ma commotion cérébrale, encore une fois.

— Parce qu'il habite en Pennsylvanie, réplique Denny. Et qu'il tient à nous éloigner de son port d'attache.

Je me redresse sur ma chaise.

— On était partis de l'idée qu'il vivait dans le Midwest, rétorque Books. Vous vous souvenez ?

— Je m'en souviens, mais ça ne signifie pas que je sois d'accord avec vous.

J'agite un index en direction de Denny.

— Tous les meurtres commis en dehors du championnat de la NFL l'ont été dans le Midwest. Ce schéma montre qu'en dehors de la saison de football il tue près de chez lui.

— J'avais bien suivi votre théorie, approuve Denny.

Je me lève, intriguée.

— Si je vous comprends bien, Denny, vous êtes en train de nous dire que ce type nous entraîne volontairement dans la mauvaise région, puisqu'il passe son temps à multiplier les fausses pistes ?

— C'est à peu près ça, reconnaît Denny.

Books se tourne vers moi, le regard brillant.

— Il s'est arrangé pour nous persuader qu'il vivait dans le Midwest, au cas où nous remonterions jusqu'à lui. Tu le crois vraiment capable de tout anticiper à ce point-là, Em ?

La question provoque mon hilarité.

— Ce type-là n'a pas un train d'avance sur nous, mais une année-lumière, Books.

Il se lève à son tour en hochant la tête.

— Vous croyez vraiment qu'il vit en Pennsylvanie ?

— Si quelqu'un d'autre a une meilleure idée, qu'il l'exprime, acquiesce Denny.

Je me tourne vers Books.

— En tout cas, ça vaut la peine de tenter notre chance. Par quoi commence-t-on ? Les plaques d'immatriculation des véhicules garés près du stade ?

Books porte sa radio à sa bouche.

— Bookman pour Dade, équipe d'urgence. Bookman pour Dade.

Un nasillement s'échappe du haut-parleur quelques instants plus tard.

— Dade pour Bookman.

316

— Dade, vous êtes bien en train de visionner les vidéos des parkings du stade pendant le match ?

— Affirmatif. On vérifie les plaques d'immatriculation une à une.

— Avez-vous compté beaucoup de véhicules en provenance de l'État de la Pennsylvanie ?

— Attendez, je me renseigne.

Un silence pesant retombe dans la pièce.

Une lueur d'espoir vient de s'allumer au fond de moi.

— Le Commonwealth de Pennsylvanie.

— Je te demande pardon, Em ?

— La Pennsylvanie n'est pas un État, mais un Commonwealth.

Un grésillement nous annonce le retour de Dade.

— Bookman ? On a trouvé trois véhicules en provenance de Pennsylvanie.

— Vous pouvez relever l'identité de leurs propriétaires, Dade ?

— Bien reçu.

Books m'interroge d'un mouvement du menton.

— Tu me dis que la Pennsylvanie n'est pas un État, c'est ça ?

— Elle compte pour un État, mais c'est un Commonwealth.

— Tu me rassures. Je vois déjà le bordel au niveau des étoiles dans notre drapeau.

J'ouvre mon ordinateur, imitée par Sophie. Nous sommes prêtes à entamer les recherches dès que Dade nous aura communiqué les noms des automobilistes.

— Qu'est-ce que le Commonwealth, exactement ? insiste Bookman.

— Mais enfin, Bookman ! Comment veux-tu que je le sache ?

— C'est toi qui as abordé le sujet.

Les mérites comparés des États et des Commonwealths occupent cinq bonnes minutes de notre temps. Une façon comme une autre de calmer nos nerfs malmenés, en attendant la réponse de Dade.

— C'est bon, Bookman, j'ai les infos, grésille enfin la voix du responsable de l'équipe d'urgence. Vous êtes prêt ?

— Je suis prêt.

— Le premier véhicule est immatriculé au nom de David Epps, de Beaver Falls.

Dade nous récite l'adresse précise.

— Je m'en occupe, déclare Sophie en se penchant sur son clavier.

— Le deuxième véhicule appartient à un certain Marlon Cumerford.

Il épelle le patronyme du propriétaire de la voiture dont je note scrupuleusement l'adresse dans la commune d'Erie.

— Je me charge de lui.

— Quant au troisième, reprend Dade, il s'agit d'un dénommé Graham. Winston Graham.

87

Disons que c'est une intuition, au milieu des centaines d'hypothèses et de pistes que nous avons explorées depuis le début de l'enquête, mais la théorie de Denny, selon laquelle notre homme vivrait en Pennsylvanie, me semble parfaitement plausible. De toute façon, le nombre limité de véhicules immatriculés dans cet État (pardon, ce Commonwealth) nous permettra rapidement d'en avoir le cœur net.

L'affaire se présente assez mal dans un premier temps. En moins de vingt minutes, Sophie et moi avons éliminé les deux premiers noms de la liste. David Epps, de Beaver Falls, est un instituteur marié et père de trois enfants dont le frère vit à Détroit. D'où sa présence au match ce jour-là. Marlon Cumerford, d'Erie en Pennsylvanie, est un retraité de soixante-deux ans longtemps employé par la régie des transports de Détroit. Une simple vérification auprès de l'administration des Lions nous indique qu'il possède un abonnement annuel et ne rate jamais un match à domicile de son équipe fétiche.

Sophie et moi nous jetons à corps perdu dans l'étude de notre troisième candidat. Winston Graham représente notre dernière chance.

Je découvre les premiers éléments en parcourant les bases de données dont nous disposons.

— Célibataire, jamais marié. Pas de casier judiciaire. Ses empreintes ne figurent pas dans son dossier.

— Fils de Richard et Diana Graham, enchaîne Sophie. Parents tous deux décédés, le dernier il y a neuf ans. Fils unique, aucune famille. Élevé à Ridgway, Pennsylvanie. Vit dans une zone rurale isolée, à en juger par son adresse.

Je croise le regard de Books.

— Si je devais dresser le portrait de notre homme, je le décrirais comme un solitaire vivant à l'écart et disposant de beaucoup de temps libre.

Books marque son approbation d'un signe de tête en sortant son portable.

— Mettez-moi en contact avec l'agent de permanence au bureau de Pittsburgh, déclare-t-il dans l'appareil.

Au terme d'une attente qui me semble interminable, il est enfin mis en relation avec son collègue auquel il expose la situation.

— J'aurais besoin d'un mandat, lui explique-t-il. Vous pouvez me mettre en contact avec le procureur fédéral adjoint de permanence ? Très bien, j'attends.

L'opération peut prendre du temps. Une fois contacté, le procureur de permanence devra convaincre un juge fédéral de rédiger un mandat à cette heure tardive.

— Il s'appelle Winston Graham, précise Books à son interlocuteur.

Il épelle le nom du suspect, précise son numéro de Sécurité sociale, son numéro de permis de conduire, son adresse.

— J'ai besoin d'avoir accès à ses fadettes, ses comptes bancaires et ses relevés de cartes de crédit. Il me faut également un mandat de perquisition. Je rédige les formulaires nécessaires dans la foulée. Comment ? Pour… pourquoi ?

Books tourne comme un lion en cage, le portable à l'oreille.

— Bien sûr que oui. Urgentissime, même. Hé, écoutez-moi… écoutez-moi. Je me fous royalement qu'il faille réveiller le juge. Le type que nous recherchons est l'auteur de l'attentat du stade Ford aujourd'hui. Exactement ! C'est surtout l'incendiaire fou qui a tué des dizaines de personnes depuis des mois dans tout le pays. C'est… d'accord, mais on n'a pas le temps de tergiverser. On n'a pas le temps ! Arrangez-vous comme vous pouvez… oui, le plus rapidement possible. Je compte sur vous.

Books met fin à la communication.

— Putains de juristes, gronde-t-il. Il estime que nous n'en savons pas assez pour obtenir un mandat.

— On peut difficilement lui donner tort, commente Denny. Nous n'avons aucune assurance qu'il s'agisse du tueur. Ce Graham n'est qu'un habitant de Pennsylvanie parmi treize millions d'autres. Nous savons juste qu'il assistait au match aujourd'hui, au même titre que soixante autres mille spectateurs. Et qu'il vit seul. Je peux comprendre que ça soit insuffisant aux yeux d'un juge.

— Dans ce cas, voilà qui pourrait le faire changer d'avis, intervient Sophie en tournant dans notre direction l'écran de son ordinateur où s'affiche le dossier de Winston Graham auprès du Bureau des transports de Pennsylvanie.

— Ils ont ajouté une photo récente lorsqu'il a renouvelé son permis de conduire il y a huit mois, précise-t-elle. Sa tête ne vous dit rien ?

La photo, de mauvaise qualité, fait penser à l'image fortement pixélisée du tueur récupérée sur la vidéo de la Benny's Tavern, à Urbana, le jour de sa rencontre avec Curtis Valentine. Ce portrait de permis de conduire nous montre un personnage de face. Les yeux légèrement plissés face à l'objectif et les paupières à moitié baissées donnent l'impression d'un myope privé de ses lunettes. Contrairement à la vidéo du bar qui laissait deviner un homme entièrement chauve, Winston Graham possède de rares touffes de cheveux bruns au-dessus des oreilles. Des bajoues lui mangent le menton et il paraît plus vieux que ses quarante ans, mais le doute n'est plus permis.

— C'est lui.

Il y a quelques heures encore, je n'aurais jamais cru pouvoir retrouver le moral aussi vite.

— Putain, c'est lui, répète Books. C'est notre homme. Je me tourne vers lui.

— Quand part-on ?

— Le plus tôt sera le mieux, réagit Books. Retournons à l'hôtel boucler nos sacs.

88

Tout en rangeant mes affaires dans mon sac de voyage, j'écoute les infos sur CNN. Il n'est question que des explosions de Détroit et du «poseur de bombe du stade Ford». Ils passent en boucle les mêmes informations, faute de disposer de nouveaux éléments, en dehors des témoignages anecdotiques de spectateurs rapportant longuement la violence des déflagrations et la ruée vers les sorties. *On se serait cru le jour du feu d'artifice du 4 Juillet,* explique l'un d'eux. *J'ai bien cru que ma dernière heure était venue,* ajoute un autre, tandis qu'un troisième précise : *Les détonations arrivaient de tous les côtés à la fois.*

Des plans du stade Ford s'affichent à l'écran, traversés de flèches et constellés de points rouges qui clignotent aux endroits précis des explosions. Le poseur de bombe a bien choisi ses emplacements d'un point de vue acoustique, à en croire un représentant des autorités municipales. Il s'agissait avant tout de provoquer la panique en amplifiant l'écho des détonations.

La police exclut l'hypothèse d'un attentat islamiste. Le suspect est un individu de race blanche de trente à quarante ans. Une chasse à l'homme de grande ampleur a été lancée par toutes les polices, aussi bien localement qu'au niveau fédéral.

L'attentat a finalement fait trois morts, des personnes grièvement blessées lors du mouvement de panique qui a suivi les explosions.

Je sursaute violemment en entendant frapper à la porte de ma chambre. Je suis dans un tel état qu'un miaulement suffirait à me faire bondir au plafond.

C'est Books. Je lui ouvre la porte avant de retourner à mes bagages.

— Je croyais qu'on devait se retrouver dans le hall ?

— Oui, mais j'ai... j'ai eu envie de passer te voir.

— Pourquoi ? Changement de plan ?

— Non, aucun changement, mais le pilote ne rejoindra pas l'avion avant une bonne heure, ça nous laisse le temps de discuter.

— Je t'écoute.

Je me demande de quoi il souhaite me parler. Intriguée, je constate qu'il me tourne le dos, occupé à chasser une poussière sur le plateau de la commode qui meuble la chambre. Il lève une main hésitante, puis serre le poing.

— Au moment de la première...

Il éprouve le besoin de s'éclaircir la gorge.

Voyant qu'il reste silencieux, je me décide à lui faciliter la tâche.

— Au moment de la première explosion, au niveau de la tribune sud...

Je fais un pas dans sa direction.

— J'ai... j'ai cru que tu étais morte.

— Je vais très bien, Books. Il faut savoir passer à la suite. Ce n'est pas toi qui dis toujours ça ?

324

Il acquiesce. Books a toujours eu du mal à verba-
liser ses émotions.

— Très bien. Pensons plutôt…

— Je n'arrêtais pas de t'appeler et tu… tu ne
répondais pas.

Je reste silencieuse, les joues en feu.

— Il faut que je te dise la vérité, poursuit-il. Quand
on a commencé l'enquête, je ne croyais pas vraiment
à ta théorie. Tu avais réuni des éléments intéressants,
mais j'étais dubitatif.

Il détourne la tête. De profil, je découvre ses traits
fatigués, ses mèches en bataille.

— J'ai uniquement accepté de participer à l'enquête parce que c'était la *tienne*. Ça peut paraître
ridicule, à présent que l'histoire t'a donné raison et
que tu as démasqué ce monstre à toi seule.

— Si c'est le cas, j'en suis heureuse. Tout indique
que ce Winston Graham…

— Laisse-moi aller jusqu'au bout, Emmy. S'il te
plaît.

Il prend sa respiration.

— Je…

La sonnerie de son portable l'interrompt, laissant
flotter entre nous ce *je…* inachevé.

Il décroche d'un air agacé.

— Bookman à l'appareil.

Son visage se tend aussitôt.

— Comment ? Qui ? MS… ?

Il se tourne vers moi.

— Branche la télé sur MSNBC, Em.

Je me rue sur la télécommande, sans savoir sur quelle
touche appuyer pour trouver la chaîne d'info câblée.
La manœuvre ne prend qu'une poignée de secondes.

Le bandeau qui défile au bas de l'écran est explicite.

Dernière nouvelle : la chasse à l'homme
se poursuit en Pennsylvanie

— ... *où les enquêteurs croient savoir que se dissimule le poseur de bombe du stade Ford. Une source proche de l'enquête a révélé en exclusivité à MSNBC que la police fédérale s'apprêtait à se rendre dans la zone rurale de Pennsylvanie où aurait été localisé le poseur de bombe.*

— Saloperie ! Qui a laissé fuiter l'info ? Putain, qui a fait ça ? hurle Books dans son portable.

Je me caresse le menton d'une main. Il peut s'agir de n'importe qui. Nous avons contacté beaucoup de monde, depuis les magistrats jusqu'au bureau du shérif du comté d'Elk en passant par la police d'État de Pennsylvanie et l'antenne du Bureau à Pittsburgh. Il suffit d'une seule indiscrétion pour que la chaîne du silence soit rompue.

— Faites établir un périmètre de sécurité autour de sa maison immédiatement, ordonne Books à son interlocuteur. Si jamais il regarde la télé, il sait que nous sommes sur sa piste, et je serais surpris qu'il ne regarde pas les infos en permanence.

89

«Les confessions de Graham»
Enregistrement n° 21
Dimanche 30 septembre 2012

Ils viennent m'arrêter! Ils viennent m'arrêter!

C'est trop bien, vraiment trop bien. Alors, mesdames et messieurs du FBI? Vous êtes là, tout près? J'aimerais bien savoir comment vous avez eu le déclic. Comment avez-vous réussi à établir un lien entre moi et ce match? Putain de merde! Saloperie! Comment… qu'est-ce que… Ahhh! Saloperie!!!

Vous croyez peut-être que vous m'aurez vivant? Vous croyez vraiment, espèce de putain de connards de merde? Vous croyez pouvoir m'arrêter et me coller dans une cage pour m'étudier comme un rat de laboratoire, m'attacher sur une paillasse et me coller des électrodes sur le crâne pour être en mesure d'arrêter le suivant? C'est la meilleure! C'est le plus beau de l'affaire! Imaginer que vous avez les moyens de m'arrêter! Vous ne comprenez donc pas que c'est impossible? Jamais vous n'empêcherez le suivant de recommencer, tout simplement parce que le suivant, c'est vous! Je vis à l'intérieur de chacun d'entre vous! À ceci près que je ne me cache pas derrière un masque, que je ne conduis pas de 4 × 4 et que je ne sirote pas de café Starbucks en regardant mon gamin jouer au foot avec l'équipe de son collège. Vous êtes tous comme moi, exactement comme moi, et vous ne le savez même pas !

Vous m'entendez ? Vous m'entendez, bordel ?

Pourquoi est-ce que je devrais me laisser prendre vivant ? Hein ? Pourquoi ? Pourquoi est-ce que je devrais vous laisser m'examiner ? Vous ne le méritez pas. J'étais pourtant décidé à vous aider, j'étais prêt… Saloperie de saloperie ! J'aurais voulu vous aider à comprendre, mais qu'est-ce que j'en ai à foutre que vous compreniez, maintenant ? Vous n'avez rien fait pour mériter mon aide. Vous et tous les moutons qui vous suivent bêtement, vous ne méritez décidément pas que je vous apprenne quoi que ce soit.

Allez ! Continuez à vivre vos misérables existences moutonnières, à obéir aux autres, à vous convaincre que vous menez une existence normale et heureuse sans jamais vous soucier de savoir qui tire les ficelles, ce qui se passe réellement dans le monde, qui se cache derrière tous ces sourires et ces jolis costumes. Mais vous savez quoi ? J'en ai assez. J'en… Jamais vous ne m'aurez vivant. J'aurais pu vous apprendre des quantités de trucs, mais il est trop tard. Pourquoi faudrait-il que je me soucie de vous quand vous vous foutez de moi ? De moi ! Pourquoi est-ce que je compte si peu à vos yeux ?

Vous croyez vraiment pouvoir arrêter quelqu'un comme moi ? Jamais de la vie. Vous m'entendez, les mecs et les nanas du FBI ? Jamais ! Jamais vous n'arrêterez quelqu'un comme moi !

[Blanc de quatorze secondes.]

Je... j'arrive pas à y croire. J'arrive pas à y croire ! Tant pis pour vous, je refuse de m'en aller sur la pointe des pieds. Vous ne comprenez donc pas ? Je... je ne peux pas...

[Blanc de dix-huit secondes.]

C'est trop injuste. Trop injuste. C'est dégueulasse. Je ne suis pas comme vous l'imaginez. Sauf que vous ne comprendrez jamais. Vous ne chercherez jamais à comprendre. C'est bon, j'en ai soupé d'essayer de vous aider à comprendre. J'en ai assez.

Si vous saviez comme je suis fatigué. Je suis épuisé. Je n'ai pas envie, je n'ai vraiment pas envie. Vraiment, vraiment, vraiment pas. Je vous le jure.

Mais je n'ai pas le choix. Elle en sait trop.

[FIN]

90

4 heures du matin. Le noir absolu, un calme total, pas une lueur à l'horizon. Une fin de nuit d'automne dans la campagne de Pennsylvanie. Le calme est parfois trompeur.

La ferme de Winston Graham se trouve dans le comté d'Elk, loin du village le plus proche.

La propriété est entourée sur trois côtés par plusieurs hectares de broussailles et de champs abandonnés, à l'orée d'un petit bois. La maison elle-même est un bâtiment en brique. Le plan du bâtiment, obtenu auprès du cadastre, indique la présence de trois chambres donnant sur l'arrière, d'une cuisine, d'un salon et d'une pièce à vivre sur le devant. Un sous-sol court sur toute la longueur de la bâtisse.

Le chemin de terre qui conduit à la ferme serpente sur cinq cents mètres. La Buick Skylark de Winston Graham est garée devant le garage qui jouxte le bâtiment. Les équipes de l'URO, l'Unité de récupération d'otages, se sont mises en position discrètement au milieu des buissons, tout autour de la maison. Elles attendent le signal que doit leur donner Books dans leurs oreillettes. Habillés en noir de la tête aux pieds, ils portent des casques et des masques à gaz et sont armés de pistolets-mitrailleurs. Ils portent à la ceinture des grenades incapacitantes.

En observation à cinq cents mètres de là, je dirige mes jumelles à infrarouge sur la silhouette de la maison. Pas un mouvement, pas une lumière, à l'intérieur comme dehors. La ferme semble abandonnée.

— Merci, Votre Honneur, murmure Books dans son portable.

Il pousse un soupir de soulagement.

— Nous avons le mandat.

Il a passé une demi-heure au téléphone avec un juge fédéral de Pittsburgh à qui il a dû fournir les raisons qui nous poussent à vouloir fouiller le domicile de Winston Graham. Il ne manquait plus que de tomber sur un magistrat tatillon, estimant que nous ne disposions pas des éléments nécessaires.

Books porte sa radio à sa bouche.

— Bookman à Team Leader. Vous me recevez?

— Je vous reçois, Bookman.

La voix qui sort du haut-parleur rompt le silence de la nuit.

— Team Leader, nous sommes en code jaune.

— Bien reçu.

— Vous êtes en position, Team Leader?

Le chef de l'URO s'assure que ses hommes sont prêts avant de répondre.

— Nous sommes en position, prêts à passer à l'action.

Books nous consulte du regard. Nous sommes tous groupés autour d'un convoi de véhicules, invisibles depuis la ferme. Il y a là des voitures de patrouille du bureau du shérif du comté d'Elk, des flics d'État de Pennsylvanie, des pompiers, l'unité de déminage, des agents du FBI et de l'ATF.

— Team Leader, nous envoyons Kevin. Vous me recevez ?

— Bien reçu.

Books adresse un signe de tête au type de l'ATF debout à côté de lui, un dénommé Moore. Ce dernier est équipé d'un curieux appareil doté d'une caméra vidéo et d'un joystick. On dirait un ado s'amusant avec sa Xbox.

« Kevin » n'est pas exactement un jeu vidéo, mais un engin de détection d'explosifs monté sur une sorte de petit camion radiocommandé capable de pivoter à trois cent soixante degrés. L'écran de la télécommande permet de lire les images transmises par Kevin.

L'un des types de l'URO s'approche d'une fenêtre de la ferme restée ouverte. On pourrait croire que Winston Graham nous invite à entrer chez lui. Le type introduit Kevin par la fenêtre et le dépose sur le plancher du salon avant de se précipiter à couvert. L'écran de la télécommande de Moore s'anime. Nous suivons les mouvements du robot à l'intérieur de la ferme de Winston Graham. Le salon, meublé à l'ancienne, donne sur une petite cuisine ouverte. L'endroit est désuet, mais il n'est pas abandonné. Une bouteille de bière monte la garde sur le plan de travail. On aperçoit de vieux journaux éparpillés dans tous les coins.

Des journaux…

Un incendie se nourrit d'oxygène, de carburant et de chaleur.

La fenêtre ouverte fournit l'oxygène.

Les journaux figurent le carburant.

La diode de l'appareil de Moore rougeoie en clignotant, une alarme se déclenche. Kevin nous avertit du danger.

Il a détecté une source de chaleur.

Je me redresse.

— Ça va exploser !

— Bookman à Team Leader, éloignez-vous immédiatement. Vite !

Une déflagration sourde déchire la nuit. Un éclair orange traverse le salon qu'il embrase aussi sûrement que le souffle incandescent d'un dragon.

— Les équipes de pompiers à la manœuvre, aboie Books sur sa droite.

Le camion à incendie s'ébranle dans un long crissement de pneus, suivi par les hommes des forces spéciales dans leurs tenues ignifugées et les hommes de l'unité de déminage.

— Il n'aura pas voulu qu'on le capture vivant, commente Denny Sasser.

J'enfile le casque et l'épais manteau qu'on m'a fournis, un masque à gaz à la main.

— Ordre à tous les agents, hurle Books en se ruant à l'assaut du brasier. Installez un périmètre de sécurité ! Je ne veux pas un centimètre carré sans surveillance ! Il peut s'agir d'une diversion !

Je me précipite dans le sillage de Books. Inutile d'emprunter une voiture, nous rejoindrons la maison aussi vite au pas de course. Des volutes de fumée et des nuages orangés s'échappent déjà du toit.

— Le sous-sol... Il s'est réfugié... dans le sous-sol !

— Reste en arrière! m'ordonne Books en m'arrêtant de la main alors que la maison ne se trouve plus qu'à quelques mètres. Tu n'as pas l'autorisation d'entrer, Emmy. C'est un ordre!

Des agents de terrain armés, en combinaison à incendie, avancent à côté des pompiers afin de les défendre en cas de besoin. Le canon de leurs pistolets-mitrailleurs en avant, le bouclier levé, ils sont prêts à réagir au moindre signe de danger. Quelques instants plus tard, les lances à incendie entrent en action, soufflant les vitres qui se mettent à cracher d'épaisses volutes de fumée noire. Je reste à distance respectueuse de la maison en flammes, à l'abri derrière un bouclier blindé, dans l'attente d'une rafale, d'une explosion, de tout ce qu'a pu imaginer le maître de l'inattendu qu'est Winston Graham.

Les flammes orangées qui s'échappaient du bâtiment ne tardent pas à reculer en laissant derrière elles une carcasse détrempée qui continue de vomir des torrents de fumée âcre. Notre homme a soigneusement préparé l'incendie, mais que pouvait-il face à l'armée de pompiers postée à quelques centaines de mètres à peine?

— C'est bon ! crie une voix dans mon oreillette. Le rez-de-chaussée est sécurisé.

En clair, cela signifie qu'on n'a retrouvé ni piège, ni être humain, mort ou vivant.

Le sous-sol.

Les flammes ont probablement épargné le sous-sol.

— Reste là ! me dit Books à travers son masque à gaz.

Je m'exécute en reculant d'un pas.

Books disparaît dans l'épaisse fumée qui enveloppe la maison. Celle-ci ne flambe plus, mais il en émane une chaleur intense qui transperce mon bouclier et mon casque.

Je m'efforce de me raisonner.

Ce n'est pas ton boulot. Tu ferais plus de dégâts que de bien à l'enquête. Tu serais capable de passer à travers le plancher, ils perdraient un temps précieux à te tirer du guêpier. Ce n'est pas ton rôle.

J'enfile les lourdes bottes en plus du casque, du bouclier, du masque à gaz avec sa bonbonne à oxygène, du pantalon et du manteau ignifugés. Pourquoi m'avoir fourni tout ce harnachement si je n'ai pas le droit de m'en servir ? Ils ont disparu depuis cinq minutes lorsque j'entre dans la maison.

On ne voit rien à cause de la fumée, mais je connais la disposition des lieux aussi bien que les enquêteurs, grâce au plan fourni par le cadastre. J'aspire l'oxygène de mon masque à gaz tout en me débattant au milieu du brouillard sale qui m'entoure. Je m'intéresse principalement à ce qui reste du plancher calciné. Des fragments de papier brûlé flottent dans l'air, tels des confettis un jour de carnaval. La traversée du rez-de-chaussée est dangereuse, mais je suis loin d'être la première à m'aventurer à l'intérieur du bâtiment et la patience n'est pas ma qualité essentielle. En remontant le couloir au-delà de la cuisine et des chambres, je devrais trouver la porte du sous-sol.

Le battant s'ouvre sur un escalier qui s'enfonce dans un espace épargné par la fumée. Je descends prudemment les marches en essayant de me rassurer.

Il doit y avoir au moins dix agents en bas. Malgré son génie, je le vois mal venir à bout de dix vétérans du Bureau.

Enfin, j'espère…

Parvenue en bas des marches, je découvre un mauvais sous-sol aux murs et au sol grossièrement bétonnés. La chaudière, un adoucisseur d'eau, une machine à laver et un sèche-linge dans un coin, un banc de musculation près duquel reposent des disques en fonte.

Un long couloir traverse toute la longueur de la maison, percé de portes des deux côtés. Des agents les ouvrent les unes après les autres et investissent les pièces qu'elles dissimulent, l'arme au poing.

— FBI ! ATF ! Police fédérale !

Les cris se répercutent entre les murs de béton.

Je retire mon masque et m'avance à la suite des agents.

— C'est bon ! s'exclame l'un des hommes en s'adressant à Books.

Ce dernier n'a même pas la force de m'engueuler en m'apercevant, se contentant d'un haussement d'épaules. Chacune des pièces de la maison a été sécurisée.

Où te caches-tu, Winston Graham?

Je rebrousse chemin jusqu'à la première pièce, avec ses équipements de musculation. J'avise une grande armoire métallique dans un coin. Un parallélépipède gris à double battant dont le cadenas, ses mâchoires écartées, reste accroché à l'une des poignées.

Connaissant la maniaquerie de Winston Graham, ça sent le piège à plein nez.

Je lance l'alerte.

— Là! Regardez!

— Recule-toi, bon sang, s'énerve Books en me tirant par le bras.

Il désigne l'armoire à deux de ses hommes qui s'en approchent prudemment. Le premier retire le cadenas, le second écarte les battants simultanément d'un mouvement brusque.

L'armoire, d'apparence banale, contient trois étagères métalliques. Les deux premières sont vides, mais un objet est posé sur la troisième.

Quelques feuillets entourés d'un nœud violet.

— C'est quoi, ce truc? s'étonne Books en déchiffrant la page de garde. «Les confessions de Graham»… C'est quoi ce bordel?

92

L'aube chasse lentement la nuit, le ciel commence tout juste à s'éclaircir. De retour sur le petit chemin, nous avons étalé à même le sol d'une camionnette des forces spéciales les feuillets découverts dans l'armoire. Nous découvrons avec stupeur les élucubrations du tueur en série. Ces «Confessions de Graham» sont numérotées : il y en a vingt-deux au total, toutes datées. Il s'agit apparemment d'enregistrements réalisés grâce à ces petits enregistreurs dernier cri qui permettent la transcription automatique sur le papier des paroles consignées oralement.

Dans un premier temps, notre espoir est d'y trouver des indices susceptibles de trahir la cachette du monstre. Je ne m'attarde guère sur sa façon répugnante de se glorifier, sur les passages atroces enregistrés pendant qu'il torturait ses victimes, obnubilée par l'idée de découvrir une piste.

— Mary…

J'ai prononcé ce prénom tout haut en découvrant qu'il en est fait mention dans l'enregistrement n° 12, à l'occasion de leur rencontre dans un bar. La Mary en question revient à plusieurs reprises dans les chapitres suivants. Elle prend même une place centrale à mesure des enregistrements que je découvre. Il est clair qu'il s'en éprend, au point de s'ouvrir à elle. Elle fait figure d'obsession chez lui, il tombe même amoureux d'elle.

Mary est barmaid pour financer ses études, c'est une ancienne alcoolique. Reste à savoir quel est son nom de famille, à découvrir où elle vit. Nous allons devoir faire la chasse à toutes les Mary de Pennsylvanie.

On voit le tueur perdre les pédales quand il s'aperçoit que nous sommes sur ses traces. Il enchaîne les vantardises, mais on le sent de plus en plus nerveux. Il perd progressivement confiance tout en essayant de se convaincre, et nous avec, qu'il garde son sang-froid.

Comment compte-t-il réagir avec cette Mary ?

Je me tourne vers Books.

— Il faut absolument retrouver cette fille.

Il s'empare de sa radio.

— Où en est-on avec les chiens renifleurs de cadavre ?

— Ils viennent d'arriver, lui répond une voix. On va commencer par écumer la propriété avant de fouiller le petit bois voisin. Nous avons déjà plusieurs hommes sur place.

Je poursuis la lecture des confessions, sans rien découvrir d'utile. L'enregistrement 21, daté d'hier dimanche, dévoile un Graham en pleine déconfiture après avoir échappé au piège tendu au stade Ford. Tant mieux. Mais ses dernières paroles me glacent.

Elle en sait trop.

— Il a décidé de la tuer.

C'est alors que je tombe sur l'ultime confession, datée du 1er octobre. Aujourd'hui.

93

«Les confessions de Graham»
Enregistrement n° 22
Lundi 1er octobre 2012

Je ne voulais pas… Je ne voulais pas ça pour toi, Mary. Je ne voulais pas ça pour nous. Je te demande de me croire. Je t'en supplie, dis-moi au moins que tu me crois. Je t'ai menti. Je me suis menti à moi-même en essayant de me convaincre que je pourrais changer grâce à toi, que tout pourrait changer. Je t'en supplie, crois-moi. Tout aurait été différent si nous nous étions rencontrés plus tôt. J'aurais changé. J'en suis certain. J'aurais changé pour toi, Mary.

Il est trop tard à présent et je ne peux pas… Je suis désolé, Mary, je n'ai jamais été aussi désolé de toute ma vie, mais je ne peux pas. Je n'ai jamais rien regretté, jamais, mais je regrette aujourd'hui, parce que tu as ouvert des perspectives dans ma tête, j'aurais aimé les laisser s'exprimer, les explorer avec toi. Nous en aurions été capables, et tout se serait merveilleusement passé. Je voudrais tant que tu comprennes, Mary. Je t'en prie! Mais je n'ai pas le choix, je n'ai pas d'autre choix. Quand bien même tu m'aimerais, ils parviendraient à te faire changer d'avis, à te convaincre de leur parler de moi et je ne peux pas. Si je pouvais te laisser ici, je le ferais, mais c'est impossible. Je n'ai pas le choix. Dis-moi que tu me comprends. Je n'ai pas le choix. Ce n'est plus moi qui décide.

Ils viennent me chercher, Mary, ils vont te raconter toutes sortes d'horreurs sur moi et je ne supporterai pas que tu les entendes, je sais déjà qu'ils déformeront la vérité, c'est leur façon de procéder et je ne veux pas. Je veux que tu te souviennes de moi comme de quelqu'un qui t'aime. Parce que je t'aime, Mary. Je te le jure, je t'aime vraiment, c'est grâce à toi que je suis capable d'aimer.

Tu ne m'aimeras plus si tu les écoutes. Tu ne m'aimeras plus quand tu sauras la vérité. Tu ne m'aurais pas aimé de toute façon. Sans doute que non. Personne ne pourra jamais m'aimer ! Comment pourrait-il en être autrement ? Comment quelqu'un pourrait-il… tais-toi, Mary. Je t'en prie, tais-toi. Tu es la Mary que j'aime, ma chère, chère Mary Laney, je t'aimerai toujours, je ne t'oublierai jamais et il faudra bien que je m'en contente. Comprends-moi, je t'en supplie, ma douce Mary. Essaie de comprendre que je fais ça par amour pour toi. J'aimerais tellement qu'il en soit autrement, pourquoi faut-il que ça se passe de cette façon-là ? Pourquoi ne me laissent-ils pas tranquille, ne nous laissent-ils pas changer en mieux ?

Il ne nous reste plus rien, je ne veux pas qu'ils te fassent du mal ou qu'ils te montent contre moi. Je refuse de les laisser détruire ce qui nous unit. Je refuse.

Dors, ma douceur, ma princesse. Dors en m'emportant dans ton cœur, sache que tu ne quitteras jamais le mien. Je te promets que nous nous retrouverons un jour, très bientôt.

[FIN]

— Mary Laney. L-A-N-E-Y, épelle Books dans sa radio.

Assise par terre dans la camionnette des forces spéciales, mon ordinateur portable sur les genoux, je passe au crible les fichiers du service d'immatriculation des véhicules de Pennsylvanie et ceux des impôts.

— J'ai trouvé quatre Mary Laney dans la région de Pittsburgh.

— Encore faudrait-il qu'elle habite à Pittsburgh.

— Elle vit forcément dans le coin. Je ne sais pas ce qu'il lui a fait, mais il a trouvé le temps de revenir ici et d'ajouter la transcription de son dernier enregistrement à ses confessions avant de disparaître.

— Il a très bien pu l'assassiner ici même, remarque Books.

— Tais-toi. Ne me dis pas qu'il l'a tuée.

— À le lire, ça m'en a tout l'air, Emmy.

Je relève brusquement la tête de mon écran.

— Attends une seconde! Il précise son âge à un moment. Il dit qu'elle a trente-sept ans, c'est bien ça?

— Je… crois… que oui, marmonne Books en feuilletant rapidement les feuillets à la recherche des passages consacrés à la chère Mary de Winston Graham. Oui, c'est bien ça. Trente-sept ans. C'est-à-dire qu'elle serait née en 1975, ou bien fin 1974.

Je me branche sur le site des services de santé de Pennsylvanie.

— Si elle est née en Pennsylvanie, elle sera… là ! Allentown, Pennsylvanie. Mary… et merde ! Ce n'est pas Mary Laney, mais *Marty* Laney.

— Tu es sûre ?

— Évidemment ! Je sais encore faire la différence entre Mary et Marty.

— Il pourrait s'agir de son frère.

— Va savoir. Continuons à chercher.

Je croise les numéros de Sécurité sociale avec la base de données de la Justice. Elle a très bien pu avoir maille à partir avec la justice, à l'époque où elle buvait.

Rien. Les quatre Mary Laney de la région de Pittsburgh sont des citoyennes modèles.

— Essayons le fisc…

Les services fiscaux sont toujours une mine de renseignements. Même si elle n'est pas née en Pennsylvanie, elle y paie forcément ses impôts. Le mieux est de trier par date de naissance.

Quatre Mary Laney s'affichent à l'écran, avec le détail de leur état civil.

— 22 juin 1994… 13 mai 1982… 27 mai 1969…

Je fais un bond.

— Écoute ça. Date de naissance, 11 juillet 1975 !

Books hoche la tête.

— Tu crois que c'est la bonne Mary ?

— Attends, attends, attends… laisse-moi vérifier l'identité de son employeur…

Pourvu qu'il s'agisse d'un bar ou d'un restaurant…

— Oui ! Elle est employée au Ernie's Sports Bar !

— On tient notre barmaid de trente-sept ans ! s'écrie Books en saisissant sa radio. Ici Bookman. J'ai besoin des hélicos et de l'URO. Nous avons une localisation.

— Je t'accompagne.

Je l'ai repoussé d'une bourrade et j'ai sauté au bas de la camionnette avant qu'il ait pu répondre.

— Elle est encore en vie. Je le sens !

95

La nationale 85 qui traverse Kittanning en Pennsylvanie a été coupée dans les deux sens à un kilomètre du domicile de Mary Laney. Sa maison fait face à un terrain vague qui fournit aux hélicoptères une aire d'atterrissage commode. La police d'État fait déjà le siège du bâtiment lorsque nous arrivons.

Les hommes de l'Unité de récupération d'otages sautent l'un derrière l'autre des appareils et se regroupent un peu plus loin. La mission s'annonce simple en apparence, il s'agit de mettre Mary en lieu sûr, mais il n'est pas question de prendre des risques avec un homme aussi dangereux que Winston Graham.

Il a réussi à nous filer entre les doigts à plusieurs reprises en nous prenant de court chaque fois. Son dernier enregistrement laisse penser qu'il a l'intention d'abandonner Mary – *Je te promets que nous nous retrouverons un jour, très bientôt* – mais je ne serais pas surprise qu'il nous attende à l'intérieur.

Books rejoint les types de l'URO au pas de course et discute de la suite avec eux pendant que j'observe la maison, de l'autre côté de la route. Une bâtisse ordinaire à un étage aux murs de bois peints en bleu ciel, avec des volets blancs et un toit pentu. Elle est perchée en haut d'une butte que remonte une allée de pierre. Deux des hommes de l'URO s'approchent avec une échelle qu'ils plantent le long du mur de la maison, sous la protection des hommes de la police de Pennsylvanie, prêts à tirer. Au signal, ils se hisseront sur le toit de la galerie et s'introduiront à l'étage pendant qu'une autre équipe investira le rez-de-chaussée.

Il est encore trop tôt. Je regarde ma montre. À peine 7 heures du matin.

— Envoyez Kevin, ordonne Books.

Je dissimule mal mon impatience.

— C'est bien trop long. Elle est peut-être en train d'agoniser à l'intérieur.

Books hoche silencieusement la tête.

— Je te dis qu'elle…

— Je n'ai pas le temps, Emmy.

— Mary non plus n'a pas le temps.

— Écoute-moi : Dieu sait ce que ce type nous réserve. Sa maison a explosé quand on a voulu s'en approcher et je n'ai pas l'intention d'envoyer mes hommes au suicide. On commence par vérifier que la maison n'est pas piégée avant d'interven…

— Et si elle meurt dans l'intervalle, Books ? On a la possibilité de sauver une vie au lieu d'observer le règlement…

— Il ne s'agit pas uniquement de règlement, mais de prudence. Tu as envie que nos gens se fassent tuer, faute d'avoir pris les précautions les plus élémentaires ? Je te rappelle que j'ai la responsabilité de ces hommes.

— Mary reste notre meilleure chance de coincer Graham.

Books tourne la tête dans ma direction.

— Emmy, si tu ne te tais pas, je te passe les menottes. Il est hors de question que j'envoie des types se faire tuer sans savoir ce qui les attend. Surtout après toutes les surprises qu'il nous a réservées jusqu'ici. Tu veux être la première à franchir cette porte peut-être ?

Il s'éloigne en donnant des ordres dans sa radio.

Elle est en train de mourir, elle appelle au secours, elle espère un miracle, elle prie pour qu'on vienne la sauver. Toi aussi, Marta, tu as prié. Tu as prié pour qu'on vienne te sauver, mais personne n'est venu. Moi la première. Je n'étais pas là pour t'aider.

Je traverse la route en quelques enjambées.

— Emmy, qu'est-ce que tu fiches ? Arrête ! Emmy, arrête-toi !

Je m'élance sur l'allée de pierre qui serpente jusqu'à la maison.

— Que personne ne bouge ! crie Books dont la voix me parvient dans mon oreillette. Emmy, je t'interdis d'entrer dans cette maison ! C'est un ordre !

J'arrache mon oreillette en franchissant les trois dernières marches, je traverse la galerie et m'arrête devant la porte d'entrée. Un battant en bois muni d'un heurtoir à l'ancienne.

Je suis là, ma chérie. Je vais t'aider.

Et je tourne la poignée de la porte, m'attendant au pire.

Je m'avance dans l'entrée, prête à tout. Rien. Ni explosion, ni détonation.

Mes yeux s'arrêtent sur le plancher. Des taches de sang s'éloignent vers l'intérieur de la maison avant de disparaître à l'orée d'un couloir.

— Mary Laney?

Je suis les traces de sang en veillant à ne pas les piétiner, de façon à ne pas entraver le travail des enquêteurs.

— FBI!

Je passe devant une petite salle de bains et les traînées sanguinolentes me conduisent jusqu'à un salon meublé à l'ancienne, le sol recouvert d'un tapis à longs poils. Les traces s'arrêtent devant une porte.

La porte de la cave.

J'écarte le battant.

— Mary Laney!

Le sous-sol est plongé dans l'obscurité. Mes doigts cherchent l'interrupteur à tâtons. Je le trouve, mais rien ne se passe. Je sors mon iPhone dont je me sers comme torche. Le mince faisceau de lumière fait apparaître une douzaine de marches en bois et une balustrade. Je ne distingue rien au-delà du pied de l'escalier.

— Mary Laney !

Je descends les marches le plus rapidement possible, au cas où elles dissimuleraient un piège. De toute façon, je n'ai pas le choix.

J'arrive, Marta. C'est moi. Je vais t'aider, tiens bon. Ne meurs pas, je t'en supplie. Reviens, s'il te plaît.

Je dirige ma torche de fortune à droite et à gauche, l'oreille tendue.

— Mary ?

Ma voix s'est mise à trembler.

Je pose le pied sur le sol de la cave lorsque me parvient un faible gémissement sur ma droite.

Je tends la lumière en direction du bruit, le cœur battant.

Rien, si ce n'est un placard et...

Je sursaute violemment en découvrant dans le rai de lumière une silhouette immobile gisant sur le sol.

Une femme, à en juger par la longueur de ses cheveux. Je devrais normalement distinguer des yeux, un nez...

— Mon Dieu !

Les mots s'étranglent dans ma gorge en découvrant son visage couvert de sang, ses paupières tuméfiées, son nez réduit à l'état de pulpe, sa bouche en charpie.

Je m'accroupis près d'elle. Sa poitrine se soulève régulièrement au rythme d'un râle chuintant. Elle a un mouvement de recul lorsque ma main effleure son épaule. Je fais courir le rayon de la lampe sur sa chemise blanche couverte de sang, sur son jean. Elle ne semble pas avoir été poignardée ou blessée par balle. Uniquement frappée au visage.

— Mary ? Je fais partie du FBI. Vous êtes en sécurité.

Des bruits de bottes au-dessus de ma tête me signalent l'arrivée de la cavalerie.

Mary bouge imperceptiblement la tête, consciente de ma présence.

— Savez-vous où il se trouve, Mary ?

Elle reste sans réaction. Je lui caresse doucement le bras.

— Ne vous inquiétez pas, on va vous aider.

L'escalier tonne sous les pas des agents dont les puissantes Maglite dessinent de larges trouées dans l'obscurité.

— Vite, un médecin !

Je m'apprête à me relever lorsque la main de Mary saisit la mienne. Je serre ses doigts entre les miens, puis je m'approche de son visage.

— Ne… ne partez pas, murmure-t-elle.

— Je ne bouge pas, je vous le promets.

J'en ai les larmes aux yeux, la gorge nouée.

— Je suis là. Plus personne ne vous fera du mal.

Mary se met à trembler de tous ses membres, un gémissement aigu s'échappe de sa gorge. Un bras autour de ses épaules, je la serre contre moi tandis que les hommes de l'URO investissent le sous-sol, armés jusqu'aux dents.

— Tout va bien maintenant. Il ne peut plus rien contre vous.

Mais ma voix manque de conviction.

J'écarte brutalement les paupières, réveillée en sursaut par une explosion qui s'évanouit avec la conscience. J'ai multiplié les cauchemars de ce type ces derniers temps. Je rêve désormais moins de flammes que d'explosions qui font naître des incendies.

Je plisse les yeux, aveuglée par la lumière. Je n'ai jamais compris pourquoi les hôpitaux avaient systématiquement des plafonniers aussi puissants. Lorsque Mary Laney rouvrira les yeux, elle ne verra rien.

Car elle va rouvrir les yeux, les médecins en sont persuadés. Son visage tuméfié couvert de pansements et la perfusion qui serpente de la potence à son bras témoignent de la gravité de son état, mais les médecins ont détecté une *activité cérébrale normale*. C'est rassurant, à condition d'oublier qu'on ne fait pas d'électroencéphalogramme à un patient sans une raison sérieuse.

Mary souffre d'une commotion cérébrale et d'un nez en charpie. Ses dents sont intactes et elle ne souffre apparemment d'aucune fracture au visage, uniquement d'hématomes qui lui tuméfient les joues, les lèvres, les arcades sourcilières.

J'observe le mouvement de va-et-vient de sa poitrine, attentive à sa respiration paisible. Il nous faut attendre qu'elle se réveille pour lui soutirer des informations. Nous avons tenté notre chance lorsque nous l'avons retrouvée chez elle, mais elle tenait des propos incohérents. Les médecins nous ont confirmé qu'elle était sous le choc. Ils ont commencé par la soigner et procéder à des analyses, puis ont exigé qu'on la laisse dormir pendant au moins deux heures avant de lui parler.

Les enquêteurs fouillent les décombres de la maison de Graham en attendant. Ils ont découvert sur l'arrière du bâtiment les restes des pneus qu'il faisait brûler, ainsi que les aérosols et les masques à gaz dont il se servait pour asphyxier ses victimes. Ils ont également trouvé toute une panoplie d'instruments chirurgicaux ayant servi à torturer ses proies, ainsi que plusieurs traités médicaux. L'historique de ses recherches sur Internet a montré qu'il se rendait fréquemment sur des sites sado-pornographiques, ainsi que sur des sites médicaux. On s'est aperçu qu'il avait consulté les pages Facebook de la plupart de ses victimes ; sans jamais chercher à devenir ami avec elles, il s'informait sur leur lieu de vie, leur travail et toutes sortes de détails dont il se servait ensuite pour les appâter.

Enfin, il ne fait aucun doute qu'il s'est initié aux incendies sur Internet. Il a découvert un site détaillant le moyen de déclencher un feu à retardement ; il commençait par fixer à l'aide de scotch au plafond un ballon rempli d'essence, puis il plaçait sous le ballon une bougie allumée, près d'une pile de journaux. Graham reparti, la chaleur de la bougie finissait par crever le ballon en libérant l'essence qui s'enflammait et mettait le feu aux journaux. *Boum!* Lorsque les pompiers arrivaient, il ne restait rien du ballon, seules étaient encore identifiables les reliques de la bougie, accréditant la thèse que l'incendie s'était déclaré lorsque celle-ci était tombée malencontreusement sur une pile de journaux.

La photo du permis de conduire de Graham a fait le tour des chaînes et des sites d'information, personne n'ignore plus sa silhouette rondouillarde, son crâne dégarni et ses yeux en tête d'épingle.

On sait déjà qu'il se déguisera afin d'échapper à l'attention. Il portera une perruque, peut-être une moustache, modifiera la forme de ses sourcils, mettra des lunettes.

Reste à savoir où il est allé. Où il pourrait se réfugier.

Nous n'en avons aucune idée. Nous savons juste qu'il a retiré plus de deux cent mille dollars en liquide à sa banque, ce qui lui laisse une certaine marge de manœuvre.

La porte s'ouvre et Books entre dans la chambre. Il m'adresse un signe de tête glacial et pose les yeux sur Mary.

— Les deux heures ne sont pas encore écoulées.

— J'espérais un peu qu'elle se réveille d'elle-même.

— Je t'ai promis d'appeler dès qu'elle ouvrirait les yeux.

— Tu m'as fait bien des promesses, déclare-t-il en introduction d'un laïus dont je me doute qu'il l'a longuement répété dans sa tête. Tu m'avais promis de respecter mes instructions à la lettre si j'acceptais de prendre la direction de l'enquête, et ça n'a pas été le cas.

— Je n'ai pas envie d'en parler.

— Emmy, je t'ai donné un ordre clair et précis auquel tu as désobéi. Tu aurais très bien pu être tuée. Tu aurais pu causer la mort de Mary. Tu aurais pu déclencher une explosion qui nous aurait tous…

— Sauf que ça n'a pas été le cas. D'accord, Harrison ? Alors tais-toi un peu.

Books, planté en face de moi, laisse sciemment retomber le silence. Nous savons tous les deux comment finira cette discussion.

— Oh, et puis rien à foutre. Vire-moi de l'enquête si ça te chante. Vire-moi tout court du Bureau. Ça ne m'empêchera pas de continuer à le traquer.

— Je te relève effectivement de l'enquête, rétorque Books, faute de pouvoir te renvoyer du Bureau. Je compte sur Dickinson pour s'en charger. Il a déjà commandé un rapport complet à ton sujet. Après tout, il n'y avait guère que deux cents policiers assermentés sur les lieux. Ne compte pas sur moi pour prendre ta défense. Tu mérites d'être renvoyée.

J'appuie mon front sur la barrière de protection du lit de Mary, comme lorsque je me suis assoupie tout à l'heure.

— Alors, insiste Books.

— Alors quoi ?

— Je te relève de l'enquête.

— Je ne suis pas sourde.

— Dans ce cas, je te prie de sortir.

Je relève la tête.

— Pas question. Je lui ai promis de ne pas la quitter.

Books pose sur moi le regard mauvais qu'il me réserve chaque fois que je fais preuve d'entêtement.

— Tu lui as tenu la main pendant son installation dans l'ambulance, ensuite tout au long du trajet jusqu'à l'hôpital. Tu lui as tenu la main pendant que les médecins s'occupaient d'elle, je n'ai toujours pas compris qu'ils aient accepté. D'un autre côté, te faire changer d'avis relève de la mission impossible.

— Elle me trouvera à côté d'elle quand elle se réveillera, Books. Je refuse de m'en aller, que ça te plaise ou non.

— Que ça me plaise ou non! Que ça me plaise ou non! Emmy dans toute sa splendeur, qui fait ce qu'elle veut, comme elle veut, quand elle veut!

Ses sourcils s'agitent furieusement, il a le cou cramoisi. S'il le pouvait, il me sortirait de la chambre en me tirant par les cheveux.

Il en serait capable, mais il n'en a pas le temps.

Mary Laney nous interrompt en prenant une longue respiration.

98

Mary Laney, pliée en deux, est secouée par une violente quinte de toux qui lui fait cracher un mélange de sang séché et de mucus. Je relève la tête de son lit à l'aide de la télécommande avant d'appuyer sur le bouton d'appel.

Je lui prends la main et la caresse doucement.

— Nous sommes là, Mary. Tout va bien, vous êtes en sécurité.

Sa toux une fois calmée, elle reste immobile sur son lit en regardant droit devant elle de ses yeux tuméfiés.

Les souvenirs remontent à la surface.

Un faible gémissement s'échappe de sa gorge, ses épaules sont prises d'un tremblement et les premières larmes roulent sur ses joues violacées.

— Il ne pourra plus vous faire de mal.

— Est-ce qu'il… est-ce qu'il… est-ce que vous…

Les mots sortent, saccadés, entre deux sanglots.

— Nous ne l'avons pas encore arrêté, répond Books. C'est une question de temps, mais nous avons besoin de votre aide, Mary.

Tout en pleurant, Mary pose les yeux sur ses bras et ses jambes, se tâte le ventre comme si elle cherchait une arme pour se défendre. Puis elle porte lentement la main à son visage horriblement meurtri.

— Je suis l'agent Bookman du FBI, et voici ma collègue Emmy Dockery qui travaille en qualité d'analyste chez nous. Je suis désolé, mais je vais devoir vous poser quelques questions sans attendre.

Mary finit par acquiescer, le corps secoué de sanglots. Je lui tends un mouchoir en papier avec lequel elle se tamponne les yeux. Elle se tourne vers moi.

— C'est vous… qui m'avez trouvée. C'est vous… vous ne m'avez pas abandonnée.

Je lui saisis la main en lui adressant un sourire rassurant.

— Vous verrez, tout ira bien.

— Qu'a fait… qu'a fait Winston ? Il a vraiment tué… ?

Je me tourne vers Books, qui hoche la tête.

— Il est recherché pour meurtre. Une longue série de meurtres.

Elle accuse le coup. À en juger par le dernier chapitre des « Confessions de Graham », où il lui parlait tout en la brutalisant, elle a dû comprendre que ce n'était pas un enfant de chœur.

Nous sommes interrompus par l'arrivée d'un médecin.

— Je vous prie de sortir.

— Très vite, Mary, insiste Books en maintenant l'intrus à distance d'une main ferme. C'est très important. Vous a-t-il indiqué où il comptait se rendre ? Quelles étaient ses intentions ? Le moindre détail peut se révéler utile.

Mary s'éclaircit la gorge.

— Il m'a dit… il m'a dit…

— Je vous demande de laisser la patiente, s'agace le médecin.

— C'est très important, réagit Books. Allez-y, Mary. Que vous a-t-il dit ?

Elle avale difficilement sa salive en serrant les paupières.

— Il a dit que vous ne l'attraperiez jamais. Qu'il était invisible.

99

Le médecin nous pousse hors de la chambre sans ménagement, le temps d'examiner sa malade. Je remonte le couloir avec Books en passant devant les deux policiers fédéraux armés qui gardent la porte de Mary.

— Nous le trouverons. J'ai…

— Rentre chez toi, Emmy, siffle Books en me plantant là sans même se retourner.

— Je refuse de rentrer chez moi.

— Comme tu veux, mais tu ne restes pas ici, en tout cas. Tu ne fais plus partie de l'enquête.

Je me lance à sa poursuite. Books a toujours marché vite.

— Je peux t'aider à le retrouver. Tu sais bien que je peux t'être utile. Allez.

Il s'arrête devant les ascenseurs et enfonce le bouton d'appel.

— C'est fini, décrète-t-il. Je t'ai assez vue. Je ne peux pas diriger une opération avec des gens qui refusent de suivre mes ordres. Ce genre de comportement sape toute mon autorité. Si tu possédais un minimum de maturité, tu le comprendrais. Ce n'est malheureusement pas le cas. Tu es immature, Emmy. Complètement immature. Je t'ai assez vue.

Il coupe un lien imaginaire en fendant l'air du tranchant de la main.

— Je t'ai assez vue.

Je secoue la tête avec insolence. Comme une gamine immature, probablement.

— Je peux le retrouver. Je suis ton meilleur atout, pourquoi faudrait-il…

— Désolé.

Les portes de l'ascenseur s'écartent au son d'un carillon. Books entre dans la cabine et se retourne.

— Je t'ai assez vue.

Les portes se referment sur mes derniers espoirs. Au dernier instant, Books les écarte et ressort de l'ascenseur. Il s'approche à me toucher, au point que je recule machinalement.

— Tu t'imagines toujours que tu peux marcher sur les gens à ta guise sans qu'ils se rebellent ? gronde-t-il. Pour quelle raison souhaitais-tu que je prenne la direction de cette enquête, Emmy ?

— Je…

— Je vais te le dire. Tu souhaitais que je prenne la direction de cette enquête parce que tu étais persuadée de pouvoir me marcher dessus afin d'avoir les mains libres. Je me trompe ?

— Pas du tout. Si tu veux tout savoir, je voulais que tu diriges cette enquête parce que je savais que tu avais l'oreille du directeur, également parce que tu es l'un des meilleurs enquêteurs du Bur…

— Arrête tes conneries, je t'en prie. Tu pourrais au moins avoir la décence d'être franche. Tu cherchais quelqu'un que tu pourrais manipuler à ton aise, et je remplissais toutes les conditions à tes yeux.

Il agite sous mon nez un index menaçant.

— Tu veux que je te dise ? C'est la dernière fois que tu te sers de moi.

— Très bien. Alors tu es prêt à laisser courir un tueur parce que tu n'as jamais accepté que je ne veuille pas t'épouser.

Il recule sous le choc, bouche bée.

— Waouh. Tu es vraiment quelqu'un, tu sais.

Il a raison, j'ai dépassé les bornes.

— Je… je suis désolée, Books. Ce n'est pas ce que je voulais dire.

Il serre les mâchoires en refusant de croiser mon regard.

— Si tu n'as pas déguerpi de cet hôpital dans cinq minutes, je te fais coffrer.

— Agent Bookman !

L'un des marshals qui surveillent la porte de Mary se précipite vers nous.

— Mme Laney souhaite vous parler.

— Formidable, acquiesce Books qui voit dans cette interruption un moyen commode de mettre un terme à notre conversation.

— Elle… euh… elle insiste pour que Mme Dockery soit également présente, s'excuse-t-il d'un air gêné.

Books baisse la tête d'un air défait. Enfin, il m'adresse un regard glacial.

— Mme Dockery a été relevée de ses fonctions.

— Oui, monsieur, mais…

Le marshal toussote de façon embarrassée.

— À vrai dire, elle ne veut parler qu'à Mme Dockery.

Books se passe la main dans les cheveux en laissant échapper un grognement.

Je refrène mal un petit sourire.

— C'est la quadrature du cercle.

Ma remarque n'amuse guère Books qui s'élance dans le couloir à grandes enjambées.

— Alors ? Tu viens ? m'appelle-t-il sans se retourner.

100

— Il paraissait tellement… normal, déclare Mary Laney d'une voix rauque.

Le pansement qui lui dissimule le nez a été changé. Ses yeux tuméfiés ont viré au bleu. Le simple fait de la regarder fait monter mes larmes.

On a retrouvé une batte de base-ball en aluminium aux armes des Louisville Slugger, couverte de son sang, dans le sous-sol de sa maison. Graham l'a frappée sans relâche, jusqu'à la transformer en une baudruche sordide.

Le choix de cette batte de base-ball n'est pas anodin. Quelle signification doit-on y voir ? On ne pouvait pas s'attendre à ce qu'il torture Mary de la même façon que ses victimes précédentes. Il ne pouvait pas l'ébouillanter, la scalper, lui découper les centres nerveux des articulations, mais pourquoi une batte de base-ball ? Pourquoi ne pas l'abattre d'une simple balle ?

— Il était bizarre, il n'était pas sûr de lui, poursuit Mary, mais il était totalement inoffensif. J'ai bien senti que… qu'il avait du mal à s'accepter tel qu'il était, mais je le sentais se détendre à mesure qu'on apprenait à se connaître. Il se montrait d'une grande gentillesse et d'une grande douceur.

Elle a prononcé ces mots en nous regardant. Du moins est-ce ce que j'imagine en la voyant tourner la tête. Ses yeux restent invisibles derrière ses paupières tuméfiées.

— J'ai bien conscience que ça paraît fou aujourd'hui, se justifie-t-elle.

— Pas du tout, Mary. Winston Graham a dupé des quantités de gens. Il était passé maître dans l'art de tromper le monde. Il trouvait le moyen d'entrer chez des femmes seules qui ne le connaissaient pas. Je peux vous assurer que ça nécessite un don particulier.

Mary glisse dans sa bouche des morceaux de glace pilée récupérés dans le gobelet en polystyrène posé sur sa table de nuit. Elle les suce lentement.

— La première fois que je l'ai rencontré, il m'a dit qu'il était un tueur en série.

— Vraiment ?

Elle ne peut pas se douter que nous savons tout de ses premiers échanges avec elle grâce aux transcriptions des «Confessions». Des confessions dont elle ignore l'existence, Books ayant souhaité attendre un peu avant de lui en parler.

— La conversation s'est déroulée dans le bar où je travaille. Il…

Mary porte la main à l'oreille, imitant le geste de quelqu'un qui téléphone.

— J'ai cru qu'il enregistrait ses pensées dans un petit appareil qu'il tenait à la façon d'un portable. Je lui en ai fait la réflexion, ça l'a intrigué, et tout est parti de là. Quand il m'a affirmé avoir tué tout un tas de gens, j'ai cru qu'il plaisantait.

— Tout le monde aurait réagi comme vous.

Mary nous fait le détail de ses rencontres avec Graham et nous faisons semblant de ne pas être au courant. Sans nécessairement évoquer les détails rapportés par Graham dans ses confessions, son récit concorde. Le soir où il s'est introduit subrepticement dans son bar afin de l'observer. («Avec le recul, ça aurait dû me mettre la puce à l'oreille, avoue-t-elle avant d'ajouter : J'avoue que ça m'a flattée. Les hommes font rarement attention à moi.») Leur rendez-vous suivant, lorsqu'ils ont pris un verre ensemble après son boulot. Puis ce samedi soir où Graham a brusquement interrompu ses virées meurtrières. La flambée dans la cheminée, les baisers et les caresses, l'évocation d'un engagement plus sérieux.

En tout, Mary s'épanche pendant près de trois heures. Books, le meilleur spécialiste de l'interrogatoire que je connaisse, ne laisse aucun détail lui échapper. À force de patience, il parvient à recueillir chez Mary la plus petite émotion. De mon côté, jamais je ne lui lâche la main.

— J'ai honte, conclut-elle. Vous devez me prendre pour une sacrée idiote.

— Vous êtes une fille super. C'est même pour cette raison que vous lui avez plu. Vous avez réussi à toucher son âme, Mary. Ce n'est pas pour rien qu'il vous a laissée en vie, alors qu'il a tué tous les autres. Et il ne se contentait pas de les tuer, il les torturait longuement et les brutalisait. Pas vous, alors qu'il avait toutes les raisons de vous tuer. Il n'a pas pu s'y résoudre. Vous étiez différente des autres.

— J'ai eu de la chance, c'est tout.

— Il ne s'agit pas de chance, la corrige Books. Il vous a frappée avec une batte de base-ball. Il lui aurait été facile de vous achever s'il l'avait voulu. Croyez-moi, Mary. En dépit de vos blessures, il n'a pas frappé si fort que ça. Il aurait pu provoquer de graves lésions au cerveau d'un coup plus puissant. Il est clair qu'il hésitait.

— Vous plaisantez ?

— Pas du tout. On assiste à des phénomènes similaires en cas de suicide. Chez les gens qui se tranchent les veines, par exemple. Ils commencent par hésiter, on découvre donc par la suite des plaies relativement superficielles, qu'on appelle justement des *plaies hésitantes* dans notre jargon. C'est seulement ensuite qu'ils trouvent le courage de s'ouvrir les veines.

— Un coup de batte *hésitant*.

— Si tu veux, approuve Books avant de se tourner à nouveau vers Mary. Il voulait vous tuer, tout en se retenant chaque fois qu'il vous frappait. Au fond de lui, il n'en était pas capable. Il tenait trop à vous.

Elle laisse échapper un rire amer.

— J'ai beaucoup réfléchi pendant qu'il me frappait, mais j'avoue n'avoir jamais pensé qu'il tenait trop à moi, comme vous dites.

Books a raison. Cette hésitation explique que Graham se soit servi d'une batte, et non d'un couteau ou d'une arme à feu. Jusqu'à la fin, il n'était pas certain de vouloir la tuer.

— Que… que va-t-il se passer à présent ? reprend Mary.

Books hoche la tête.

— Vous resterez ici quelques jours en observation, sous bonne garde. À votre sortie, nous vous placerons sous protection dans un lieu secret.

La main de Mary se crispe sur sa poitrine.

— Vous croyez qu'il pourrait *revenir* ?

— Nous ne pouvons pas écarter cette possibilité. Ne vous inquiétez pas. Jamais il ne découvrira votre retraite. Nous serons très prudents. Vous serez gardée en permanence.

— Par qui ? Par des agents du FBI ?

— Ou par des marshals fédéraux. Des pros, en tout cas.

Mary baisse la tête, abattue.

— Je ne veux pas me cacher. Je ne peux pas.

Je tente de la rassurer.

— C'est provisoire, en attendant qu'on l'ait arrêté.

— Vous pourriez être en danger, ajoute Books. Il peut très bien changer d'avis et décider qu'il veut vous voir morte. Ou bien vouloir vous enlever, histoire de vous garder pour lui seul.

Mary secoue la tête en soupirant. Soudain, son regard se pose sur moi.

— J'accepte uniquement si vous m'accompagnez.

101

Ça ne colle pas. Ça ne colle vraiment pas.

Réfugiée dans la cafétéria de l'hôpital, je relis une nouvelle fois mon exemplaire des «Confessions de Graham», sans parvenir à découvrir où le bât blesse. Denny et Sophie, qui nous ont rejoints en Pennsylvanie, sont également plongés dans les élucubrations de Graham, à côté de moi. À ce stade, nous n'avons rien de mieux à nous mettre sous la dent.

Une question me taraude.

— Pourquoi diable s'est-il lancé dans ces confessions aussi récemment? Il a commencé au mois d'août, alors que les premiers meurtres datent de septembre 2011. Pourquoi s'être décidé à enregistrer ces aveux au bout de onze mois?

Denny glisse entre ses lèvres un cure-dent qu'il mâchonne consciencieusement.

— Allez savoir. Il aura brusquement décidé qu'il était temps de laisser derrière lui une trace de son génie.

Je réponds par la négative d'un mouvement de tête.

— Ce type-là est bien trop méthodique. Je suis convaincue qu'il aurait pensé à enregistrer ses mémoires dès le départ. Il n'est pas du genre à improviser en cours de route. Nous en avons la preuve depuis le début, il nous le confirme chaque fois qu'il se vante de son esprit de discipline, de son sens de la préparation et de l'exécution.

— La question est donc de savoir ce qui a pu déclencher un tel changement chez lui, intervient Sophie. Demandons-nous ce qui s'est passé en août dernier, au point de changer la donne par rapport à septembre 2011.

— Nous n'avons aucune indication de la survenue d'un traumatisme particulier dans sa vie privée, reprend Denny. Ses parents sont morts il y a neuf ans. Il n'avait pas de frères et sœurs, de femme ou d'enfant. Pas de petite amie. Avant Mary, bien entendu. Il n'avait ni amis ni proches, pas même un animal de compagnie.

Le mois d'août dernier…

Il n'a pourtant jamais modifié sa technique à cette époque. De mon côté, je poursuivais mes recherches et j'envoyais des e-mails à Dickinson quand je ne m'engueulais pas avec la police de Peoria…

Je fais un bond sur ma chaise, au point de renverser une partie du gobelet de café posé devant Denny.

— Attendez une seconde ! Le mois d'août… c'est à ce moment-là que la presse s'est fait l'écho de mon désaccord avec les flics de l'Arizona. C'est à ce moment-là que le journal de Peoria a publié un article dans lequel j'affirmais que la mort de Marta n'était pas un accident, mais un meurtre. Le journaliste a soigneusement insisté sur mon appartenance au FBI.

370

— Il a pu lire cet article, concède Denny.

— Il l'a lu, vous voulez dire ! Il suit tout, jusqu'au plus petit détail. En découvrant l'article, il s'est dit que le FBI pourrait bien venir fouiner un jour ou l'autre dans ses affaires.

La réalité n'est pas aussi rose, car ma hiérarchie a longtemps rejeté mes théories en bloc. Il a fallu l'intervention de Books auprès du directeur pour que tout bascule, mais Graham ne pouvait pas s'en douter. La prudence lui dictait de prévoir ses arrières au cas où le FBI se lancerait dans une enquête à travers le pays.

— C'est la première fois au mois d'août que Graham s'est senti menacé.

— Ce qui l'aurait poussé à rédiger un journal ? s'étonne Sophie. Pour quelle raison ? Pour s'expliquer si jamais il se faisait prendre ?

Je fais la grimace. Ça ne colle toujours pas. Aujourd'hui, les tueurs en série se trouvent glorifiés par les médias. Quand bien même on lui mettrait la main dessus, il aurait les journaux et les télés à ses pieds, prêts à tout pour lui servir de caisse de résonance. On verrait fleurir une foison d'articles ou d'émissions avec des titres racoleurs, du style *Dans la tête d'un prédateur*.

Je tapote d'un doigt mon exemplaire des « Confessions ».

— Vous savez ce que je crois ? Je suis persuadée que ces enregistrements sont une diversion. Ces pages sont conçues pour nous embobiner, nous lancer sur une fausse piste le jour où nous approcherons de la vérité. Pourquoi pas ? Si le FBI était à mes trousses, qu'est-ce qui m'empêcherait de laisser bien commodément dans mon sillage des informations erronées?

— Reste à trier le vrai du faux dans ces enregistrements, réagit Denny.

— Une question passionnante, nous interrompt la voix de Books. Tu auras tout le temps de te la poser quand tu assureras la surveillance de Mary Laney dans sa planque, Emmy.

La température baisse instantanément de plusieurs degrés à l'intérieur de la cafétéria. Denny et Sophie s'éclipsent aussitôt. Comme Books ne s'assoit pas, je me lève afin de lui faire face. La table nous sépare.

— Tu pars demain, m'annonce-t-il. Denny t'accompagne.

— Très bien, super. J'en profiterai pour continuer mes recherches. Je t'enverrai mes conclusions par e-mails, ou alors je t'appellerai…

— Les e-mails seront largement suffisants, me coupe Books sans même m'accorder un regard.

Il tripote machinalement un dossier de chaise.

— Je te souhaite bonne chance, fais att…

— Allez, Books! Arrête. J'ai bien conscience de ne pas avoir suivi le règlement à la lettre, mais ce n'est pas comme si j'avais tué quelqu'un. On dirait que je t'ai insulté personnellement. J'ai seulement voulu aider cette femme, et tu me traites comme si je t'avais craché à la figure.

Toujours sans croiser mon regard, il secoue la tête d'un air amusé.

— C'est terminé, Emmy. Dans tous les domaines. N'hésite pas à m'envoyer un e-mail si tu crois tenir un détail intéressant, je ne t'empêche pas de poursuivre tes recherches, mais tu ne fais plus partie de l'enquête et tu ne fais plus partie de ma vie. Très sincèrement, je ne veux plus jamais te voir ou te parler.

Je ploie sous le choc. Je ne m'étais pas rendu compte à quel point je l'avais blessé. À quel point j'avais remué le couteau dans la plaie de notre séparation.

— C'est clair, Emmy ? Nous sommes bien d'accord ?

Je balaie la phrase d'un geste.

— Très bien, parfait, comme tu veux.

Books acquiesce avant de s'éloigner.

Je le rappelle.

— Books, pour ce que ça vaut, je suis sincèrement désolée.

Il s'arrête, sans se retourner pour autant.

— Ça ne vaut rien. Plus rien, en tout cas.

102

Lorsque je retrouve Mary Laney le lendemain soir, elle a troqué sa chemise d'hôpital contre une tenue ordinaire. Ce retour à la normale lui fait visiblement du bien, en dépit de son visage tuméfié et de la coque qui protège son nez fracassé.

— Vous êtes prête? Ils passent nous prendre dans quelques minutes.

— Je me sentirai mieux quand je ne ressemblerai plus à Elephant Man.

Je quitte la chambre, heureuse de constater qu'elle a conservé son sens de l'humour. À l'extrémité du couloir, Denny est en grande conversation avec un inconnu.

— Ah, Emmy! Je vous présente Jim Demetrio. Jim, voici Emmy Dockery.

Demetrio, légèrement plus grand que moi, doit mesurer un mètre soixante-dix-huit. Un type trapu, dans la force de l'âge, vêtu d'un polo et coiffé d'une casquette de base-ball.

— Ainsi donc, vous êtes la tristement célèbre Emmy Dockery, plaisante-t-il. Celle qui a résolu l'affaire.

Je serre la main qu'il me tend.

— Je n'irais pas jusque-là.

— Celle qui a découvert l'existence de ces meurtres, en tout cas, sourit-il. On peut dire que vous vous êtes distinguée.

— Jim a pris sa retraite du Bureau, m'explique Denny. Il travaillait pour l'antenne de Pittsburgh jusqu'à l'année dernière. C'est l'un des meilleurs profileurs de tueurs en série que je connaisse. Il a préféré intégrer le privé en tant que consultant.

Grand bien lui fasse. Je me demande pourquoi je serre la main d'un mec pareil.

— Jim s'est porté volontaire pour les recherches.

— Très bien, merci beaucoup.

Nous écumons actuellement plusieurs kilomètres carrés de forêt situés près de la ferme de Winston Graham, à la recherche de cadavres éventuels, de caches d'armes, de tout et de n'importe quoi. Toutes les bonnes volontés sont les bienvenues.

— Il n'y a pas de quoi, réplique Demetrio. Je ne suis pas fâché de me salir un peu les mains.

— Jim nous prête également sa maison dans l'Oregon, ajoute Denny.

Je comprends mieux sa présence ici. Le Bureau a décidé de cacher Mary Laney dans un cabanon proche de Cannon Beach, sur la côte de l'Oregon.

— L'endroit rêvé pour une planque, précise Demetrio. J'ai installé moi-même le système de surveillance. La maison est perchée au sommet d'une colline entourée d'un ravin, impossible de s'en approcher autrement que par un chemin goudronné protégé par un portail. Votre témoin sera complètement à l'abri.

— Très bien, je vous remercie.

— Vous m'autorisez une question ? demande-t-il en se penchant vers moi. Comment avez-vous fait ? Comment avez-vous pu reconstituer le puzzle ?

Je hausse les épaules. J'ai d'autres préoccupations plus urgentes. D'un autre côté, ce type nous prête son cabanon et participe aux recherches. Entre collègues, je peux bien lui répondre.

— Grâce aux données récurrentes. La répétition exacte de sa technique. Les incendies étaient génialement exécutés à condition de s'y intéresser individuellement, mais ils étaient répétitifs si on les envisageait dans leur globalité.

— *Génialement,* répète-t-il. Vous croyez vraiment que c'est un génie ?

— Je crois que c'est un monstre, mais un monstre très intelligent.

Demetrio plisse les paupières.

— Évitez de le considérer comme un monstre. C'est un être humain avec ses motivations, aussi dévoyées soient-elles de votre point de vue…

— C'est un monstre.

Demetrio pâlit, vexé.

— Si vous le dites.

Je me tourne vers Denny.

— Mary est prête.

— Dans ce cas, j'y vais, décide Demetrio en appuyant sur le bouton de l'ascenseur. Ravi de t'avoir vu, vieux frère. De toute façon, je dois me rendre là-bas dans quelques jours. Je passerai vous voir.

— Bien sûr, acquiesce Denny. Encore merci, Jimmy.

Demetrio me dévisage longuement.

— Quelle sera la prochaine réaction de ce *monstre,* Emmy ? Qu'en pensez-vous ?

J'essuie la paume de ma main moite sur mon jean au moment où s'écartent les portes de l'ascenseur.

— J'en pense qu'on va l'enterrer six pieds sous terre.

Un sourire sarcastique s'affiche brièvement sur les traits de Demetrio.

— Ne le sous-estimez pas, déclare-t-il avant de s'engouffrer dans la cabine.

103

À notre arrivée à l'aéroport de Portland, nous sommes accueillis par une escorte du FBI et un rideau de pluie ininterrompu. Je descends de l'avion avec Mary et Denny, nous nous engouffrons aussitôt dans l'une des voitures qui nous attendent. Elle est conduite par Getty, un agent de terrain rattaché au bureau de Pittsburgh, qui s'empresse de démarrer.

Mary regarde le paysage noyé de pluie de l'autre côté de la vitre.

— Vous êtes sûre que personne ne connaît notre destination ?

Je me tourne vers elle.

— Nous avons fait preuve de la plus grande prudence. En dehors de nous deux et des quatre agents chargés de notre protection, seul Bookman est au courant.

— Personne d'autre ? Vous êtes sûre ?

— Absolument personne. Essayez de vous détendre. Je me trompe, ou bien vous n'êtes pas du genre à rester longtemps en place ?

— Je sais. Mon père disait toujours que je ne m'arrêtais jamais, que j'étais incapable de rester inactive. Ma petite abeille affairée, comme il me disait en multipliant les *bzzzz-bzzzz* chaque fois que je passais à côté de lui.

Le véhicule s'arrête au péage du parking. Mary rentre discrètement la tête dans les épaules, mais son réflexe ne m'a pas échappé.

Il est d'autant plus étrange de la sentir aussi inquiète qu'elle possède la carrure et les muscles d'une championne de vélo ou de course à pied. Elle a eu l'occasion de m'expliquer que le sport l'avait aidée à surmonter sa dépendance à l'alcool. Ses cheveux bruns et raides, d'une coupe toute simple, lui tombent sous les oreilles. Difficile de dire si elle a du charme à la vue de son visage tuméfié, de la coque qui protège son nez.

La pluie fouette la carrosserie tandis que la voiture s'engage sur la grand-route. Je voudrais que Mary se détende, qu'elle parvienne à dormir un peu pendant le trajet.

— Personne d'autre ne sait où nous allons ? insiste-t-elle.

— Je vous le jure, Mary.

— De toute façon, il ne s'attaquera plus à moi. Pas vrai ?

Elle me sonde du regard.

— J'en doute. Toutes les mesures de protection ont été prises.

Un 4 × 4 nous double et Mary rentre à nouveau la tête en se protégeant le visage. Cette fois, elle a vu que je remarquais son manège.

— Désolée.

Je pose une main sur son bras.

— Vous vous inquiétez pour rien. Personne ne sait que vous êtes ici. Je vous le jure.

Il fait nuit lorsque nous traversons Cannon Beach, près de deux heures plus tard. La voiture remonte une rue étroite à moins de cinquante mètres des eaux du Pacifique. Je baisse ma vitre afin de respirer l'air marin chargé d'humidité. Je ne suis pas en vacances, Dieu sait, mais je me prends à rêver. Les hôtels, les boutiques et les restaurants, les boutiques de souvenirs se succèdent de l'autre côté de la vitre, tous plongés dans l'obscurité puisqu'il est 3 heures du matin.

Mary fait preuve d'une nervosité accrue à mesure que nous approchons de notre destination. Elle s'est tassée sur son siège pour que personne ne puisse la voir, alors que les rues sont désertes. Il est facile pour moi de me montrer raisonnable. Je ne vis pas avec une cible au milieu du dos.

Le conducteur tourne à droite sur une route étroite qui s'éloigne de l'océan, et négocie une série de virages avant de s'arrêter derrière un véhicule. Deux inconnus sont nonchalamment appuyés contre la carrosserie. Ils se redressent en nous apercevant. J'en déduis qu'il s'agit des deux marshals de Portland.

Mary me tend la main, je referme mes doigts sur les siens.

— Nous serons en sécurité ici.

Soudain, un portail que je ne distinguais pas dans l'obscurité s'écarte.

Les marshals remontent en voiture et nous les suivons sur un sentier escarpé qui serpente jusqu'au cabanon.

Les deux véhicules s'immobilisent sur l'aire de gravier située sur le côté de la maison dont les phares éclairent la façade. Des insectes apparaissent, qui tournoient dans les cônes de lumière. Le cabanon en merisier, très étalé, est entouré d'un jardin au-delà duquel s'étend un gouffre noir. Le ravin dont Jim Demetrio nous a parlé. Il n'a pas menti, nous sommes perchés tout en haut d'un promontoire. À moins d'escalader ce pic rocheux, on accède au cabanon uniquement par le chemin pierreux où les agents fédéraux montent la garde.

Les marshals descendent de voiture et procèdent à la fouille de la maison avant de nous laisser y pénétrer. À l'avant de notre véhicule, Denny et le conducteur, l'agent Norm Getty, attendent patiemment leur feu vert.

— Le cabanon est équipé d'un système de sécurité dernier cri, nous explique Getty. La porte principale et celle de derrière sont munies de verrous. Un carillon retentit chaque fois qu'une porte s'ouvre. Quant à la sirène qui se met en route en cas d'alerte, on l'entendrait de l'autre côté du Pacifique.

Il pointe un index en direction de la maison.

— Il y a des caméras de surveillance et des détecteurs de mouvement tout autour du bâtiment, ainsi qu'au niveau du portail principal. Les images s'affichent ici, précise Getty en nous désignant un iPad dont l'écran, découpé en petits carrés, montre les images retransmises par les différentes caméras. Nous sommes parfaitement en sécurité.

Je me tourne vers Mary.

— Allons-y. Tout va bien.

Je descends de voiture à sa suite en lui tenant la main. Une légère brise apporte avec elle l'air doux et humide de la mer. Nous avons beau nous trouver au sommet d'une colline, nous pourrions tout aussi bien être sur un îlot. Le terrain s'étend sur mille mètres carrés, peut-être même moins, entre le cabanon et l'aire de parking. L'herbe qui entoure la maison est rase et des grillages nous protègent du ravin. Je m'en approche sans rien distinguer dans le noir.

— Il n'y a rien autour du promontoire, m'annonce Getty. Il lui faudrait escalader ce pic rocheux et une longue suite d'obstacles insurmontables. Quand bien même il parviendrait jusqu'ici, il devrait encore escalader ce grillage en barbelés de deux mètres cinquante. C'est tout simplement impossible, mesdames. Impossible. Le seul accès est le chemin par lequel nous sommes passés. En plus des gardes, les caméras et les détecteurs de mouvement nous alerteraient bien avant qu'il ne parvienne jusqu'à vous.

Mary hoche la tête.

— C'est vrai qu'on se sent en sécurité, reconnaît-elle.

Je serre doucement sa main dans la mienne.

— Absolument.

J'aimerais en être convaincue moi-même.

104

Le cabanon est aussi vaste que moderne. Un grand salon au sol recouvert de plancher, un cabinet de toilette, une jolie cuisine avec un plan de travail en stratifié, et deux chambres que sépare une salle de bains. Celle qui m'est attribuée a deux lits jumeaux. Probablement ceux des filles de Demetrio. Je ne sais rien de sa vie privée, mais les portraits encadrés qui sont posés sur le bureau le montrent plus jeune avec sa femme et deux préadolescentes. On les voit agitant la main sur un bateau, habillés pour une occasion officielle quelconque. L'idée de vivre dans l'espace de vie d'une famille inconnue me pèse. Je ne changerai jamais.

Nous nous retrouvons bientôt dans le salon dont la décoration évoque celle d'un relais de chasse, avec sa tête de cerf empaillée sur un mur, la peau d'ours étalée au centre de la pièce, les cornes posées sur le plan de travail aux rameaux desquelles sont accrochés des mugs à café.

— Voilà qui est parfait, commente Denny.

Les autres agents fédéraux, Getty et les deux marshals, s'accordent sur les tours de garde. Deux agents seront postés en permanence dans l'un des véhicules sur l'aire de parking. L'un d'eux dormira pendant que son collègue restera éveillé. La seconde voiture, garée en bas du petit chemin, accueillera les deux autres agents. Chaque binôme sera équipé d'un iPad relié aux caméras et aux détecteurs de mouvement.

Denny nous tend un petit appareil ressemblant à une clé de voiture électronique, muni d'un unique bouton rouge.

— En cas de danger, recommande-t-il à Mary et moi, appuyez sur ce bouton. Nous recevrons le signal instantanément.

En cas de danger. Le boîtier, loin de nous rassurer, attise notre peur. Ce bouton rouge ne servira que si Winston Graham, contre toute attente et malgré toutes les précautions qui ont été prises, parvient à nous retrouver.

Un carillon et un grincement mécanique viennent brusquement troubler le silence épais qui s'est abattu sur nous. Denny fait volte-face et Norm Getty sort son arme. Le cœur battant, je me précipite sur Mary que je protège de mon corps.

Sur le mur, la porte en bois d'un coucou s'ouvre et laisse passer un minuscule oiseau.

— Coucou !

Il disparaît aussitôt.

Il est 4 heures.

— Putain, gronde Getty en rangeant son arme.

Nous poussons un soupir de soulagement général. Ce coucou n'a aucune raison de nous effrayer, il possède un solide alibi pour les meurtres passés.

L'incident nous rappelle toutefois à quel point nos nerfs sont à vif. Chacun a beau essayer de se rassurer, personne ici n'est tranquille.

105

Le même cauchemar me réveille une fois de plus. Celui dans lequel je me rue sur la fenêtre afin d'échapper aux flammes qui rongent mon lit. J'essuie d'une main mon front couvert de sueur et me mets en position assise. Du café. Une bonne odeur de café flotte dans la maison.

Je sors de ma chambre. En passant, je note que la porte de Mary est entrebâillée. Je vois à travers l'interstice qu'elle se réveille, je toque et le battant s'écarte légèrement.

Des flacons de médicaments sont alignés sur sa table de nuit. Sans doute lui ont-ils été prescrits par le médecin. Conscient qu'elle devra rester enfermée un long moment, il lui en a fourni une grande quantité. Elle dispose de toute une batterie d'antalgiques, d'antidépresseurs, de somnifères.

Je la trouve assise sur son lit, une pile d'oreillers dans le dos. Penchée en avant, elle regarde fixement un objet posé entre ses jambes écartées.

Elle se redresse en m'entendant. Son visage, toujours aussi violacé, donne l'impression d'être plus tuméfié encore que la veille.

— Je ne voulais pas vous eff…

Mes yeux se posent sur l'objet cylindrique posé devant elle. Je reconnais la forme allongée d'une bouteille de vodka Grey Goose.

— Je ne buvais pas, s'empresse-t-elle de se justifier.

— Mais vous hésitiez.

Elle reste silencieuse le temps d'une éternité en fuyant mon regard. Je m'apprête à repartir quand elle se décide enfin à parler.

— Je ne… je ne suis pas sûre d'avoir la force de continuer. J'ai peur d'ouvrir les yeux et d'affronter la journée. J'ai surmonté des obstacles terribles et je suis très fière de moi d'y être parvenue, mais ça ? *Ça ?*

Elle secoue la tête d'un air perdu.

— Je tenais vraiment à lui. Je sais que ça peut sembler ridicule, mais…

— Ce n'est pas ridicule du tout, Mary…

— Pour une fois que je croisais la route d'un type qui me paraissait correct, je le perds. En plus, je me retrouve avec la peur au ventre d'être mutilée et torturée tout en sachant que je suis une fieffée imbécile d'avoir laissé ce type entrer dans ma vie sans même m'apercevoir…

— Mary, arrêtez…

— Vous savez quoi ?

Elle me montre la bouteille de vodka.

— Il suffit que je vide cette bouteille pour ne plus avoir à penser à ça. Pour tout oublier.

Je m'assois près d'elle sur le lit.

— Je suis un monstre ! s'écrie-t-elle. Qui a jamais eu l'idée de tomber amoureuse d'un tueur en série ?

Elle s'enfouit la tête dans les mains. Je pose la main sur son bras tandis qu'elle laisse couler ses larmes. Très vite, elle soupire longuement et pousse un gémissement.

Alors je me lance.

— Toute ma vie, j'ai eu l'impression d'être un monstre, moi aussi. Nous étions jumelles avec ma sœur Marta. Sauf qu'elle était beaucoup plus jolie. Elle ressemblait à ma mère. Elle était plus belle, plus drôle, plus sociable. J'étais la grande gigue constamment plongée dans un bouquin qui connaissait les racines carrées par cœur et se passionnait pour l'environnement et la défense des animaux pendant que Marta faisait partie de l'équipe de majorettes du lycée. J'ai toujours pensé que j'étais une erreur de la nature. Un fruit pourri dont on se débarrasse.

Mary me lance un coup d'œil et laisse retomber ses mains.

— Vous n'avez rien d'un monstre. Et je doute que l'agent Bookman vous voie comme un monstre.

Je lève les bras au ciel.

— Maintenant, ça va. J'ai fini par m'y habituer. N'empêche que j'étais terriblement jalouse de Marta alors qu'elle se montrait adorable avec moi. C'est bien ça le plus dingue. Marta m'adorait. Elle aurait fait n'importe quoi pour moi. En échange de quoi je lui en voulais. Aujourd'hui, je donnerais tout…

Je reprends ma respiration. Pas question de m'effondrer.

— Ce que je veux dire, Mary, c'est que la notion de monstre se trouve uniquement dans la tête de la personne concernée. Vous n'avez rien d'un monstre. Vous avez déjà surmonté des obstacles incroyables. Vous surmonterez celui-là aussi.

Elle m'adresse un regard dans lequel je lis de la reconnaissance. Derrière ce corps musclé, aguerri par des années de discipline, se cache une femme seule qui a toujours combattu l'adversité en sachant garder la tête haute, sans jamais trouver l'amour. Elle était persuadée de l'avoir enfin déniché après sa rencontre avec Winston Graham, et voilà qu'elle découvre l'horreur de ce qu'il est réellement. Reste à savoir si elle parviendra à guérir d'une telle blessure, au même titre qu'elle a su guérir de son alcoolisme.

Je lui tends la main.

— Venez avec moi. Allons prendre un café sur la galerie. Une journée magnifique nous attend. La bouteille sera toujours là si vous décidez de la boire tout à l'heure.

Elle prend ma main et nous nous levons d'un même mouvement. Un ours en peluche tout blanc s'échappe des couvertures.

— Comment s'appelle votre petit compagnon ?

— Il n'est pas à moi, je l'ai trouvé ici. Mais j'avais un ours blanc quand j'étais petite. Je l'ai traîné partout avec moi pendant des années. Vous savez comment je l'appelais ? Ours Blanc.

— Très original.

Ma remarque la fait rire. C'est déjà un début.

— Je l'ai oublié un jour dans un caddie de supermarché et je ne l'ai jamais revu. J'ai pleuré pendant des jours et des jours. Ensuite, pendant des années, j'étais infichue d'entrer dans un supermarché sans chercher Ours Blanc. J'obligeais mon père à demander à l'accueil s'ils n'avaient pas retrouvé ma peluche. Je m'étais construit toute une histoire dans ma tête, qu'une gentille petite fille l'avait trouvé et lui avait donné une famille.

Je lui serre le bras.

— C'est une histoire triste. En tout cas, je ne suis pas Ours Blanc, mais je resterai toujours votre amie.

— Vous êtes sincère? s'inquiète-t-elle d'une voix dans laquelle perce la méfiance.

— Je vous le jure. Promesse de monstre.

106

Le temps que je fasse cuire des œufs et griller des toasts, Mary prend son café sur la galerie avec Denny Sasser. Sans pouvoir suivre leur conversation, je les observe. Mary semble reprendre du poil de la bête. Je crois même la voir rire. Denny est parfait de ce point de vue, c'est le grand-père idéal. C'est surtout un enquêteur avisé que nous avons longtemps eu le tort de sous-estimer, malgré sa longue expérience. Sans lui, jamais nous n'aurions pensé à chercher le tueur en Pennsylvanie. Denny a remis en cause ma théorie avec beaucoup de bon sens, c'est à lui que nous devons d'avoir résolu l'affaire.

Je me verse un café avant de les rejoindre.

— Le petit-déjeuner est prêt, on passe à table quand vous voulez.

— Formidable ! s'exclame Denny avec un enthousiasme trop éclatant pour moi à une heure aussi matinale.

Mary a gardé de sa nuit les cheveux en bataille. Elle a enfilé un short et un maillot de jogging, alors qu'elle n'aura pas l'occasion de courir de sitôt. À tout prendre, je la trouve infiniment mieux qu'une demi-heure auparavant. C'est le lot de tous les toxicos, qu'il s'agisse de drogue ou d'alcool. Ils oscillent constamment d'une saute d'humeur à une autre sans jamais s'éloigner du gouffre.

Je m'installe près d'eux sur une chaise moelleuse, le visage caressé par une petite brise, attentive à leur conversation.

Denny se tourne vers moi.

— Figurez-vous que Mary a effectué sa scolarité à domicile.

— C'est vrai, confirme-t-elle. Mon père était très strict de ce point de vue.

— Il était prof ?

— Dieu du ciel, non ! Il travaillait de nuit dans une usine de conditionnement de viande. Pas vraiment un boulot intello.

Elle hoche la tête.

— Il tenait mordicus à ce que je reçoive une bonne éducation. Comme il n'avait aucune confiance dans le système scolaire d'Allentown, il s'était procuré tout un tas de livres avec lesquels il me faisait l'école pendant la journée.

Je pense toujours à la chanson de Billy Joel quand j'entends prononcer le nom d'Allentown. Il évoque avec une grande justesse les difficultés de cette cité de Pennsylvanie que la crise et la désindustrialisation ont plongée dans le désespoir.

— Et votre mère ? demande Denny.

— Elle est morte en couches.

Je grimace intérieurement.

— Je suis sincèrement désolée, Mary.

Elle me répond par un haussement d'épaules.

— Oui, c'est curieux de perdre quelqu'un d'aussi proche sans en avoir la conscience. Je ne l'ai jamais connue, en fait. Je vivais seule avec papa. On s'est plutôt bien débrouillés, je ne suis pas à plaindre.

Une enfance difficile, tout de même. J'imagine le sort de son père, contraint par les circonstances à élever seul sa fille. Un père qui allait jusqu'à lui faire l'école lui-même. Mary n'a pas grandi comme tout le monde. Sans parler de son problème d'alcool qui l'a empêchée d'avoir la vie professionnelle qu'elle aurait pu espérer.

Et voilà qu'elle vit désormais dans la peur après être tombée amoureuse d'un tueur en série.

— Vous êtes toujours en contact avec votre père ? s'enquiert Denny.

— Il est mort brutalement d'une crise cardiaque en 2011.

Elle pince les lèvres.

— Un psy dirait tout de suite que je m'étais mise en quête d'une figure paternelle dans l'espoir de remplir le vide. Au lieu de quoi j'ai trouvé le moyen de me dégoter un tueur en série. Décidément, je suis douée avec les mecs. J'ai le don d'attirer les meilleurs.

Elle repose son mug de café, les yeux perdus du côté des eaux du Pacifique, au-delà des collines. Mieux vaut changer de sujet de conversation avant qu'elle broie à nouveau des idées noires.

— Mary, j'aurais besoin de votre aide.

Mes paroles la tirent de ses pensées.

— Bien sûr. Tout ce que vous voulez.

Je lui parle pour la première fois des « Confessions de Graham ». Elle se montre horrifiée, surtout lorsqu'elle apprend quelle place lui est accordée dans ces terribles mémoires.

392

— Vous souhaitez… que je les lise?

— Oui. Je suis convaincue qu'il nous ment à certains moments, afin de brouiller les pistes. J'ai pensé que vous seriez peut-être en mesure de nous dire de quelle façon.

Mary acquiesce d'un mouvement de tête.

— Je suis d'accord. Bien évidemment.

Mon portable se met à vibrer. Un SMS de Sophie Talamas s'affiche sur l'écran : *Appeler d'urgence. Discrètement.*

— Denny et moi allons devoir passer un coup de fil. Je reviens dans une minute, on pourra regarder ces confessions ensemble.

— Restez ici. De toute façon, je dois rentrer me laver et changer de pansement.

Elle se lève et pose un doigt sur mon bras en passant.

— Désolée pour tout à l'heure. Je me sens bien. Vraiment. Vous avez déjà suffisamment de soucis sans que j'en rajoute.

J'ai tendance à la croire. Il est clair que nous sommes face à quelqu'un de fort. J'attends qu'elle rentre dans le cabanon pour mettre sur haut-parleur et composer le numéro de Sophie.

— Salut, répond cette dernière.

— Je suis avec Denny. Des nouvelles importantes?

— Carrément. Winston Graham est mort.

Je me tourne vers Denny, prise d'un immense soulagement. J'espère avoir bien entendu.

— Je sais bien que ça ne se dit pas, mais Dieu soit loué quand même.

— Ne remercie pas Dieu trop vite, réplique Sophie. Winston Graham est mort depuis plus d'un an.

Lorsque Mary nous rejoint sur la galerie une demi-heure plus tard, elle a encore les cheveux mouillés.

— Que se passe-t-il? nous interroge-t-elle en remarquant nos mines préoccupées.

Je lui résume la situation. Les fouilles réalisées dans la maison de Winston Graham ont permis de récupérer son ADN sur un fragment de cheveu accroché à un peigne dans la salle de bains. En le comparant à celui des bases de données de la police, on a constaté que cet ADN correspondait à celui d'un cadavre non identifié, retrouvé sur la côte atlantique en octobre 2011. L'état de décomposition avancé du corps n'a pas permis de dater sa mort avec précision, mais l'autopsie a révélé qu'il était resté plus d'un mois dans l'eau. En clair, le tueur s'est débarrassé du corps de Winston Graham avant même de tuer sa première victime à Atlantic Beach, en Floride, le 8 septembre de cette même année 2011.

— Il voulait usurper l'identité de Winston Graham. Graham vivait seul, il avait de l'argent, ce qui faisait de lui une cible idéale. Notre homme l'a assassiné, probablement après lui avoir soutiré les numéros de ses comptes en banque, puis il s'est servi de sa maison comme quartier général. Quand bien même quelqu'un aurait fini par s'intéresser à ses recherches sur Internet, il les aurait faites sur l'ordinateur de Graham. Et si on remontait jusqu'à lui grâce à sa voiture, ce qui s'est d'ailleurs produit, on incriminerait Graham.

— C'est ce qui l'a poussé à enregistrer ces fameuses «Confessions», poursuit Denny. Il lui fallait accréditer la thèse de la culpabilité de Graham au cas où nous le pisterions de trop près. C'était ça, le mensonge que nous soupçonnions. Le tueur n'est pas du tout Winston Graham.

— Mais… je me suis rendue chez lui, balbutie Mary, perdue. J'ai dîné chez lui… J'étais… j'étais…

Je la coupe.

— Nous savons à présent qu'il s'agissait d'un imposteur. Il a tué Graham afin de s'emparer de son identité. Vous n'aviez aucune raison de ne pas le croire.

Mary se laisse tomber sur une chaise, une main sur la poitrine.

— Je crois que je vais vomir.

— Cette révélation ne change rien, la rassure Denny. Le vrai tueur court toujours et nous allons le coincer. Vous ne craignez rien. La seule différence, c'est son nom.

En théorie, il a raison, bien sûr. Il n'empêche que le tueur nous a embobinés une fois de plus. «Winston Graham» n'était nullement Winston Graham, et nous n'avons aucune idée de l'identité du coupable.

Il nous prouve à nouveau qu'il a une longueur d'avance sur nous. Ce type-là aura passé son temps à nous faire prendre des vessies pour des lanternes.

Sans aucune raison logique, forte de l'intuition qui guide mon existence depuis toujours, je ne peux chasser de mon esprit le malaise qui m'habite. J'ai la curieuse impression que nous ne sommes pas vraiment en sécurité dans ce cabanon perdu de l'Oregon.

108

Il est à présent 20 heures. Le soleil s'est couché en laissant dans son sillage des traînées roses, vertes et orange qui dessinent dans le ciel un sorbet somptueux.

Le ciel adopte brusquement une couleur cendre et la nuit reprend ses droits dans notre refuge éloigné de tout. L'obscurité est porteuse d'un sentiment de crainte qui risque fort de troubler notre première vraie nuit ici. La première nuit depuis que nous savons la vérité. Winston Graham n'est pas Winston Graham.

Je fais les cent pas dans ma chambre, le portable collé à l'oreille. Je converse avec Sophie, Books persistant dans son attitude de rejet à mon égard.

— Si je comprends bien, il se servait exclusivement de son Amex et de sa Visa à Pittsburgh et dans les environs. Il avait ses habitudes dans plusieurs bars et restaurants, notamment dans un troquet où il se rendait tous les dimanches soir à l'automne 2010. Pour boire des bières et regarder les matchs de football, j'imagine.

— À en juger par les sommes qu'il dépensait, me confirme Sophie, il n'était pas seul. Il se rendait là-bas avec un pote. Graham a très bien pu rencontrer notre homme de cette façon-là. Le tueur s'est lié d'amitié avec lui en gagnant sa confiance.

— Poursuis tes recherches et appelle-moi dès que tu as du nouveau.

Il est 23 heures en Pennsylvanie, je doute que Sophie fasse d'autres découvertes ce soir.

Je raccroche avant d'entrer dans la salle de bains que je partage avec Mary.

— Mary? Je prends une douche rapide!

— OK, pas de souci.

Je me déshabille en laissant le boîtier d'appel d'urgence sur la tablette du lavabo. Je n'aime pas laisser Mary sans surveillance, ne fût-ce qu'une minute. C'est ridicule, sachant que nous sommes gardées par quatre hommes armés et que je ne lui serais pas d'un grand secours si le tueur débarquait à l'improviste.

En dépit de l'altitude, la pression de l'eau est correcte dans le cabanon. La douche est même équipée d'une pomme d'arrosage sophistiquée. Je ne suis pas fâchée de me détendre un peu, de m'évader quelques instants, de laisser le jet me masser la nuque et les épaules, de fermer les yeux en levant la tête sous le torrent d'eau.

Avec la fin de cet intermède revient la nervosité endémique qui me noue les intestins. Je me sèche en un tournemain, enfile des vêtements à la hâte, récupère le boîtier sur la tablette, et gagne le salon. La pile des transcriptions des «Confessions de Graham» signale la place du canapé où s'est installée Mary, mais je ne la vois nulle part. Où peut-elle bien…

— Salut, me hèle-t-elle de la cuisine en me faisant sursauter.

Elle verse dans un gobelet en carton le lait qu'elle s'est fait chauffer.

La bouffée de panique qui m'envahissait se dissipe. Je suis passée devant elle sans la voir, pour avoir oublié de jeter un coup d'œil dans la cuisine depuis le couloir. Je me comporte de façon ridicule. Je ne m'attendais tout de même pas à ce qu'elle ait été kidnappée pendant les dix minutes où je prenais ma douche ? Je dois impérativement me reprendre, je suis en train de devenir parano.

Je viens tout juste de pousser un soupir de soulagement lorsque le carillon trouble la quiétude de la maison avec son grincement métallique. Ce fichu coucou me nargue depuis son perchoir avant de disparaître derrière sa porte en bois.

Il doit être 9 heures.

Je jure entre mes dents.

Reprends-toi, Emmy. Mary est en sécurité. Nous sommes loin de tout, dans un endroit dont tout le monde ou presque ignore l'existence, sous la garde de flics armés et parfaitement entraînés. Mary n'a rien à craindre.

— J'ai préparé du chocolat chaud pour tout le monde, m'annonce Mary. Je me disais que c'était bien le moins, après tout ce qu'ils font pour moi.

Elle dépose quatre gobelets en carton remplis de chocolat fumant sur une grande assiette.

— Que faites-vous ?

— Je comptais leur apporter ces chocolats.

— Pas question. Vous ne quittez pas la maison.

Mary fronce les sourcils.

— Vous voulez dire que je ne peux même pas sortir leur donner un chocolat ?

— Exactement. Je m'en charge.

Je lui prends l'assiette des mains.

— Je reviens tout de suite.

— Vous êtes convaincue qu'il va venir, c'est ça ?

— Pas du tout.

— Bien sûr que si. Je le sens. Je le lis dans vos yeux.

— Je reviens tout de suite, Mary.

Je retrouve l'air frais de la nuit, l'assiette en équilibre instable entre mes mains. Je commence par porter deux gobelets aux marshals installés dans la voiture la plus proche.

— Un cadeau de Mary.

— C'est gentil, me remercie le type assis derrière le volant, un dénommé McCloud. Ça sent rudement bon.

Je remercie les deux agents fédéraux de tous leurs efforts avant de déposer l'assiette sur le capot de la voiture, de m'emparer des deux gobelets restants et de m'engager sur l'allée qui descend jusqu'au portail.

Au lieu de trouver deux silhouettes près du second véhicule, j'en découvre trois.

109

Je ralentis le pas instinctivement, ce qui n'est pas aisé du fait de la pente. Mes yeux s'adaptent à l'obscurité et je distingue enfin les traits de l'homme qui discute avec Denny Sasser et Norm Getty.

Ils rient de bon cœur en multipliant les grands gestes. Denny se retourne en m'entendant arriver.

— Bonsoir, Emmy. Tu te souviens de Jim Demetrio?

Je ne risque pas de l'avoir oublié, c'est lui qui nous a prêté ce cabanon. L'un des meilleurs profileurs de tueurs en série, à en croire Denny.

— Ravie de vous revoir.

— Le cabanon vous plaît?

— Il est super. Encore merci.

J'en profite pour poser sur le coffre de l'auto les deux gobelets fumants.

— J'apportais du chocolat chaud à nos anges gardiens.

— Notre témoin tient le coup? m'interroge Demetrio en montrant la direction du cabanon d'un mouvement du menton. Elle a peur? Elle est nerveuse?

Je me veux rassurante.

— Pour l'instant, tout va bien.

— Alors tant mieux.

— Hé, les gars, laissez-moi vous prendre en photo tous les trois. Ça nous fera un souvenir.

Je lève l'objectif de mon iPhone.

— Je n'aime pas vraiment me voir en photo, se défend Demetrio. Ça me rappelle à quel point je suis gros et vieux.

— Gros, vieux et riche, plaisante Denny.

— Allez, les gars. Juste une.

— Naaan. De toute façon, je dois y aller, marmonne Demetrio. Je repasserai peut-être tout à l'heure vous dire bonsoir. Soyez prudents.

Jim Demetrio saute dans sa petite voiture de sport et démarre sur les chapeaux de roues.

— Merci pour le chocolat, fait Denny. Ça sent divinement bon.

Tout ne sent pourtant pas bon dans cette histoire.

Je sens monter l'adrénaline en reprenant le chemin du cabanon. Je compose le numéro de Sophie, tout en sachant qu'il est minuit passé en Pennsylvanie. Je doute qu'elle dorme déjà.

— Salut, me répond-elle.

C'est d'une voix essoufflée que je lui fais ma demande.

— Sophie. J'aurais besoin que tu fasses une recherche de toute urgence.

110

Une heure s'est écoulée depuis mon appel à Sophie. Debout devant la fenêtre de la cuisine donnant sur la galerie, je ne distingue rien, en dehors des étoiles dans le ciel. Le calme ambiant reflète mal mes angoisses.

— Que se passe-t-il? s'étonne Mary depuis le canapé du salon où elle s'est installée avec les «Confessions de Graham».

— Rien.

Je suis pourtant persuadée du contraire. Tous mes sens sont en alerte, le moindre chant d'oiseau, le moindre bruissement de feuille, le moindre souffle de vent, le moindre craquement à l'intérieur du cabanon me met les nerfs à vif.

— Vous n'avez pas bu votre chocolat. Il va refroidir.

— C'est gentil, Mary. Pour tout vous dire, je suis allergique au chocolat. Je n'osais pas vous l'avouer.

Je ponctue ma phrase d'un sourire.

— Oh, je suis désolée. Laissez-moi vous préparer un thé.

— Ne vous donnez pas cette peine.

— Ça ne me dérange pas du tout. Souvenez-vous de ce que je vous ai dit. Je suis une petite abeille affairée.

Mary bondit du canapé et se rend dans la cuisine. Elle remplit la bouilloire, la pose sur le feu.

Elle me pince gentiment le bras en passant à côté de moi.

— Vous êtes certaine que ça va ? Vous êtes encore plus nerveuse que moi.

Elle regagne sa chambre sans attendre ma réponse.

Près de moi, la bouilloire commence à chanter. Inutile d'inquiéter Mary plus qu'elle ne l'est déjà.

Elle quitte sa chambre et retourne dans le salon où elle s'installe confortablement sur le canapé en feuilletant les documents que je lui ai confiés.

— Ces transcriptions sont flippantes, déclare-t-elle. Cela dit, je ne vois rien qui cloche. Sauf quand il dit que je suis belle.

Un claquement sec troue la nuit. Un moteur de voiture mal réglé ? En temps ordinaire, je n'y aurais prêté aucune attention.

Je m'approche prudemment de la porte d'entrée quand un grincement familier accompagné d'un carillon me fait sursauter, manquant de me donner une crise cardiaque. Le coucou me signale qu'il est 22 heures.

— Saloperie d'horloge. Vous croyez qu'on m'en voudrait si je l'arrachais du mur ?

Mary glousse doucement.

— J'adore les coucous. On en avait un quand j'étais petite. Il m'avait même valu un surnom.

— Un surnom, ah oui ?

Je m'efforce de paraître naturelle car je ne veux pas l'effrayer. De l'autre côté de la vitre, au-dessus du canapé où elle est assise, tout semble normal. Le véhicule des marshals est garé devant la maison, moteur au ralenti et phares allumés.

Tout va bien.

Ça ne m'empêche pas de continuer à guetter les alentours, en dépit de la présence des quatre agents armés qui montent la garde tout en surveillant les images des caméras de sécurité.

— Un surnom idiot, poursuit Mary. Vous vous souvenez de cette chanson, « La Cucaracha » ?

Je fais un bond.

— Comment ?

De l'autre côté de la vitre, toute apparence de normalité a disparu. Le plafonnier du véhicule des marshals jette une lumière crue sur l'habitacle. McCloud, le conducteur, ne bouge plus, la tête sur le volant. Son coéquipier est affalé contre sa portière, tout aussi immobile. Et une silhouette traverse en courant l'aire gravillonnée, en direction du cabanon.

— Courez, Mary ! Prenez la fuite !

Le visage de Jim Demetrio vient de se coller au carreau de la porte d'entrée.

Mary se jette sur le plancher à l'instant où résonne le poing de Jim Demetrio sur la porte d'entrée.

— C'est lui, Mary! C'est lui!

D'un geste, je l'invite à prendre la fuite avec moi. Elle se contente de ramper le long du canapé en direction de l'entrée.

— Mary! Il arrive!!! C'est lui!

Je résiste à l'envie de m'enfuir. Je ne peux pas laisser Mary tomber entre ses griffes. J'ouvre les tiroirs de la cuisine à la volée, à la recherche d'un couteau, quand j'entends tourner une clé dans la serrure.

Bien sûr qu'il a la clé, puisque c'est son cabanon!

Je te promets que nous nous retrouverons un jour, très bientôt.

Le battant s'ouvre brutalement. Le regard de Demetrio s'arrête sur moi.

— Emmy, où est…

Mary se relève d'un bond et lui enfonce un objet pointu dans le cou avant qu'il ait pu se retourner. Un flot de sang jaillit de la gorge de Demetrio. Il recule en titubant et s'effondre sur le seuil du cabanon.

Mary s'éloigne de lui à reculons, comme s'il était radioactif. Je quitte l'abri de la cuisine afin de voir s'il respire encore. Je tremble de tous mes membres, au point de peiner à sortir mon portable de ma poche et de le laisser tomber par terre.

Demetrio a les yeux vitreux. Avachi sur le plancher, sa tête penche bizarrement. Du sang continue de s'écouler de sa plaie à la gorge, au rythme des ultimes soubresauts de son cœur qui n'a pas encore compris l'inanité de ses efforts.

Mary me regarde, sa poitrine agitée d'une respiration animale.

— Vous connaissez… son nom ?

J'ai du mal à retrouver ma voix.

— J-J-Jim. Jim Demetrio. Le propriétaire du cabanon. Un ancien du FBI à Pittsburgh.

Elle se tourne vers lui.

— Putain. Vous ne m'avez jamais parlé de lui.

Les mains sur les genoux, je m'efforce de reprendre mon souffle. Sur le plancher, mon portable me signale l'arrivée d'un SMS de Sophie :

Jim Demetrio blanc comme neige. À l'étranger presque tout le mois de septembre pour son boulot. A acheté une Porsche à Pittsburgh le jour de la bombe à Détroit. Ne peut pas être notre homme.

Jim Demetrio… innocent ? Dans ce cas, à quoi rimait son entrée en force il y a un instant ?

Mary continue de surveiller le corps de Demetrio, afin de s'assurer qu'il est bien mort.

— On ferait mieux de s'inquiéter de nos anges gardiens. Peut-être sont-ils encore…

— Non.

Mary secoue violemment la tête. Elle se plante devant la porte d'entrée en me barrant la route. Elle semble brusquement nettement moins inquiète. Je ne l'ai jamais vue aussi sûre d'elle.

— Non, non, Emmy. Pas question d'aller nulle part.

Sa réponse me laisse hébétée.

Et puis mon sang ne fait qu'un tour.

Mary observe attentivement ma réaction. Je n'ai jamais su dissimuler mes sentiments, elle voit tout de suite que les dernières pièces du puzzle sont en train de se mettre en place. L'acte de naissance au nom de « Marty » Laney, l'année de naissance de Mary, dans la même ville d'Allentown. Les blessures relativement mineures provoquées par la batte de base-ball. Cette anecdote au sujet de « La Cucaracha » qu'elle s'apprêtait à me raconter lorsque Demetrio nous a interrompues.

— Le mensonge qu'on cherchait désespérément dans les « Confessions de Graham »… C'est vous.

Elle m'observe en silence. Sa respiration se calme, elle n'a plus besoin de feindre l'essoufflement.

— Vous auriez mieux fait de boire votre gobelet de chocolat, laisse-t-elle tomber.

Va-t'en, Emmy! Prends tes jambes à ton cou. C'est la seule chance qui te reste de t'en tirer.

Mais fuir où? Elle bloque l'entrée principale et je n'aurai jamais le temps d'atteindre la porte donnant sur l'arrière de la maison. Surtout, je n'ai l'intention d'aller nulle part, après avoir pourchassé l'assassin de ma sœur pendant près d'un an.

— Vous n'avez pas eu le temps de terminer votre anecdote au sujet du coucou. Vous dansiez en écoutant «La Cucaracha» quand vous étiez petite, c'est ça?

Elle hausse les épaules sans répondre. Ses pansements et sa chemise blanche sont couverts d'éclaboussures carmin. Elle serre toujours dans son poing l'arme avec laquelle elle a tué Demetrio. On dirait un scalpel, sans doute volé à l'hôpital.

— Dans ce cas, c'est moi qui vous raconterai la fin de l'histoire. Votre père vous a surnommée «la Cucaracha», mais vous n'arriviez pas à prononcer ce mot, vous disiez que vous étiez son petit *coucou-cha*. Je me trompe?

Je revois Gretchen Swanson, assise dans sa cuisine, évoquant ses souvenirs lorsque je m'étonnais de la présence de son cafard en porcelaine. *Cucara-cha* en espagnol. À ceci près que le souvenir s'appliquait à la fille chérie qu'elle venait d'enterrer.

— Joëlle Swanson, approuve Mary. Une gentille fille, très confiante.

D'un geste brusque, je sors le boîtier d'alerte de ma poche et j'enfonce le bouton rouge.

— J'ai bien peur que vos petits camarades restent sourds à vos appels. Ils sont en pleine sieste, à l'heure qu'il est.

— Rien ne vous dit que l'alarme sonne uniquement ici. Vous n'avez pas drogué tout le monde avec vos somnifères. Qui vous dit que Bookman ou la police locale ne reçoivent pas le signal ?

J'appuie une deuxième fois sur le bouton, à tout hasard.

— Encore faudrait-il que cet appareil ait des piles.

En m'escrimant sur le bouton, je m'aperçois que la diode rouge ne s'allume plus. Mon alarme est aussi morte que les innombrables victimes de Mary.

— Pendant que vous preniez votre douche, précise-t-elle.

Une fois de plus, elle a pensé à tout. À ces prétendues «Confessions», de façon à se servir de Graham comme bouc émissaire au cas où nous serions sur sa piste. Jusqu'à la phrase qui conclut le dernier enregistrement. *Je te promets que nous nous retrouverons un jour, très bientôt.* Une explication commode le jour où elle nous aura glissé entre les doigts. Elle a même eu l'intelligence de vouloir que je l'accompagne dans l'Oregon, afin de mieux surveiller les progrès de l'enquête.

410

— Vous pouvez toujours me tuer, jamais vous n'arriverez à vous en tirer, à présent que vous voilà démasquée.

— Moi, démasquée?

Elle fait un pas dans ma direction, tel un animal acculant sa proie, prête à fondre sur moi au premier mouvement. À peine quatre mètres nous séparent.

— Je devrai renoncer à assister aux matchs de football et c'est bien dommage, parce que j'adore l'ambiance des stades. À part ça, je me contenterai de disparaître. Vous ne comprenez donc pas? Le tueur m'a enlevée après avoir découvert ma cachette, m'explique-t-elle d'une voix innocente. Je ne suis pas la coupable, je suis la victime.

Je sais qu'elle a raison. Elle s'emparera des iPad des marshals et il ne restera aucune trace des images vidéo. Elle trouvera bien le moyen de laisser un peu de son sang dans un coin quelconque du cabanon afin d'accréditer la thèse d'une lutte. Pour quelqu'un qui nous a donné le change en se blessant à coups de batte de base-ball, une simple coupure au doigt sera un jeu d'enfant. Mary Laney restera dans l'histoire comme l'une des victimes du tueur inconnu.

— Et ensuite? Vous comptez entamer une nouvelle vie? Vous approprier les traits et les anecdotes obtenues de vos victimes par la torture? C'était ça, votre but, non? Votre père qui faisait *bzzzz-bzzzz* sur votre passage, l'ours blanc perdu dans un caddie de supermarché, «La Cucaracha» de Joëlle Swanson? Et Marta?

J'ai hurlé le prénom de ma sœur, l'écume aux lèvres.

— Et ma sœur? Quelle partie de sa vie avez-vous décidé de vous approprier?

Mary fait un autre pas vers moi.

— *Vous,* Emmy.

Elle souligne sa réponse d'un large sourire.

Je tente le tout pour le tout. Mes chances sont minces, mais je n'ai plus rien à perdre. Je pivote d'un bloc en direction de la porte de la galerie. J'agrippe la poignée à pleine main lorsque la lame du scalpel s'enfonce entre mes côtes en provoquant un éclair de douleur. Une main me tire brutalement en arrière par les cheveux et je m'affale sur le sol de la cuisine. Je tente de colmater la plaie avec ma main, un flot de sang tiède me glisse entre les doigts tandis que l'écho assourdissant de la douleur se répercute entre les parois de mon crâne.

Mary se penche au-dessus de moi, sans défense à ses pieds. Elle joue machinalement avec le scalpel avant d'être interrompue par le sifflement de la bouilloire, dans la cuisine.

— Formidable, ricane-t-elle. L'eau bout.

113

Mary m'observe, la bouilloire fumante dans une main, le scalpel dans l'autre. Une grimace ricanante déforme son visage violacé.

Je recule instinctivement de quelques centimètres sur le carrelage de la cuisine. Je suis prise au piège. Je suis perdue. Elle possède la supériorité physique et tactique. Il ne me reste plus que ma pauvre tête, pleine des images terribles de ma sœur, des horreurs que nous avons vues, toutes ces photos d'autopsie de victimes scalpées, ébouillantées, découpées, torturées au-delà du seuil de résistance humaine. Le peu de force qui me reste me sert à comprimer la plaie qui me troue le flanc.

Ma voix tremble.

— Marty… Vous êtes… Marty…

— Ah, tu es tombée sur mon acte de naissance ? Je me demandais si tu mettrais la main dessus. Eh oui, mon père voulait un garçon. Il m'a eue, moi, mais ça ne l'a pas freiné dans ses pulsions pour autant.

Mary penche la bouilloire et un jet d'eau bouillante s'écrase sur ma cuisse. Ma jambe tressaute, je pousse un cri de douleur tandis qu'un voile de vapeur s'élève au-dessus de ma jambe.

— Ne bouge pas, me recommande-t-elle.

Constatant que je glisse en arrière, Mary pèse de tout son poids sur ma cheville qui se fracture avec un craquement terrifiant.

Au moment où je me penche en tendant la main vers ma cheville cassée, elle en profite pour m'ébouillanter le bras, l'épaule et la nuque.

— Je t'ai dit de ne pas bouger.

Réfléchis, Emmy. Sers-toi de ta tête.

— Comme ça... tu assassines les gens... parce que papa te prenait... pour un garçon?

Le jet suivant me brûle la poitrine. Ma chemise me colle atrocement à la peau. Le cri qui m'échappe est d'une telle force que j'ai du mal à croire qu'il émane de moi.

— C'est ce que tu penses? Tu t'imagines que je tue ces gens par plaisir? Toi, Emily Dockery, la brillante analyste du FBI? Tu n'as toujours pas compris mes motivations?

Elle se rue sur moi et m'immobilise les bras avec ses genoux, me dominant de toute sa puissance. D'une main, elle agrippe une poignée de mes cheveux et me colle la joue contre le carrelage. Elle m'effleure le visage de son scalpel d'un geste provocateur.

Sers-toi de ta tête, Emmy. Trouve une solution.

— Tu souhaites que des gens normaux puissent ressentir ce que...

— Des petites gens tranquillement installées dans leurs petites vies confortables. Ils n'avaient aucune idée de ce qu'était la souffrance. Avant de me rencontrer.

Le premier coup de scalpel me cisaille le cuir chevelu jusqu'à l'os. Je hurle de toute la force de mes

414

poumons, mes jambes s'agitent vainement sous Mary, des points noirs dansent devant mes yeux, jusqu'à ce que mes hurlements perdent définitivement toute humanité pour se métamorphoser en braillements aigus d'une bestialité qui n'a plus rien à voir avec moi…

Sers-toi de ta tête, Emmy. C'est ta dernière chance.

La lame du scalpel s'arrête au niveau de l'oreille. Je voudrais remuer la tête, mais elle la maintient trop solidement. Mes forces commencent à m'abandonner, mes bras s'engourdissent sous la masse de son corps, mes jambes sont des poids morts, le sang continue de couler de la blessure qui me troue les côtes.

— Tu as du cran, commente Mary d'un air admiratif. D'habitude, je me sers d'un Taser, de liens, de sels et de toute une panoplie d'instruments chirurgicaux, mais tu sais quoi? Je ne suis pas mécontente du résultat de ce soir. Certains artistes donnent le meilleur d'eux-mêmes lorsqu'ils sont sous pression. Tu seras mon chef-d'œuvre, Emmy.

Trouve le moyen de la stopper… trouve le moyen de la stopper… réfléchis vite…

— Je reconnais volontiers n'avoir jamais réussi à leur infliger les mêmes souffrances qu'à moi, poursuit-elle sur un ton badin. Je n'avais pas les moyens de leur injecter des stéroïdes jour après jour tout au long de l'enfance, de les obliger à pratiquer la musculation quotidiennement, de les terroriser à l'idée que leur voix soit trop aiguë. Je n'ai jamais pu les obliger à partager les vestiaires des garçons de l'équipe de football en cachant désespérément leur intimité. En revanche, Emmy, je peux faire *ça*.

Mary m'attrape les cheveux à hauteur de l'incision en tirant légèrement. La douleur est insoutenable, au point que je suis totalement incapable de… incapable de… de…

J'arrive, Marta. Je serai bientôt là. Je t'en supplie, laisse-moi entrer… Je t'en supplie…

— Tu aimerais mourir, pas vrai, Emmy? Tu aimerais que j'abrège tes souffrances? Eh bien, non. Tu vas devoir supporter la suite. Tu vas devoir souffrir le martyre, tu ressembleras à un monstre défiguré quand je déciderai de mettre un terme à ton supplice. Tu devrais prier le ciel que ton calvaire ne dure que quelques heures, au lieu de s'éterniser pendant *trente-sept ans*!

Sers-toi de ta tête. N'importe quoi, mais réagis…

Il te reste un atout… un avantage…

— Je t'interdis de mourir, m'ordonne-t-elle. Ce serait trop facile. Je n'en ai pas terminé avec toi.

Elle m'immobilise à nouveau la tête, de la main droite cette fois, prête à découper le cuir chevelu de la main gauche afin de terminer l'opération qui me transformera définitivement en un monstre, comme elle.

Cette fois, je ne cherche pas à résister. Mon corps se détend et je retiens mon souffle.

Cette fois, je me sers de ma tête.

— Non, non, non! Réveille-toi, réveille-toi!

Mary lâche la poignée de cheveux qu'elle tirait et me souffle une haleine furieuse au visage en hurlant :

— Tu n'as pas le droit de mourir tout de suite! Tu ne vas pas t'en tirer à si…

Je rassemble toutes les forces qui me restent et je relève brusquement la tête. Mon front frappe de plein fouet la coque qui protège le nez cassé de Mary.

Mon coup de boule la fait hurler de douleur, le monstre est blessé, ses mains se portent instantanément à son nez, elle tombe en arrière en me libérant. Je me remplis les poumons avec soulagement avant de me redresser, du sang plein les yeux, du sang qui coule de ma plaie au côté. La pièce tangue autour de moi.

Le scalpel, dégoulinant de mon sang, gît à terre. Mes doigts se referment à côté du manche car je vois double. Je parviens enfin à le saisir tandis que Mary se roule de douleur sur le carrelage. C'est la deuxième fois qu'elle se casse le nez cette semaine. Cette fois, elle n'y est pour rien.

Je tente de me relever sans y parvenir à cause de ma cheville en miettes, trop faible pour tenir debout. Des éclairs traversent mon champ de vision dans lequel le visage de Mary ne fait que grossir. Sa coque nasale a disparu, son visage est une masse sanguinolente informe dont s'échappent des râles effrayants…

J'arrive, Marta.

Les éclairs s'enchaînent, un gong résonne dans ma tête, je me revois avec Marta et nos cavaliers respectifs le soir du bal de fin d'année. Le sien était capitaine de l'équipe de football américain, le mien un camarade du club de maths qui faisait une tête de moins que moi. Je revois le corps de Marta à la morgue quand il m'a fallu l'identifier, je revois le jour où nous avons piqué une cigarette à maman quand on avait dix ans, je revois le soir où Books, un genou à terre, m'a tendu la bague en diamant de sa grand-mère…

Ma plaie au côté me lance terriblement, Mary grimace de douleur et de haine…

L'espace d'un instant, le temps s'arrête. Nous nous observons longuement, et puis un cri guttural s'échappe de sa gorge et elle se rue sur moi. Je l'imite, mue par un réflexe, en m'appuyant sur ma jambe valide. Ma tête s'écrase sur le visage de Mary, elle hurle en tombant en arrière, je me jette sur elle, je la cloue au sol de tout mon poids, la main sur sa poitrine.

Elle bat des bras dans l'espoir de m'arracher les yeux, de m'arracher le scalpel des mains.

Elle est sur le point de me renverser, je sens mes forces m'abandonner. C'est ma dernière chance.

Ma main droite s'abat brutalement, la lame s'enfonce dans une masse de chair et d'os, ressort et recommence, encore, encore et encore, son sang me gicle au visage, et puis ses cris s'arrêtent.

Alors, je bascule dans la nuit tiède.

115

Je découvre une Marta radieuse. Plus jeune, plus fraîche, plus joyeuse. Une version idéale de Marta. Nous restons silencieuses dans un premier temps. Un mouvement aérien, d'une fluidité parfaite, nous jette dans les bras l'une de l'autre et nous fondons en larmes. Et puis nous rions, parce que nous sommes à nouveau réunies. Cette fois, j'ai tenu ma promesse, rien n'est plus comme avant.

Je lui dis tout. Mes complexes idiots, mon admiration pour elle depuis tout ce temps, mon envie de lui ressembler davantage, et voilà qu'elle m'avoue la même chose, à mon grand étonnement. C'est quand même fou, la vie! *Nous rions à perdre haleine, nous nous admirons et nous nous jalousons depuis toujours en secret.*

On rit en repensant aux vacances avec l'oncle Phil qui pétait tout le temps, aux larmes de Marta le jour de ses premières règles, à mes larmes de jalousie parce qu'elle les avait eues avant moi. On reparle du jour, à huit ans, où elle a marché sur un clou dans les bois derrière la maison, quand Andy Irvin et Doug Mason se sont battus pour savoir lequel des deux la porterait jusqu'à la maison et que j'ai fini par la prendre sur mon dos.

La conversation ne s'arrête plus, le temps n'a plus aucune prise sur nous, le début et la fin n'existent pas, l'instant présent fait figure d'éternité. On dit souvent que les péripéties de la vie ont leur raison d'être. Pour une fois, le cliché prend tout son sens. Si Marta n'était pas morte, son assassin courrait toujours et continuerait de provoquer des ravages. La mort de Marta a sauvé de nombreuses vies. Elle nous a surtout réunies.

La perfection n'est pas de ce monde, je vais devoir me contenter de cet état de fait.

Nous appartenons enfin l'une à l'autre. Nous voilà libres de toute contrainte terrestre, débarrassées de nos complexes et de nos rivalités idiotes. J'ai retrouvé ma sœur.

À jamais.

La respiration lourde d'Harrison Bookman meuble le silence de la pièce. La porte s'ouvre dans un soupir et le parfum de Sophie se glisse à l'intérieur de la chambre.

— Je sais que ce n'est pas le moment, Books, déclare la jeune analyste, mais nous avons reçu la confirmation de l'ancien entraîneur de l'équipe de football américain d'Allentown. Marty Laney en a été l'une des gloires. Jusqu'au jour où il est parti… *elle* est partie, je veux dire. Sans prévenir, pour terminer le lycée à Ridgway.

— Sans doute au moment de la puberté, répond Books. Tous les stéroïdes du monde ne peuvent tout de même pas changer la nature.

— Exactement. Elle ne faisait plus de sport à Ridgway. Ses bulletins de l'époque indiquent que Marty ne parlait à personne dans son nouveau lycée. Elle se contentait de venir en cours et de rentrer chez elle. Aucune activité périscolaire, pas d'amis, ce qui lui permettait de dissimuler sa véritable identité sexuelle. Ensuite, Marty est entrée à la fac à Pittsburgh tout en continuant à vivre chez son père. Il… enfin, *elle* a passé un diplôme de police scientifique avant d'intégrer l'entreprise familiale. Son père l'a gardée sous sa coupe toute sa vie.

Books soupire tristement.

— Le père en question était un sacré connard. Ma mère m'a expliqué un jour qu'elle aurait voulu avoir une fille à ma naissance, mais elle n'a pas passé sa vie à me travestir. On en sait plus sur le père ?

— Oui. Le Dr Donald Laney était une ancienne gloire de l'équipe de football de son lycée qu'une blessure au genou avait définitivement éloigné des terrains quand il était en première année de fac à Pittsburgh. Il s'est lancé dans une carrière de médecin légiste à Allentown. La mère de Mary est morte en couches, c'est le seul point sur lequel elle ne nous a pas menti. Par la suite, les Laney se sont installés à Ridgway et le bon docteur a ouvert une entreprise de pompes funèbres. Devine ce qui s'est passé ensuite ?

— Je préfère ne pas le savoir, marmonne Books.

— Figure-toi que l'établissement a été fermé lorsque les autorités ont été saisies de plaintes selon lesquelles certains corps étaient défigurés et mutilés.

— Je reconnais bien là notre Mary, commente Books. Elle s'entraînait sur des cadavres, avant de s'en prendre aux vivants au lendemain de la mort de papa.

— Eh oui. En attendant, le père et la fille vont pouvoir se tenir compagnie en enfer.

Le silence retombe dans la pièce.

— Alors, Books, finit par demander Sophie d'une voix douce. Tu restes ici ?

— Ne t'inquiète pas, Sophie. Tout va bien. On s'appelle bientôt. Et encore bravo pour ton boulot tout au long de l'enquête.

— C'est gentil, mais tu sais aussi bien que moi que le mérite revient à une autre.

Les pas de Sophie s'éloignent, la porte s'ouvre et se referme avec un léger appel d'air.

— Oui, je sais, murmure Books, au bord des larmes.

Pendant longtemps, il ne dit rien.

— Oh Emmy. Emmy, Emmy, je t'en prie…

Je ne suis pas prête, Marta. Il est encore trop tôt. Je t'aime, ma sœur, c'est dingue ce que tu me manques, mais je n'en ai pas encore terminé ici.

— Emmy ?

Le souffle de Books me caresse le visage. Il serre ma main dans la sienne.

— Mon Dieu, Emmy…

Sa voix tremble.

— Tu es réveillée !

Je m'oblige à ouvrir les yeux. Je bats des paupières avant de reconnaître sa silhouette dans le brouillard.

— Si tu savais combien je t'aime, Emily Jean. Je t'aime tellement ! Dis-moi que tu le sais.

— Ou… oui.

J'ai répondu dans un souffle. Je ne trouve même pas la force de serrer sa main à mon tour.

Il effleure mon visage des doigts.

— Après ce qui s'était passé entre nous… j'avais tellement peur de ne jamais pouvoir te le dire.

Il pose ses lèvres sur mon front.

— Tu sais bien que je ne pensais pas un mot de toutes ces horreurs.

— Ou… oui.

Je ne suis pas certaine que mon envie de sourire soit couronnée de succès.

— Tu as perdu beaucoup de sang, mais tu as réussi, Emmy. Tu as fini par l'avoir. Tu te souviens de ce qui s'est passé?

— Ou... oui.

Mes paupières papillotent quelques instants, puis elles se referment. Je ne suis pas pressée de revivre cette nuit-là dans ma tête. Je ne suis pas pressée de me regarder dans la glace. Je sais pourtant que les plaies finiront par se refermer. C'est la loi de la nature.

— Je compte rester avec toi pendant ta convalescence. Amicalement. Je ne te demande rien, j'ai juste envie de t'aider. Ta mère est là, également. Elle est partie déjeuner. Elle est arrivée dès qu'elle a su dans quel état on t'avait retrouvée dans le cabanon.

La blessure au torse me tire les côtes dès que je fais mine de remuer. Je tâte d'un doigt le pansement qui m'enveloppe le front. Le cadeau d'adieu de Mary Laney.

Books me tapote gentiment la main.

— Tu as besoin de te reposer. Je vais appeler le médecin.

— Ou... oui.

— Tu es dans le coaltar, Em. Dors. Je serai là quand tu te réveilleras.

Il va s'éloigner quand j'entrouvre les yeux.

— Books.

— Oui?

— Plus... plus près.

Il se penche vers moi.

J'ai la bouche pâteuse, les lèvres sèches et craquelées. J'ai à peine la force de parler.

— Plus près...

Books pose sur moi un regard surpris.

— D'accord, ma douceur.

Il s'approche doucement, l'oreille contre mes lèvres.

— Je suis là, Em.

Mes forces s'épuisent, j'attends le sommeil avec impatience, il me reste à espérer qu'il comprendra toute la signification du mot que je parviens à lui lâcher dans un souffle :

— Oui.

Lettres de sang, 2018.
La Villa rouge, 2017.
Tue-moi si tu peux, 2017.
Menace sur Rio, 2016.
Zoo, 2015.
Un si beau soleil pour mourir, 2015.
Lune pourpre, 2015.
Le Sang de mon ennemi, 2015.
Week-end en enfer, 2014.
Tapis rouge, 2014.
Moi, Michael Bennett, 2014.
Dans le pire des cas, 2013.
Les Griffes du mensonge, 2013.
Copycat, 2012.
Private Londres, 2012.
Œil pour œil, 2012.
Private Los Angeles, 2011.
Bons baisers du tueur, 2011.
Une ombre sur la ville, 2010.
Dernière escale, 2010.

Rendez-vous chez Tiffany, 2010.
On t'aura prévenue, 2009.
Une nuit de trop, 2009.
Crise d'otages, 2008.
Promesse de sang, 2008.
Garde rapprochée, 2007.
Lune de miel, 2006.
L'amour ne meurt jamais, 2006.
La Maison au bord du lac, 2005.
Pour toi, Nicolas, 2004.
La Dernière Prophétie, 2001.

Aux éditions JC Lattès :

15ᵉ affaire, 2017.
Cross, cœur de cible, 2017.
14ᵉ péché mortel, 2016.
Cours, Alex Cross !, 2016.
13ᵉ malédiction, 2015.
Tuer Alex Cross, 2015.
12 coups pour rien, 2014.
Tirs croisés, 2014.
La 11ᵉ et Dernière Heure, 2013.
Moi, Alex Cross, 2013.
Le 10ᵉ Anniversaire, 2012.
La Piste du tigre, 2012.
Le 9ᵉ Jugement, 2011.
En votre honneur, 2011.
La 8ᵉ Confession, 2010.
La Lame du boucher, 2010.
Le 7ᵉ Ciel, 2009.
Bikini, 2009.